② 換気状態の3段階評価分類とそれらの臨床的解釈

麻酔施行者が最大限に努力をして換気を行った場合

換気状態の表現方法	V1	V2	V3
換気の状態	正常		異常
気道確保の難易度			可能
重篤な低酸素血症へ進展する			あり
重篤な高二酸化炭素血症へ進展			あり
期待できる一回換気量			2 mL/kg 以下
カプノグラムの波形		第Ⅲ相欠落	なし
典型的なカプノグラムの波形	INSP Ⅰ/Ⅱ Ⅲ	INSP	INSP

この評価分類システムは，フェイスマスク，声門上器具あるいは気管チューブを通しての人工呼吸中または自発呼吸中の麻酔患者に適応可能である．詳細な説明は「気道管理ガイドライン2014（日本語訳）」を参照．
INSP：吸気相

③ マスク換気を改善させる手段

	賛成率
1. 気道内圧を増加させることができない場合	
・両手法や他の方法でマスクフィットを改善させる	(96%)
・ガスリークを代償するために酸素の定常流量を増加させる	(92%)
2. 気道内圧を適切に増加できる場合	
・経口あるいは経鼻エアウェイを挿入する	(92%)
・両手を用いて triple airway maneuvers を確実に行う	(92%)
（頭部後屈，下顎前方移動，開口）	
・逆トレンデレンブルグ体位あるいは半座位とする	(77%)
・麻酔器の人工呼吸器を用いて両手マスク換気を行う	(92%)
（PEEPを高め設定し，PIPを制限したPCVモード）	
・CPAPまたはPEEPを負荷する	(88%)
・筋弛緩薬が投与されていなければ投与する	(92%)
・筋弛緩薬がすでに投与されていれば回復させる	(92%)
・他の麻酔科医の援助を要請する	(92%)

PCV：従圧式換気，PIP：最大気道内圧，CPAP：持続陽圧呼吸

〔左図①の脚注〕
*1：①に列挙された方法を使ってマスク換気を改善するよう試みる．
*2：同一施行者による操作あるいは同一器具を用いた操作を，特に直視型喉頭鏡またはビデオ喉頭鏡で3回以上繰り返すことは避けるべきである．迅速導入においては誤嚥リスクを考慮する．
*3：(1) 意識と自発呼吸を回復させる，(2) ファイバースコープの援助あるいはなしで声門上器具を通しての挿管，(3) 声門上器具のサイズやタイプの変更，(4) 外科的気道確保，(5) その他の適切な方法　などの戦略が考えられる．
*4：大口径の静脈留置針による穿刺や緊急ジェット換気は避けるべきである．
*5：より小口径の気管チューブを挿入する．
*6：(1) 意識と自発呼吸を回復させる，(2) 気管切開，及び (3) 気管挿管を試みる　などの戦略が考えられる．

麻酔科研修チェックノート

改訂第7版

書き込み式で｜研修到達目標が｜確実に身につく！

著 讃岐美智義

※本書では薬剤名は原則として商品名で表記していますが,一般名の表記が有用と著者が判断した箇所は,一般名表記としています.なお,薬剤の商品名はイタリックにしています.

謹告

本書に記載されている診断法・治療法に関しては,発行時点における最新の情報に基づき,正確を期するよう,著者ならびに出版社はそれぞれ最善の努力を払っております.しかし,医学,医療の進歩により,記載された内容が正確かつ完全ではなくなる場合もございます.

したがって,実際の診断法・治療法で,熟知していない,あるいは汎用されていない新薬をはじめとする医薬品の使用,検査の実施および判読にあたっては,まず医薬品添付文書や機器および試薬の説明書で確認され,また診療技術に関しては十分考慮されたうえで,常に細心の注意を払われるようお願いいたします.

本書記載の診断法・治療法・医薬品・検査法・疾患への適応などが,その後の医学研究ならびに医療の進歩により本書発行後に変更された場合,その診断法・治療法・医薬品・検査法・疾患への適応などによる不測の事故に対して,著者ならびに出版社はその責を負いかねますのでご了承ください.

はじめに（改訂第7版）

　初期臨床研修制度になり約18年，著者が初期研修医と向き合った結果がこの改訂第7版です．**言葉が足りなかったところ，誤解を受けやすいところを詳述し，研修医の意見を取り入れました**．ただし，教育的見地から自分で調べる必要のあるところ（特に各種の病態や疾患）は，詳しく記述していません．また，各施設で方法が異なる手順については各施設での方法を学んでください．あくまでも自分で書き込み自分で学ぶ心構えを忘れないようにしてください．研修のためのアクションを起こすのは研修医です．本書を活用し<u>指導医との共通言語をもち，自らアクション</u>（指導医に許可を得ずに医療行為を行うという意味ではありません）<u>を起こすこと</u>で，充実した麻酔科研修が行えると確信しています．

■ 麻酔科研修時のアドバイス
1）手技について
　手技はまず見ることが大切です．次に書籍や手順資料を熟読します．<u>正しい基礎知識をもち，注意する点を確認しつつ見ます</u>．実際にやってみて，できなかった場合は，どこがいけなかったかを追求します．<u>自分ではできていると思いこんでいることが，上達を妨げます</u>．できていないところを早く認識（キチンと評価してもらう）し，徹底的にトレーニングしましょう．解剖をよく理解しているか，正しい道具の使い方ができているかをチェックし，補助器具，診断機器なども活用して手技の向上をめざしてください．1回できればおしまい（できたら飽きる）という人は，臨床医には向きません．ただし，臨床研修の目安として，**手技のトライ回数は2〜3回が限度**（指導医や患者リスク，社会的状況による）です．**患者の安全が最優先で，引き際も大切です．上手な先生の手技を見ることも有用です**．

2）生命維持に必要な理論と知識を身につける
　本書を読み，わからない点は，さらに書籍や文献を読みます．疑問があれば指導医や上級医に質問します．それでわからなければ自分で研究するという心構えが必要です．

3）理論にもとづいた（刻々変化する）患者病態の把握と対応（術前，術中，術後）

　検査データ，病歴，経過だけでなくモニター機器からの情報や薬剤の反応性，手術野の情報などを統合して考えることが大切です．起きやすいこと，ありがちなことから順番に考える癖をつけ，先手を打った対処ができるようにトレーニングしましょう．常に何か困ったことが起きてからしか考えられないのはヤブ医者です．各種疾患，特に病態や手術に応じた対応については本書のみに頼ることなく，他の書籍を調べたり，指導医や上級医からの意見を求めて学ぶことが重要です．できるだけたくさんの役に立つ情報を統合して患者さんに対応するのが，臨床医の姿勢です．その場のみを切り抜けようとするあまり，本書のみを当てにするようではいけません．著者は主体的な麻酔科初期研修を行うための材料を与えられることに喜びを感じます．

4）ホウレンソウとそのタイミングを会得する絶好の機会

　適切な内容のホウレンソウをタイムリーに行う能力を磨くことが，指導医の大きな信頼につながります．危険の回避，合併症の早期発見が自分自身も患者も助けます．

5）短い時間で情報収集，プレゼンテーションする癖をつける

　カンファレンスだけでなく指導医への報告もプレゼンテーションと思い，簡潔に要点を述べられるように訓練をしましょう．

6）麻酔科医の考え方を学ぶ

　他の診療科との大きな違いは，**麻酔前の時点で麻酔中に起こることは未来のことであり，それに対してどんな準備をしてどう対応するかの戦略をもつこと**だと考えます．過去に起きたことを診断治療することだけではなく，刻々と変化する患者状態を把握し対応するための戦略を盗むことを目標にしましょう．

本書の著者ホームページです．ここで最新情報を発信していきますので，ぜひアクセスしてください．
http://msanuki.com

2022年1月

讃岐美智義

はじめに（第1版）

　麻酔科研修には，すべての医師に求められる基本的な診察や診療に必要な知識，技術が含まれており，そこで無駄に過ごすことは将来の医師生活を左右する事態になります．

　短期間の間に，必要とされる膨大な知識や手技をマスターするには，きちんとこなしているかどうかをチェックする手引き書が必要であると考えました．そこで，麻酔科ローテート中の研修医のための手引き書を発行することにしました．

　本書は各臨床研修指定病院の麻酔科研修プログラムの研修目標をもとに構成しました．麻酔科学の一般的ないわゆる「教科書」のようにならないよう，本文中では難しい理論は避け，読みやすさを追求しました．各場面での心構えや対応をMEMOやコラムで挿入することにより，「教科書」やハンドブックなどとは異なるものにしました．もう一つの工夫として書き込みスペースを用意し，現場で得られたことや注意事項を書き込んで自分だけの研修ノートに仕上げることができるように配慮しました．

　麻酔科研修での手技や臨床行為は，自らの手で実習できるというものだけでなく，見学，理解にとどめるだけのものもありますが，経験できる場が麻酔科研修にしか用意されていないものに関しては，極力詳しい説明をつけました．手技に関しては，これまでの教科書ではふれられていなくても，キーになる場面のイラストや写真を付けてわかりやすさを大切にしました．白衣や術衣のポケットに入るサイズとし，麻酔科研修を行う研修医に有用な手引き書となることを期待しています．多くの臨床研修を行う方々が，本書により有意義な麻酔科研修期間を過ごせるように願っています．

■ 著者の考え方

　麻酔科研修の目的は，麻酔の方法を学ぶことではありません．麻酔を通して患者の観察やその記述（臨床医の目を養うこと）を行うこと，手技や特殊現場（麻酔科研修でしか得られないもの）を経験してもらうことが主体になるものと考えています．術中管理における麻酔状態から覚醒まで（手術侵襲によるものを含む）のさまざまな状態は，麻酔によって人工的に作り出されているとはいえ，通常の外来や病棟での研修では体験することはない究極の状態です．それぞれの状態を観察する，あるいはそれをきちんと記述することは，

まさに異常な状態を認識できるということを意味します．これが，臨床医の目であり，まずは観察，記述できることが大切です．次にそれに対してどのように対応するかを指導医から学んでほしいと思います．それに加えて，意識のある状態では行えない手技や麻酔，手術といった特殊現場を経験してもらうことは，これからの臨床を行っていくうえでのキーとなる事柄や考え方を得るきっかけになると思います．さらに，術前・術後の患者診察（医療面接），主治医とのコンタクトは，短時間での問題点の把握，問題解決能力を養う礎となります．麻酔科研修に含まれた課題の意味をかみしめながら進んでください．そして，この研修では物足りない，もっと勉強したいと思えたならばプロの麻酔科医としての道を志すのがよいでしょう．

■ 指導する先生方へ

　本書は，研修医教育に情熱を傾けてきた著者が初めてその考えを文字にしたものです．本書は一つの方向性であり，教え方は無数にあると思います．若い先生からよく聞かれる言葉として「あの先生はこう言った」というものがあります．すなわち，指導者が言うことがまちまちで，どれを信じたらよいのか困ってしまうということです．研修医が状況を理解してその場その場の状況に適応できていない場合もありますが，本当に状況が同じでも指導医が違ったことを教えているのです．「絶対にこうでなければならない」というものは薬剤の禁忌事項や医療行為の禁忌事項ぐらいでしょう．内容が禁忌事項に当たらず許容できるものであれば，「こうでなければならない」というのではなく，「こういう方法もある」「こういった方法でもよい」といったように教えてください．初期研修医にとって，理由もわからずに迷うことは研修の妨げになるだけでなく，多くのことを学べない下地を作ってしまいます．

　本書に書いてあることが，施設の状況にそぐわないこともあるでしょう．その場合には，**理由を示して**その施設での方法を教えてください．もし，本書に書いてあることが一般的でないと思われる部分を見つけられたら，下記にメールでお知らせいただければ幸いです．

2004 年 4 月

　　　　　　　著者の E-mail アドレス：msanuki@ff.iij4u.or.jp

　　　　　　　　　　　　　　　　　　　　　　　讃岐美智義

Contents

- はじめに 3
- 本書の有効な使い方 11
- チャートで見る麻酔科医の仕事（仕事の内容別目次） 12
- 図表・memo・コラム・Web site 一覧 14

第1章　麻酔科研修について

1. 麻酔とは／麻酔科とは 22
2. 麻酔科研修とは（目標やプログラムについて） 27
   - ☑ **チェックシート**：麻酔科研修目標　　　　　28
     ：研修到達目標　　　　　　28

第2章　術前管理

1. 術前回診の心構え 32
2. 術前回診と全身状態の評価 34
   - ☑ **チェックシート**：緊急手術の術前回診　　　52
3. 麻酔法の決定 55
4. 麻酔の説明と同意の取得 57
5. 術前麻酔科指示（輸液・前投薬） 60
   - ☑ **チェックシート**：中止薬と継続薬　　　　　64

6. 症例呈示（術前カンファレンス） ……………………………… 69

第3章　術中管理

1. 麻酔前の準備 …………………………………………………… 71
   - ✅**チェックシート**：準備物品や麻酔器・麻酔器具点検　　80

2. 全身麻酔の基本的知識 ………………………………………… 83

3. 麻酔導入・維持・覚醒 ………………………………………… 90
   - ✅**チェックシート**：手術室入室　　91
     - ：麻酔導入　　92
     - ：手術開始前〜執刀時　　94
     - ：麻酔維持（術中管理）　　95
     - ：抜管時　　101
     - ：抜管後：術後回復室　　103
     - ：手術室退室（一般病棟への移動許可）　　104

4. 術後指示 ………………………………………………………… 107

5. 鎮静 ……………………………………………………………… 109

6. 五感による状態の観察 ………………………………………… 112

7. モニターと検査のポイント
   （血圧，心電図，パルスオキシメータやカプノメータ，スパイロメーター，中心静脈圧，心拍出量，脳波モニター，筋弛緩モニター，手術室内検査など） …………………………………………………… 120

8. 手術体位・体位変換 …………………………………………… 155
   - ✅**チェックシート**：手術体位により生じやすい合併症　　157
     - ：ベッド移動，体位変換時の確認点　　159

9. 手術侵襲・手術内容と進行状況の把握 ……………………… 160
   - ✅**チェックシート**：手術操作の把握　　162

10. 呼吸管理・循環管理の基本 …………………………………… 163

11.	輸液	169
12.	出血と輸血	180
13.	手術室内でのトラブルシューティング	191

☑ **チェックシート**：酸素飽和度低下の原因　　208
　　　　　　　　：気道内圧上昇の原因　　　　208
　　　　　　　　：気道内圧低下の原因　　　　208
　　　　　　　　：$EtCO_2$ 上昇の原因　　　　209
　　　　　　　　：$EtCO_2$ 低下の原因　　　　209
　　　　　　　　：血圧低下の原因　　　　　　209
　　　　　　　　：血圧上昇の原因　　　　　　210
　　　　　　　　：徐脈の原因　　　　　　　　211
　　　　　　　　：頻脈の原因　　　　　　　　211
　　　　　　　　：不整脈の原因　　　　　　　212
　　　　　　　　：体温低下の原因　　　　　　212

14.	合併症をもつ患者の術中管理	213
15.	各科手術の麻酔	228
16.	緊急手術の麻酔	256

第4章　術後管理

1. 術後疼痛管理 ……………………………… 265
   ☑ **チェックシート**：術後鎮痛　　265
2. 術後回診と術後合併症管理 ……………… 271
   ☑ **チェックシート**：術後合併症　　272

第5章　手技マニュアル

1. バッグマスク換気 ………………………… 277
2. 気管挿管 …………………………………… 283

3. 声門上器具（i-gel，LMA） ……… 311

4. 動・静脈ルート確保 ……… 317

5. 脊髄くも膜下麻酔・硬膜外麻酔の基本的知識と手技 … 338

6. 脊髄くも膜下麻酔 ……… 348

7. 硬膜外麻酔 ……… 357

8. 腕神経叢ブロック ……… 364

9. 大腿神経ブロックと閉鎖神経ブロック ……… 369

10. 採血法 ……… 376

11. 導尿法 ……… 379

12. 胃管挿入 ……… 381

第6章 薬剤ノート

1. 全身麻酔に使用する薬剤 ……… 383

2. 局所麻酔に使用する薬剤 ……… 403

3. 術中術後に使用する薬剤 ……… 407

第7章 手術・麻酔で役立つ分類・スコア・表

……… 422

第8章 略語集（麻酔科で頻出する術名術式を含む）

……… 435

Contents

- 文献 446
- 索引 450
- 著者プロフィール 477

付録　〔表紙裏（前面）〕
①麻酔導入時の日本麻酔科学会（JSA）気道管理アルゴリズム（JSA-AMA）
②換気状態の3段階評価分類とそれらの臨床的解釈
③マスク換気を改善させる手段

〔表紙裏（後面）〕
④悪性高熱症（MH）の治療手順
⑤日本麻酔科学会の危機的出血への対応ガイドライン
⑥手術安全チェックリスト（2009年改訂版）WHO（世界保健機関）／患者安全

本書の有効な使い方

- はじめに一通り通して読む
- 各項の冒頭のチェックポイント（**Point**）に注意して読む
- 手技マニュアル（**第5章**）を熟読する
- チャートで見る麻酔科医の仕事（仕事の内容別目次；**次ページ**）に沿って読んでみる
- 索引（**p.450～**），**✓チェックシート**，薬剤ノート（**第6章**），略語集（**第8章**）を活用して実践に役立てる

表紙画像提供（50音順）：コヴィディエンジャパン株式会社，スリーエム ジャパン株式会社，日本光電工業株式会社

チャートで見る麻酔科医の仕事
(仕事の内容別目次)

仕事の流れとそれに関連する解説があるページがわかります

手術にあたって麻酔科医がすべきこと

手術室内

術前評価	麻酔準備	導入
患者診察と評価 合併症対策 手術内容把握 術前指示 術前カンファレンス 麻酔法決定	麻酔器具 薬剤／輸液 必要物品準備	モニタリング ルート確保 導入薬投与 気道確保
第2章 (p.32)	第3章-1 (p.71) 第3章-11 (p.169) 第6章 (p.383)	第5章-4 (p.317) 第5章-1, 2 (p.277, 283) 第6章-1-❷, ❸, ❹ (p.388, 395, 399)

知っておくべき知識と手技

- ●異常事態への対応　第3章-13 (p.191)
- ●合併症をもつ患者管理　第3章-14 (p.213)
- ●手術別の麻酔管理（すべきことを知る）　第3章-15, 16 (p.228, 256)

- ●麻酔に必要な手技　第5章 (p.277)
- ●麻酔薬，救急薬の知識　第6章 (p.383)

麻酔管理時に考えるべき3項目　第1章-1 (p.22), 第3章-9 (p.160)

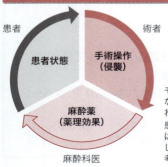

モニターで表示しているのは，何もしていない時の状態ではなく手術侵襲が加えられ，麻酔でコントロールしている状態です．患者の状態のみをモニターが反映するのではなく3要素の影響を合わせたものを表示しているため，3要素のそれぞれについて考えることが大切です．

麻酔科研修をはじめる前に

研修医の心構え　はじめに，第1章（p.22）

維持

モニタリング
手術侵襲評価
麻酔薬血中濃度評価
手術体位
輸液輸血

第3章-5，6，7
（p.109, 112, 120）
第3章-8（p.155）
第3章-11，12（p.169, 180）
p.391, 392

覚醒

モニタリング
術後鎮痛
覚醒反応への対応
術後指示

第3章-4，第4章-1
（p.107, 265）

術後管理

術後回診
合併症把握
鎮痛評価
術後疼痛管理

第4章-1，2
（p.265, 271）

全身麻酔の基本的知識　第3章-2，9（p.83, 160）
麻酔薬の維持・覚醒　第3章-3，9（p.90, 160）
呼吸管理・循環管理の基本　第3章-10（p.163）

手術操作を考慮した麻酔管理　手術操作で患者状態は変化する
（p.161）

ストレス反応または麻酔薬の血中濃度

気管挿管
切開
麻酔薬血中濃度
手術の山
不安の丘
睡眠の川
手術前の湖
腸管牽引
腸管血管遮断
回復の平野
ICU高地

巻末の文献25より．

図表・memo・コラム・Web site 一覧

『麻酔管理に役立つ図表』

第1章

【図】
1-1-1	麻酔の3要素と4条件	23
1-1-2	麻酔管理時に考えるべき3項目	24
1-1-3	麻酔科の仕事	25

第2章

【図】
2-1-1	術前回診の流れ	33
2-2-1	問診表の例	35
2-2-2	術前診察用紙の例	38
2-2-3	Mallampati分類	42
2-2-4	Upper lip biteテスト	42
2-2-5	Delikanサイン（頸椎の可動性）	44
2-2-6	3-3-2ルール	44
2-2-7	アレンテスト	45
2-2-8	AHAの冠動脈枝の名称と番号	50
2-4-1	麻酔承諾書の例	58
2-5-1	麻酔科術前指示表	61

【表】
2-2-1	METs	40
2-2-2	NYHA心機能分類	40
2-2-3	Hugh-Jones分類	40
2-2-4	mMRC息切れスケール	40
2-2-5	マスク換気困難の予測因子（MOANS）	43
2-2-6	挿管困難な症例	45
2-2-7	肺血栓塞栓症/深部静脈血栓症のリスク分類	46
2-2-8	ASAクラス分類	48
2-2-9	Killip分類	48
2-2-10	CCSの狭心症重症度分類	50

第3章

【図】
3-1-1	麻酔前の準備	71
3-1-2	全身麻酔器，麻酔回路の基本構造	72
3-1-3	ピンインデックスシステム	73
3-1-4	手術台周辺の配置	74
3-1-5	麻酔器具	75
3-1-6	シリンジの誤セット	79
3-2-1	HFNCシステム	87
3-3-1	麻酔中にチェックする項目と順番	97
3-3-2	従量式換気（VCV）と従圧式換気（PCV）の気道内圧パターン	99
3-3-3	Bromageスケール（運動機能の評価）	106
3-5-1	鎮静レベルと生体反応	110
3-6-1	気管チューブの閉塞	116
3-6-2	蛇管の接続	116
3-6-3	気道閉塞のときのシーソー呼吸	116
3-7-1	正常な動脈圧波形	124
3-7-2	動脈圧波形の呼吸性変動	124
3-7-3	酸素解離曲線	128
3-7-4	P-V曲線	130
3-7-5	F-V曲線	130
3-7-6	呼吸回路に漏れがあるときのP-V曲線とF-V曲線	131
3-7-7	代表的なCO_2曲線	132
3-7-8	鼓膜温計	134
3-7-9	3M™ベアーハガー™深部温モニタリングシステム	135
3-7-10	正常な中心静脈圧波形	136
3-7-11	スワンガンツカテーテル	137
3-7-12	プローブの位置から捉える基本断面像	139
3-7-13	冠動脈支配とASE/SCAガイドラインによる28の基本断面	140
3-7-14	BISモニターのセンサーの貼り方	141
3-7-15	BISモニターとBISモニターに表示される情報	142
3-7-16	BIS値と脳波の関係	143
3-7-17	適切な麻酔管理時に見られる波形（睡眠紡錘波）	143
3-7-18	エントロピーセンサー：エントロピーセンサーの貼り方	144
3-7-19	エントロピーとモニターに表示される情報	145

図表番号	タイトル	ページ
3-7-20	RD SedLine センサー	145
3-7-21	RD SedLine センサーの貼付部位	146
3-7-22	SedLine で表示される情報	146
3-7-23	PSi 値の読み方	147
3-7-24	筋弛緩モニターのセンサーの装着，モニター画面に表示された TOF 比	147
3-7-25	TOF 刺激と TOF 比	149
3-7-26	PTC	149
3-7-27	筋電図方式の筋弛緩モニター	150
3-7-28	筋電図方式の筋弛緩モニターの電極とセンサの貼付位置	151
3-7-29	TOF-Cuff センサーのカフの巻き方	152
3-7-30	TOF-Cuff 筋弛緩モニター	152
3-7-31	カフ圧計	153
3-7-32	自動カフ圧計	153
3-8-1	手術体位	156
3-8-2	麻酔時の呼吸緊張低下と FRC 変化	158
3-9-1	手術操作を考慮した麻酔管理：手術操作で患者状態は変化する	161
3-9-2	モニタリングと薬剤	161
3-9-3	麻酔管理時に考えるべき 3 項目	162
3-11-1	輸液の分布	170
3-11-2	4-2-1 ルール	171
3-11-3	静的指標の問題点	174
3-11-4	人工呼吸管理下（陽圧呼吸）での呼吸性変動（SPV，PPV，SVV）	175
3-11-5	点滴セットと輸液速度	176
3-12-1	血液の加温とフィルターの使用	188
3-13-1	全身麻酔導入後の体温低下	197
3-14-1	正常血圧時の平均血圧と脳血流	214
3-15-1	肝の区域分類	232
3-15-2	肝の亜区域分類（Couinaud の分類）	233
3-15-3	肝内の門脈と肝静脈との相互関係	233
3-15-4	輪状軟骨圧迫法	234
3-15-5	ダブルルーメン気管チューブ（左用）の構造	245
3-15-6	左用ダブルルーメンチューブ（DLT）のチューブ位置の確認	245
3-15-7	気管支の分岐	248
3-15-8	肺区域	248
3-15-9	気管支体操	249
3-16-1	用手的頸椎固定法	261
3-16-2	後咽頭腔の拡大	263

【表】

図表番号	タイトル	ページ
3-1-1	血圧計のマンシェットの直径	78
3-3-1	人工呼吸器の初期設定	100
3-3-2	Modified Aldrete スコア	105
3-4-1	鼻カニューレまたは経鼻カテーテル（FiO_2 の想定)	108
3-4-2	酸素マスク	108
3-4-3	オキシマスク（オープンマスク）	108
3-4-4	リザーバー付きマスク	108
3-5-1	全身麻酔と鎮静の連続性（鎮静レベルの定義）	109
3-6-1	安全な麻酔のためのモニター指針	113
3-7-1	血圧計のマンシェットの規格	121
3-7-2	心電図変化を引き起こす原因	127
3-7-3	PO_2 と酸素飽和度（SpO_2）の覚え方	129
3-7-4	$EtCO_2$ 増加・減少の原因	133
3-7-5	スワンガンツカテーテルで得られる測定値とそれらから計算される値の正常値	138
3-7-6	BIS 値と鎮静状態	142
3-7-7	臨床上で目標とする値	148
3-7-8	血液ガス分析，電解質，乳酸などの正常値	154
3-9-1	手術侵襲がもたらす生体反応	160
3-10-1	危険な低血圧（緊急治療が必要）	167
3-11-1	下大静脈径と呼吸性変動からの右房圧推定	175
3-11-2	電解質補液剤の組成（mEq/L）500 mL 輸液剤	177
3-12-1	出血性ショックの所見とその根拠	180
3-12-2	VIP 療法	181
3-12-3	ショック・インデックス	181
3-12-4	出血の症状	181
3-12-5	急性出血後の血圧と輸血必要量	182
3-12-6	サージカルアプガースコア	182
3-12-7	血液製剤の種類と目的	185
3-13-1	術中高体温の原因	198
3-14-1	COPD の病期分類	217
3-14-2	Child-Pugh 分類	223
3-14-3	肝障害度（liver damage）	223

3-15-1	妊娠に伴う変化（妊娠末期）	237	
3-15-2	APGARスコア（新生児仮死の診断）	237	
3-15-3	脳動脈瘤症例の重傷度分類（Hunt & Kosnik）	242	
3-15-4	Japan Coma Scale（JCS）	242	
3-15-5	Glasgow Coma Scale（GCS）	243	
3-16-1	SOFAスコア	257	
3-16-2	qSOFA	257	
3-16-3	心臓血管外科緊急手術対象疾患	259	

第4章

【図】

4-1-1	投与ルート	267
4-1-2	PCA機器	267
4-1-3	PCA原理	268
4-1-4	PCAの血中濃度	268
4-1-5	VAS	269
4-1-6	FRS（フェーススケール）	269

【表】

4-1-1	術後鎮痛に使用する薬剤（単回投与）	266
4-1-2	術後鎮痛に使用する薬剤（PCAあるいは持続投与）	268
4-1-3	Prince Henryペインスケール	269
4-1-4	VRS	270
4-1-5	RASS鎮静スコア	270

第5章

【図】

5-3-1	i-gel	312
5-3-2	ラリンジアルマスクの通常型（LMA Classic™）とProSeal™	313
5-3-3	i-gelの正しい位置	314
5-3-4	ラリンジアルマスクの正しい挿入位置	314
5-3-5	i-gelのテープ固定	316
5-4-1	手を下げて穿刺する静脈を怒張させる	318
5-4-2	皮膚を引っ張って血管が逃げるのを防ぐ	318
5-4-3	穿刺時の針の持ち方	319
5-4-4	エラスター針の進め方	319
5-4-5	穿刺に最適な静脈と穿刺を避けたい場所	320
5-4-6	橈骨動脈穿刺	324
5-4-7	動脈カテーテル挿入法	325
5-4-8	頸部・鎖骨下からの中心静脈穿刺	327
5-4-9	内頸静脈確保時の消毒範囲	329
5-4-10	刺入点と穴圧の穴の位置	329
5-4-11	カテーテルの挿入（セルジンガータイプ）	330
5-4-12	右頸部のプレスキャン	332
5-4-13	超音波ビームと針先の関係	332
5-4-14	刺入点と穿刺方向	333
5-4-15	刺入点と穴圧	333
5-4-16	カテーテル挿入時の頸部の位置	335
5-4-17	推奨される穿刺血管	337
5-4-18	患者体位とカテーテルの長さの測定	337
5-5-1	脊髄くも膜下麻酔と硬膜外麻酔の注入部位がわかる側面図	339
5-5-2	デルマトーム，麻酔域	343
5-5-3	ピンプリックテスト	344
5-5-4	脊髄くも膜下麻酔の穿刺針先端	346
5-6-1	脊柱の傾きの性差	351
5-6-2	脊髄くも膜下麻酔時の皮膚の消毒範囲	351
5-6-3	脊髄くも膜下麻酔，硬膜外麻酔の穿刺部の目安になる指標	352
5-6-4	棘間の触れ方	353
5-6-5	針の持ち方	353
5-6-6	脊髄くも膜下麻酔時の体位と局所麻酔薬の比重	355
5-6-7	サドルブロックの体位	356
5-7-1	皮膚刺入時のTuohy針の持ち方	359
5-7-2	抵抗消失法	360
5-7-3	ハンギングドロップ法	360
5-7-4	皮膚から硬膜外腔までの距離	360
5-7-5	仙骨硬膜外麻酔の刺入点	362
5-8-1	腋窩神経ブロック	365
5-8-2	患者体位と超音波プローブの位置，針の刺入点	366
5-8-3	超音波画像（腋窩アプローチ）	367
5-8-4	腕神経叢の解剖	367
5-8-5	超音波画像のイメージ	368
5-9-1	大腿神経ブロック	370
5-9-2	超音波プローブの位置	371

5-9-3	大腿神経ブロック，外側大腿皮神経ブロック，閉鎖神経ブロックの効果範囲	372
5-9-4	閉鎖神経ブロック	373
5-9-5	大腿神経，大腿動脈・静脈が見える位置（はじめの位置）	375
5-9-6	閉鎖神経前枝と後枝が見える位置（内側方向に移動した位置）	375
5-11-1	尿道カテーテルの挿入	380

【表】

5-3-1	i-gelサイズ表	312
5-3-2	ラリンジアルマスクProSeal, Classicのサイズと空気注入目安	312
5-3-3	i-gel側溝に入る胃管の最大サイズ	315
5-3-4	ProSeal側溝に入る胃管の最大サイズ	315
5-3-5	i-gelに入る気管チューブの最大サイズの目安（ID）	316
5-5-1	脊髄くも膜下麻酔と硬膜外麻酔の違い	339
5-5-2	脊髄くも膜下麻酔に必要な麻酔高	342
5-5-3	硬膜外麻酔の穿刺部位と初回投与量	342
5-5-4	内臓の支配神経	344
5-5-5	皮膚分節の目安	344
5-5-6	脊髄くも膜下麻酔と硬膜外麻酔の合併症	345
5-6-1	脊髄くも膜下麻酔に用いられる局所麻酔薬	350
5-7-1	硬膜外麻酔に用いられる局所麻酔薬	358
5-7-2	硬膜外麻酔の穿刺部位	358
5-8-1	その他の腕神経叢ブロックの適応と注意点	368

第6章

【図】

6-1-1	TCIポンプ	391

【表】

6-1-1	吸入麻酔薬の特徴	384
6-1-2	MAC	384
6-1-3	分配係数	384
6-1-4	0.7MACを使用した場合の1時間あたりの消費量	385
6-1-5	Brayによる小児PRISの診断基準	390
6-2-1	局所麻酔薬の濃度と作用時間	403
6-3-1	1Aを希釈するときの計算法	420
6-3-2	原液で使用する薬剤の計算法	421

『救急領域で役立つ図表』

第2章

【表】
- 2-2-5 マスク換気困難の予測因子（MOANS） ... 43
- 2-2-6 挿管困難な症例 ... 45

第5章

【図】
- 5-1-1 ジャクソンリース回路とAmbuバッグ ... 278
- 5-1-2 下顎挙上とマスクの密着 ... 278
- 5-1-3 両手法 ... 280
- 5-1-4 頬にガーゼを入れる ... 281
- 5-1-5 マスクに下唇をかぶせる ... 281
- 5-1-6 エアウェイ ... 282
- 5-1-7 経鼻エアウェイの挿入方向 ... 282
- 5-2-1 開口のしかたとクロスフィンガー（指交差法） ... 286
- 5-2-2 クロスフィンガーの右手 ... 286
- 5-2-3 喉頭鏡の握り方 ... 287
- 5-2-4 喉頭鏡ブレード挿入 ... 288
- 5-2-5 喉頭展開の方向 ... 288
- 5-2-6 Cormack分類 ... 289
- 5-2-7 右口角固定 ... 290
- 5-2-8 上顎正中固定 ... 291
- 5-2-9 マーフィー孔 ... 291
- 5-2-10 McGRATH™ MAC ... 293
- 5-2-11 McGRATH™ MACの間接視と直接視 ... 293
- 5-2-12 McGRATH™ MACの気管挿管手順 ... 294
- 5-2-13 エアウェイスコープ，イントロック ... 295
- 5-2-14 イントロックを装着した状態 ... 295
- 5-2-15 気管チューブをセットした状態 ... 296
- 5-2-16 エアウェイスコープ気管挿管の5ステップ ... 298
- 5-2-17 声門をターゲットマークにあわせる ... 298
- 5-2-18 気管内にチューブを押し進める ... 298
- 5-2-19 バーマンエアウェイIP，挿管補助用エアウェイ（サヌキエアウェイ） ... 299
- 5-2-20 ファイバー挿管の事前準備 ... 300
- 5-2-21 挿管補助用エアウェイのみ挿入 ... 302
- 5-2-22 エアウェイから口腔内吸引 ... 302
- 5-2-23 助手が両手で下顎挙上 ... 302
- 5-2-24 気管支ファイバー挿入 ... 302
- 5-2-25 マギール鉗子とSuzy鉗子 ... 304
- 5-2-26 Melker緊急用輪状甲状膜切開用カテーテルセット，ミニトラックⅡセルジンガーキット ... 309
- 5-2-27 輪状甲状間膜穿刺 ... 310

【表】
- 5-2-1 気管チューブサイズ ... 284
- 5-2-2 McGRATH™のブレードと適応 ... 292
- 5-2-3 イントロックと対応気管チューブサイズ ... 296

『手術・麻酔で役立つ図表』

第7章

【図】
- 7-1 アメリカ麻酔科学会（ASA）の気道確保困難時のアルゴリズム（成人患者） ... 428
- 7-2 心肺蘇生クイックマニュアル ... 430

【表】
- 7-1 おもな抗血栓薬と中止目安 ... 422
- 7-2 周術期予防的抗菌薬投与 ... 423
- 7-3 VTEのおもな危険因子 ... 424
- 7-4 各領域のVTEのリスクの階層化 ... 425
- 7-5 一般外科・泌尿器科・婦人科手術（非整形外科）患者におけるVTEのリスクと推奨される予防法 ... 426
- 7-6 VTEの付加的な危険因子の強度 ... 427
- 7-7 麻酔が困難な患者 ... 434

表紙裏

- 前面 ①麻酔導入時の日本麻酔科学会（JSA）気道管理アルゴリズム（JSA-AMA）
- ②換気状態の3段階評価分類とそれらの臨床的解釈
- ③マスク換気を改善させる手段
- 後面 ④悪性高熱症（MH）の治療手順
- ⑤日本麻酔科学会の危機的出血への対応ガイドライン

⑥手術安全チェックリスト（2009年改訂版）WHO（世界保健機関）／患者安全

- 色素の注入 250
- フルストマック 259
- 肺血栓塞栓症，深部静脈血栓症 273

『memo』

第2章
- 予防接種後，何日おいてから全身麻酔を受けるべきか 53
- COVID-19のワクチン接種 54
- アスピリンと薬剤溶出性ステント 67
- ステロイドカバー 68
- ジェネリック（通称ゾロ品） 68

第3章
- ピンインデックスシステム 73
- シリンジポンプのセットの注意点 79
- サイフォニング現象 79
- WHO 手術安全チェックリスト 90
- 血圧計 121
- 血圧計の高さとトランスデューサーの位置 125
- 必須基本モニター（3種の神器） 127
- 仰臥位の肺機能の変化 158
- 輸液の分布 170
- 制限的輸液戦略 172
- ボルベン，ヘスパンダー，サリンヘスと低分子デキストラン 176
- 動脈血酸素含有量（CaO_2） 183
- エホバの証人 187
- 輸血時の電解質変動 190
- 浅麻酔の徴候 195
- 温風式ブランケット 197
- 悪性高熱症 199
- 局所麻酔薬中毒 204
- 低カリウム血症の合併症 230
- CO_2 ガス 236
- 低体温麻酔 239
- CPP（脳灌流圧）の管理 240
- 神経モニタリング 241
- 坐位手術 241
- HPV（低酸素性肺血管収縮） 246
- TUR症候群 250
- TURis（TUR in saline） 250

第5章
- 声門上器具と胃管 316
- i-gelの固定方法 316
- リキャップ 321
- 感染対策 321
- 内頸静脈，鎖骨下静脈，大腿静脈の確認 327
- 分離麻酔と分節麻酔 340
- 若年者の脊髄くも膜下麻酔 347
- PDPHの保存的治療法 347
- 自己血パッチ 347
- 脊椎穿刺中の下肢への放散痛 355
- サドルブロックとコーダルブロック（仙骨硬膜外麻酔） 356
- 超音波ガイド下末梢神経ブロック 366

第6章
- MAC と MAC-awake 384
- 年齢によるMACの違い 385

『コラム』

第1章
- 攻めの麻酔と守りの麻酔　24
- 麻酔科を理解するための推薦図書　26

第2章
- 麻酔事故：気管挿管と力道山の死　43
- 内服薬剤から術前合併症がわかる　52
- 小児のかぜスコア，乳幼児のかぜスコア　55

第3章
- キーインデックスシステム　77
- 前酸素化と無呼吸酸素化　87
- CO_2 をコントロールするには　100
- モ原病　112
- 逆流防止弁つき点滴ルート　122
- サイドストリームとメインストリーム　133
- P/F比　133
- mmHg（Torr），cmH_2O，kPa（キロパスカル）　135
- 温風式加温装置の注意点　206
- 顔面紅潮　229
- 術野でのアドレナリン使用と局所麻酔薬使用　254
- 緊急手術と予定外手術　256
- 最終食事摂取時間　258

第5章
- BURP法　289
- Cormack分類　289
- マーフィー孔　291
- 経鼻挿管時の消毒と出血予防　305
- フルストマックとクラッシュインダクション（迅速導入）　307
- 針刺し事故　322

第6章
- 吸入麻酔薬使用量の計算　386
- プロポフォール注入症候群（PRIS）　389
- TCIポンプ　391
- 静脈麻酔薬は血中濃度を常に意識する　392
- γの計算法　409

『有益なWeb site』

第1章
- 臨床研修の到達目標．医師法第16条の2第1項に規定する臨床研修に関する省令の施行について（厚生労働省医政局医事課）　27

第3章
- WHO安全な手術のためのガイドライン2009　90
- 安全な麻酔のためのモニター指針　113
- 血液製剤の使用指針（厚生労働省医薬・生活衛生局，平成31年3月）　183

第4章
- 肺血栓塞栓症および深部静脈血栓症の診断，治療，予防に関するガイドライン（2017年改訂版）　273

第5章
- 麻酔業務における感染対策のための勧告　321

文献
- 術前絶飲食ガイドライン　447（文献46）

表紙裏
- 気道管理ガイドライン2014　前面
- 悪性高熱症患者の管理に関するガイドライン2016　後面
- 危機的出血への対応ガイドライン　後面

『麻酔科研修チェックノート　著者ホームページ』https://msanuki.com/

麻酔科研修チェックノート
改訂第7版

第1章	麻酔科研修について	22
第2章	術前管理	32
第3章	術中管理	71
第4章	術後管理	265
第5章	手技マニュアル	277
第6章	薬剤ノート	383
第7章	手術・麻酔で役立つ分類・スコア・表	422
第8章	略語集(麻酔科で頻出する術名術式を含む)	435

第1章 麻酔科研修について

1. 麻酔とは／麻酔科とは

Point
1. 麻酔を行ううえで必要な3つの要件を理解する
2. 麻酔の3要素と4条件
3. 麻酔科の仕事を知っておきましょう
4. 臨床研修の基本を実践しましょう

1 麻酔に求められる3つの要件

『麻酔とは単に眠らせる技術のことではない．麻酔とは，手術などの侵襲を与える行為に先立って，安全に肉体的かつ精神的苦痛をとり除くことであり，その作用は可逆的でなければならない．肉体的，精神的苦痛をとり除くのであれば安楽死が比較としてあげられるが，麻酔では元の状態に戻す必要がある．麻酔の安全とは患者の生命を守る（合併症から守る）ことが最低限の条件である．このことを忘れてはならない』

上記の言葉は，筆者が麻酔研修を始めるとき，麻酔の本質として習ったものです．

麻酔を行うとは具体的には以下の3要件を満足させる必要があります．

> 1) 患者の生命を守ること（周術期※の合併症を予防すること）
> 2) 患者の肉体的かつ精神的苦痛をとり除くこと
> 3) 術者が手術しやすい条件をつくること
>
> ※：周術期：手術を中心とした時期のことで，手術前，手術中，手術後を包括した呼び方．周手術期と呼ぶこともある

一般人には，麻酔というと「眠っているうちに手術が終わる」と考えている方が多いのですが，その「眠っているうちに手術が終わる」の本質は上記の3要件を満たして，何事もなかったかのように元通りにすることにほかなりません．しかし，患者自身も術前から合併症をもっています．また，手術操作による侵襲が加わっていることを忘れてはなりません．

2 麻酔の3要素と4条件

　麻酔に求められる3要件の**1）**を満たすためには，①手術に伴う合併症・事故の予防と管理（術前合併症対策と手術操作への対応），②術中の呼吸循環管理，③輸液・輸血管理が必要となります．**2）**を満たすためには，十分な鎮痛と鎮静が必要です．**3）**のためには無動状態と十分な筋弛緩が要求されます．

　そこで，麻酔の3要素をあわせて手術侵襲（有害反射）を抑制することが求められます（図1-1-1）．麻酔管理中には，患者状態，手術侵襲，麻酔薬の作用の3項目を常に考えるべきで，それらを動的に捉えることが求められます（図1-1-2）．

　ここまで書くと賢明なみなさんはすでにおわかりかと思いますが，「麻酔」を行うために学ぶべきことの多さに気づくでしょう．生命維持の要となる呼吸・循環管理の知識や手技，麻酔薬や緊急薬剤の知識，術前から存在する内科的合併症への周術期対策，外科系各科の手術内容や手術により生じる病態の知識など．また，これらの知識や手技の習得に加えて，手術室で働く看護師，臨床工学技士や手術を担当する術者，主治医，さらには患者とのコミュニケーションの大切さを学ぶことができるでしょう．手術室内での麻酔科の仕事は，「麻酔」という行為を通じて個々の患者の疾患について広い観点から学ぶことであり，臨床医として大きな経験となるはずです．どの診療科を専門とする場合も，基本診察能力の習得と病態把握は大切で，「麻酔」を実践することで，その基礎を築くことができます．

　現在では麻酔科の仕事は，手術室内の仕事だけではないことは

図1-1-1　麻酔の3要素と4条件
鎮痛，鎮静，筋弛緩の3要素をうまくコントロールすることにより手術侵襲（有害反射）を抑制することが，全身麻酔の最低条件（4条件）であると言える．

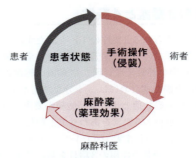

図1-1-2 麻酔管理時に考えるべき3項目
モニターで表示しているのは，何もしていない時の状態ではなく手術侵襲が加えられ，麻酔でコントロールしている状態である．患者の状態のみをモニターが反映するのではなく3要素を合わせたものを表示するため，それぞれの要素を考える必要がある．

ご存じでしょう．手術後の鎮痛を専門に行う術後鎮痛サービスや手術直後の患者の管理を行うPACU（Post Anesthesia Care Unit）なども麻酔科の仕事になってきています．また，手術室での呼吸や循環管理の知識，重症患者の病態把握や管理技術を応用した集中治療方面への応用や，緊急事態への対応技術を応用した救急医学方面への展開，手術室内での硬膜外麻酔をはじめとするブロック技術や鎮痛薬などの薬理知識などを応用したペインクリニックや緩和ケアへの展開があります（図1-1-3）．

> **Column　攻めの麻酔と守りの麻酔**
>
> 「攻めと守り」というのは，囲碁や将棋だけではなく経営や姿勢などにもよく使われる表現である．麻酔においても「攻めと守り」がある．守りの麻酔とは，麻酔をかけておくということだけしか考えずに，麻酔薬を漫然と流しておくことを指す．攻めの麻酔とは，患者の状態の変化，手術侵襲の変化を的確に捉えて，あるいはあらかじめ予測して積極的に輸液管理，循環管理，呼吸管理などを行い，適切な麻酔状態を作り出すことを指す．
>
> 別の意味では，守りの麻酔とは手術侵襲が加わって患者の状態が変化してから麻酔深度を変化させる「後手の麻酔」を指すこともある．麻酔チャートのバイタル記録がギザギザになっていることを「後手に回る」とも表現する．

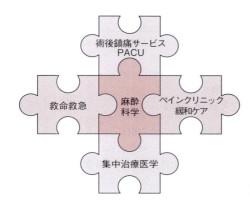

図 1-1-3　麻酔科の仕事

3 麻酔科研修の意義

　麻酔科医の得意とするところは，全身状態を評価でき，それに的確に対応できるところにあります．特に，生死の境目あたりの患者の運命に関与するのが得意です．なぜなら，麻酔行為自体が，そういった状況を人工的に作り出すためです．**麻酔科学は臨床医学において「危機管理の医学」です**．生と死の境，苦痛と安らぎの境をとり扱うと言っても過言ではありません．**麻酔科医は，手術室の患者を守ります，突然に死に瀕した人を救います，生死の境にある重症患者を立ち直らせます，苦痛を訴えるものに安らぎを与えます**．それぞれの行為は，手術室での麻酔，救急蘇生，集中治療やペインクリニックや緩和ケアに相当するのです．麻酔科医は，それらの目的に向かって，最新技術や最新設備を生かし，持ちうる最新知識を駆使して他の専門家や看護師さんなどと協力をしながら，チーム医療の中心として活躍する存在です．そのような現場で努力している麻酔科医の姿や姿勢を学ぶこと，そのような現場での経験は，今後のあなたの研修ひいては医師人生の大きな糧となることでしょう．麻酔科研修で得られることは，麻酔をするということのみではありません．麻酔を通して得られる危機管理の知識や技術の豊富さを考えてみれば，麻酔科研修の意義を理解することはたやすいでしょう．麻酔科研修の時間を有意義に過ごすために，本書での予習や書き込みを行って臨んでください．

4 臨床研修の基本

> ■ 臨床研修の基本
> 1）挨拶をする
> 2）聞こえる声で返事をする
> 3）ホウレンソウをきちんと行う

　研修にあたっては，医師であること以前に，一人前のヒト（社会人）としての常識をもたなければいけません．

　朝の挨拶だけでなく，同じ日に再度，廊下で出会ったときなど「お疲れ様です」といった言葉や軽く会釈をするなどの挨拶ができなければいけません．挨拶はコミュニケーションのはじめの一歩であると同時に，積極性のアピールにもなります．

　聞こえる声で返事をすることも大切です．指導医に，無反応と思われないためには，声をしっかり出すことが大切です．何か言われれば，しっかり反応する研修医はよく面倒をみてもらえます．

　ホウレンソウ（報告，連絡，相談）は，社会生活にとって基本的な行為です．あなたが研修医であるならば，最も多くホウレンソウを行う状況にあるのは，明らかです．わからないこと，迷ったこと，何か大事にいたりそうなことなど何でもホウレンソウしましょう．大事にいたってからではとり返しがつきません．ホウレンソウは，指導医からの信頼につながります．

　加えて，すべてにおいて真摯な態度で臨めば，充実した臨床研修になることは間違いありません．

Column　麻酔科を理解するための推薦図書

- 讃岐美智義：「やさしくわかる！麻酔科研修」．
　学研メディカル秀潤社，2015
　はじめて麻酔科を学ぶ人に読んでほしい．
- 諏訪邦夫：「麻酔の科学―手術を支える力持ち 第2版」．
　講談社ブルーバックス，講談社，2010
　一般向けに書かれた麻酔科を理解するための本の代表作．
- なかお白亜：「麻酔科医ハナ」1巻〜6巻．
　アクションコミックス，双葉社
　コミックだが，麻酔科医の生態がよく表現されている．

第1章 麻酔科研修について

2. 麻酔科研修とは（目標やプログラムについて）

> **Point**
> 麻酔科研修目標と到達目標を理解しておきましょう

1 麻酔科研修目標

麻酔科診療を通して，基本的な患者評価，病態把握を行い，基本的手技を実践することです（**臨床研修の目的は麻酔を行うこと自体にあるのではない点を明確にする必要があります**）．

2 麻酔科研修の到達目標

臨床研修の必修化にあたって厚生労働省から「臨床研修の到達目標」が発表されています[※1]．

※1）臨床研修の到達目標
厚生労働省医政局医事課：臨床研修の到達目標．医師法第16条の2第1項に規定する臨床研修に関する省令の施行について
http://www.mhlw.go.jp/topics/bukyoku/isei/rinsyo/keii/030818/030818b.html

到達目標の概略は以下のようになっています．

> Ⅰ．行動目標：医療人として必要な基本姿勢・態度
> Ⅱ．経験目標：A．経験すべき診察法・検査・手技
> 　　　　　　 B．経験すべき症状・病態・疾患
> 　　　　　　 C．特定の医療現場の経験

この経験目標には，麻酔科研修で習得するべきものが多く含まれているため，麻酔科研修にいかにとり組むかがキーポイントになると言っても過言ではありません．

麻酔科研修到達目標の具体例としては「チェックシート：研修到達目標」（次ページ参照）のようなものです（これは筆者が「臨床研修の到達目標」を基に，独自に作成したものです）．

✅ チェックシート

麻酔科研修目標

- ☐ 臨床医として必要な基本的知識・技術・態度を身につける
- ☐ 手術患者の麻酔管理を通じて，気道確保，気管挿管，呼吸循環管理，体液管理の基本的技能，知識を身につける
- ☐ チーム医療の重要性を認識し，指導医・他科医・看護師・その他の医療技術者と協調して医療を進める習慣を身につける

✅ チェックシート

研修到達目標

I 行動目標：医療人として必要な基本姿勢・態度

- ☐ 医師，患者・家族がともに納得できる医療を行うためのインフォームドコンセントが実施できる
- ☐ 上級および同僚医師，他の医療従事者と場面に応じて適切にコミュニケーションできる
- ☐ 医療を行う際の安全確認の考え方を理解し，実施できる

II 経験目標

A．経験すべき診察法・検査・手技

1) **医療面接**
   - ☐ 既往歴・現病歴など麻酔問診表に基づき，麻酔・全身管理に必要な情報を問診できる
   - ☐ 麻酔に関するインフォームドコンセントを実施できる

2) **身体診察**
   - ☐ 全身の身体診察を系統的に実施できる
   - ☐ 麻酔導入時の気道確保困難の予測ができる

3）基本的な臨床検査

- [ ] 医療面接と身体診察から得られた情報や手術対象疾患の病態を理解し，術前検査結果を解釈できる（麻酔管理上での患者の問題点を把握できる）
  1）一般尿検査
  2）血算
  3）血液型判定・交差適合試験
  4）心電図（12誘導）
  5）動脈血液ガス分析
  6）血液生化学的検査
  7）単純X線検査（胸部）
  8）肺機能検査
  9）超音波検査（心エコー）

4）基本的手技

全身麻酔中の全身管理の基本となる以下の手技を学ぶ

（★：指導医の手技を見学して経験することが多い）

- [ ] 生体情報モニターの使用法を理解し，正しく装着できる
- [ ] 麻酔器の構造を理解し，麻酔回路を接続できる
- [ ] 気管チューブを挿入された患者の人工呼吸ができる
- [ ] 典型的な人工呼吸器による呼吸管理ができる
- [ ] 麻酔薬，筋弛緩薬の特性を理解できる
- [ ] 全身麻酔を理解し，麻酔導入・維持中の異常を発見できる
- [ ] 正しい手技で末梢静脈穿刺およびカニュレーションができる
- [ ] 動脈および中心静脈の穿刺・カニュレーションができる★
- [ ] 超音波診断装置を用いたカニュレーションおよび穿刺ができる★
- [ ] 胃にガスを入れないでバッグマスク換気ができる
- [ ] Triple Airway Maneuver（下顎挙上・頭部後屈・開口）を理解し，気道確保を実施できる
- [ ] 挿管困難患者を事前に見分けることができる
- [ ] 挿管困難でない患者の経口挿管
- [ ] 開口可能な患者で経鼻挿管ができる
- [ ] 声門上器具の挿入および呼吸管理ができる
- [ ] 気管内および口腔内を吸引して，気管チューブを抜去できる
- [ ] ビデオ喉頭鏡（McGRATH™ MACやエアウェイスコープなど）で気管挿管ができる
- [ ] 気管支ファイバーによる気管挿管や吸痰ができる★

- [ ] 胃管の挿入と管理ができる
- [ ] 麻酔中の心電図，血圧などの循環の解釈ができる
- [ ] SpO_2，$EtCO_2$の装着と解釈ができる
- [ ] 尿量測定，体温測定と解釈ができる
- [ ] 筋弛緩モニター，脳波モニターの装着と解釈ができる
- [ ] 観血的動脈圧，中心静脈圧測定と波形の解釈ができる
- [ ] 動脈血液ガス分析，血糖電解質測定と解釈ができる
- [ ] 昇圧薬，降圧薬，抗不整脈薬，その他急変時緊急使用薬の投与法を説明できる
- [ ] 区域麻酔，局所麻酔薬の使用法を理解し実施できる
- [ ] 腰椎くも膜下腔穿刺（脊髄くも膜下麻酔の穿刺）ができる
- [ ] 硬膜外麻酔および末梢神経ブロックの手技と管理を理解できる★

5）基本的治療

手術・全身麻酔の特性を理解し，指導医の監督下に実施する

- [ ] 手術中の患者の生理的変化や病態を理解し，生体情報モニターの情報を解釈できる
- [ ] 手術侵襲や患者全身状態を考慮した輸液管理ができる
- [ ] 薬物動態を理解し，麻酔薬を使用することができる
- [ ] 出血量や患者状態を把握し，適切な輸血ができる
- [ ] 感染予防を理解し，スタンダードプリコーションを実践できる
- [ ] 術後訪問，術後疼痛管理の重要性を認識し，実践できる

6）医療記録

周術期の医療記録を適切に作成・管理する

- [ ] 術中のバイタルサインや手技などを適切に記載できる
- [ ] 電子カルテ（電子麻酔記録）を適切に操作できる
- [ ] 術前，術後の患者状態を適切に記録できる

B．経験すべき症状・病態・疾患

合併症の少ない患者で，全身麻酔中の呼吸・循環・代謝の生理学的変化を観察する

（★：指導医の手技を見学して経験することが多い）

- [ ] 通常の成人予定手術患者の全身麻酔
- [ ] 高齢者予定手術患者の全身麻酔★
- [ ] 小児予定手術患者の全身麻酔★
- [ ] 成人緊急手術患者の全身麻酔（フルストマック，ショック）★
- [ ] 成人もしくは高齢者の脊髄くも膜下麻酔★
- [ ] 挿管困難な患者の麻酔★
- [ ] 循環血液量減少状態★
- [ ] 腹腔鏡手術の全身麻酔（気腹による全身状態変化）
- [ ] 分離肺換気手術・人工心肺手術の麻酔★
- [ ] 高血圧を有する患者の麻酔
- [ ] 虚血性心疾患を有する患者の麻酔★
- [ ] 糖尿病を有する患者の麻酔★
- [ ] 喘息を有する患者の麻酔★
- [ ] 感染症を有する患者の麻酔
- [ ] 帝王切開術の麻酔★

C．特定の医療現場の経験

- [ ] 緊急手術の麻酔の現場を経験する

第2章 術前管理

1. 術前回診の心構え

> **Point**
> ❶術前回診の流れ（図2-1-1）を理解しましょう
> ❷医療面接では，誠実さをアピールして，患者との信頼関係を得る努力をしましょう

　術前回診は麻酔管理の第一歩であり，患者の全体像把握のためには，必要不可欠な唯一の機会です．また，患者とのコミュニケーションをとる場でもあります．入院科の主治医は，手術までに通常数日の時間的余裕がありますが，麻酔科医にはせいぜい1日か2日しか与えられていません．**術前回診時に患者に信用してもらえなければ麻酔管理は始まりません．**

　患者の疾患，合併症，身体情報は麻酔前の診察では必要な情報ですが，患者にとっては人に知られたくないことが含まれています．そのような場合には，術前回診時，他の人がいる病室では十分に話ができないことがあります．患者への配慮として，カーテンを引く，小さな声で話すことはもちろん，場合によっては別の診察スペースを利用した方が，話をうまく引き出せる場合があります．**患者のプライバシー保護に気を配る必要がある場合には，麻酔指導医に相談しましょう．**

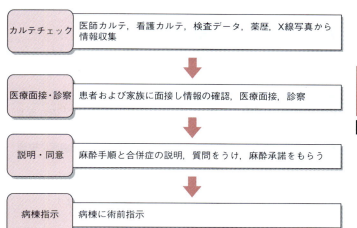

図2-1-1 術前回診の流れ

術前回診では以下のことを行います．

1. 患者の疾患，合併症，身体情報の把握と診察
2. 手術術式の把握
   (術式などで不明な点がある場合には，術者や主治医とのコンタクトが必要)
3. 術前・術中・術後の患者管理方法を計画（指導医と打ち合わせ）
4. 医師-患者の信頼関係を獲得すること
   〔麻酔方法を患者に承諾して貰うこと（麻酔法説明）〕
5. 病棟への指示（前投薬の内容・時刻，絶飲食），手術室への入室方法
6. 術前診察内容・患者への説明内容・麻酔計画の記録

第2章 術前管理

2. 術前回診と全身状態の評価

> **Point**
> ❶カルテなどから十分に情報を得てから医療面接を行いましょう
> ❷医療面接，診察は，事前にシミュレーションを行って，流れるようにできるようになりましょう
> ❸カルテの所見と自分の所見で合わないところは後で指導医に確認しましょう

術前診察では**AMPLEヒストリー**※を忘れずに聞きます．

※）AMPLE
　　Allergy　　　　　　　　　　　：アレルギー
　　Meditaction　　　　　　　　 ：服薬状況
　　Past illness, Pregnancy：既往歴と妊娠
　　Last meal　　　　　　　　　：最後の飲食　　┐（緊急手術）
　　Events　　　　　　　　　　　：事故状況　　　┘

---

1 カルテチェック

カルテから病歴や薬歴を把握します．
既往歴のポイントは，全身に関係する機能から重要臓器の機能へと順番を決めてチェックします．

1. 貧血，出血傾向
2. 循環器系
    1）心機能（運動能力）
    2）高血圧
    3）心筋梗塞，狭心症
    4）不整脈
3. 呼吸器系
    1）呼吸機能（呼吸機能検査と喫煙，年齢，肥満）
    2）上気道感染
    3）喘息
    4）COPD（chronic obstructive pulmonary disease：慢性閉塞性肺疾患），器質的肺疾患

4. 肝機能
5. 腎機能
6. 糖尿病
7. 内分泌疾患，RA（rheumatoid arthritis：関節リウマチ）などの膠原病

2 術前診察

　カルテや主治医などから十分に情報を得たら，いよいよ患者に面接することになります．

1）医療面接のポイント

　すでに問診表（図2-2-1）を渡していて，それに書かれていることもあります．術前診察用紙（図2-2-2）に診察結果を記入していきます．

麻酔科問診表

このたびのあなたの手術の麻酔は，麻酔を専門とする医師が担当します．あなたの手術と麻酔を安全に円滑に進めるために前もってあなたの全身状態を把握しておく必要があります．できるだけ詳しく正確に書いてください．

1）今までに手術をしたことがありますか　　　　　　　〔ある・ない〕
　あるとしたらそれは何歳のとき，どこの病院で，何の手術をしましたか
　〔　　　　　　　　　　　　　　　　　　　　　　　　　　　〕
　そのときはどのような麻酔でしたか
　（全身麻酔，下半身麻酔，局所麻酔などわかる範囲でお答えください）
　〔　　　　　　　　　　　　　　　　　　　　　　　　　　　〕
　手術や麻酔および手術後に何か変わったことはありましたか
　　　　　　　　　　　　　　　　　　　　〔あった・なかった〕

2）薬や食べ物で具合が悪くなったことはありますか　　〔ある・ない〕
　あるとしたらどのようなものでどんな具合になりましたか
　〔　　　　　　　　　　　　　　　　　　　　　　　　　　　〕

3）現在の状態はいかがですか
　食欲〔良・ふつう・不良〕，睡眠〔良・ふつう・不良〕

図2-2-1　問診表の例（次ページへ続く）

(前ページより続き)

4) お酒は飲みますか（入院前）　　　　　　　　　〔はい・いいえ〕
　　　飲むとしたら一日どのくらい飲みますか
　　　〔たしなむ程度・ビール（　本）・酒（　合）・ウイスキー（　ボトル）〕

5) たばこは吸ったことがありますか　　　　　　　　〔はい・いいえ〕
　　　吸うとしたら一日何本ぐらい吸いますか〔　　　本〕
　　　〔　　　〕歳から〔　　　〕年間
　　　禁煙されている場合は，いつからですか〔　　　〕前より禁煙

6) 病院や医院からもらっている薬はありますか　　　〔ある・ない〕
　　　あるとしたら何ですか
　　　〔血圧の薬・インスリン・ステロイド・睡眠薬・精神安定剤・不整脈
　　　の薬・心臓の薬・糖尿病の薬・血が固まらない薬・その他（　　）〕

7) 最近2週間以内に予防接種をしましたか　　　　　〔はい・いいえ〕
　　　〔はいの場合，いつ　　　　何を　　　　　　〕

8) 咳や痰はよくでますか　　　　　　　　〔咳がでる・痰がでる・でない〕

9) 最近，風邪気味ですか　　　　　　　　　　　　　〔はい・いいえ〕

10) 喘息はありますか　　　　　　　　　　　　　　　〔ある・ない〕

11) 肺炎や結核を患ったことはありますか　　　　　　〔ある・ない〕

12) 現在，次のような呼吸の症状がありますか　　　　〔ある・ない〕
　　　平地を歩くのは平気だが階段がつらい
　　　急いで歩くと苦しい，少し歩いても苦しい

13) 今までに急に息苦しくなったことがありますか　　〔ある・ない〕

14) 検診や病院で血圧が高いと言われたことはありますか　〔ある・ない〕

15) 今までに次のような心臓の症状がありますか　　　〔ある・ない〕
　　　〔息切れ・動悸・不整脈・胸がしめつけられるような痛み・
　　　　顔や手足のむくみ・その他（　　　　　　　）〕

(次ページへ続く)

(前ページより続き)

16) 以下の病気またはその他の大きな病気にかかったことはありますか．あるものに○をつけてください

〔胃潰瘍・十二指腸潰瘍・肝臓病・腎臓病・糖尿病・甲状腺の病気・貧血・脳出血・脳梗塞・狭心症・心筋梗塞・不整脈・心臓弁膜症・高血圧・血栓症・下肢静脈瘤・緑内症・その他（　　　　　）〕

17) 入れ歯，さし歯，動く歯はありませんか　　　　　　〔ある・ない〕
　　総入れ歯，部分入れ歯（○をつけてください）

　　　　　　　　　　　　　　　㊤
　　　㊨　8｜7｜6｜5｜4｜3｜2｜1｜1｜2｜3｜4｜5｜6｜7｜8　㊧
　　　　　8｜7｜6｜5｜4｜3｜2｜1｜1｜2｜3｜4｜5｜6｜7｜8
　　　　　　　　　　　　　　　㊦

18) 首を後ろにそらせることができますか
　　　　　　　　　　　　　　〔できる・できるがつらい・できない〕

19) 口を指3本程度，縦に開けることができますか　〔できる・できない〕

20) （女性のみ）現在妊娠している可能性がありますか　〔ある・ない〕

血縁者（血のつながった方）のことについて伺います．
1) 麻酔や手術で異常な反応を起こした人がいますか　〔いる・いない〕
　　〔高熱・ひきつけ・ショック・蕁麻疹・その他（　　　　　）〕

2) 元気だったのに突然，亡くなった人がいますか　〔いる・いない〕

麻酔に関して特に気にかかっていることがあれば何でも書いてください．
〔　　　　　　　　　　　　　　　　　　　　　　　　　　　　　　〕

麻酔前診察用紙

術前診察日 ＿＿月＿＿日（　　）　　診察医 ＿＿＿＿＿＿

病名：＿＿＿＿＿＿＿＿＿＿　　術式：＿＿＿＿＿＿＿＿＿＿

身長　　cm　体重　　kg　BMI(　　　)

Patient Review

Nutrition, Appetite:

ADL :　　　NYHA(　　　), H－J(　　　)

Present illness

Past history

Anesthesia :

Drugs :

Allergies(　　　), asthma(　　　)

Tobacco : [　　　/day] for(　　　) years

(　　　)前より inhibit

Physical Examinations

Vital signs:

blood pressure　　　/　　　mmHg

pulse rate　　bpm (regular, irregular)

temperature　　℃

consciousness : 3-3-9(　　　　)

Eyes: Rt(　　) Lt(　　)

Ears:

Mouth :difficulty in opening(　　　tab)

Dentation :

8	7	6	5	4	3	2	1	1	2	3	4	5	6	7	8
8	7	6	5	4	3	2	1	1	2	3	4	5	6	7	8

Neck :flexibility(　　　　　　)

tumor, goiter, airway anomaly

Chest :

Auscultation : rales, wheezes, rhonchi, vesicular

cough(　　　), sputum(　　　)

15.11

Cardiovascular systems :

Auscultation : murmur(　　　), bruits (　　)

Allen's test : (rt,　　sec, lt.　　sec)

Abdomen :

Spinal column :

Extremities :

dyspnea(　　　)

palpitation (　　　)

AP (　　　)

立ちくらみ(　　)

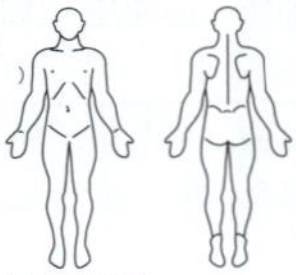

Epidural position(able, disable)

Bleeding tendency (Yes,　No).

Chest X－ray

date　　・　　・

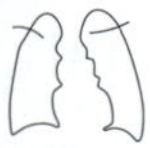

Spirometry

date　　・　　・

% VC　　　%

FEV1%　　　%

1秒量　　　L

EGG :　date　　・　　・

HR　　axis

rhythm(RR)

P, PQ

QRS

ST-T

QT

Echocardiography etc.　date　　・　　・

麻酔･集中治療科術後回診

月　　日

麻酔科医師 ＿＿＿＿＿＿

○○病院麻酔科

図 2-2-2　術前診察用紙の例

2）すべての患者で必ず聞くこと

①全身状態評価

1. 心肺機能の評価〔運動能力を問診：METs（Metabolic Equivalent）（表 2-2-1），NYHA 心機能分類（表 2-2-2）と Hugh-Jones 分類（表 2-2-3），mMRC 息切れスケール（表 2-2-4）〕

現在の活動状況を聞きます．階段を上ると息切れがしますか？ 平地なら休まずにどれくらい歩けますか？ など．

また,胸痛が出ることがあるか(胸が締めつけられるように痛くなったことがあるか)など具体的にやさしい言葉で聞きます.

2. 栄養状態(食事摂取量,腕や皮膚,筋肉の状態を観察,肥満[※1]とやせ[※2])
3. 意識状態(意識レベルは受け答えからみます)
4. 出血傾向(採血後の青あざや腕の異常な打ち身)
5. 感冒様症状(発熱,咳,痰)
6. ワクチン接種(種類,接種日)

※1)肥満の指標

- BMI (body mass index)

$$\text{体重 (kg)} / \text{身長 (m)}^2$$

22〜23:標準,25〜30:太り気味,30以上:肥満

- Broca指数

$$[\text{体重 (kg)} - \{\text{身長 (cm)} - 100\} \times 0.9] \times 100 / \{\text{身長 (cm)} - 100\} \times 0.9$$

20〜30%:軽度肥満
30〜40%:中等度肥満
40%以上:重度肥満

- BMIから%で肥満を表現する方法

$$\text{\%肥満度} = (BMI - 22) \times 100 / 22$$

BMIが26.4以上で20%肥満,28.6以上で30%肥満,30.8以上で40%肥満となる

※2)やせの指標

標準値の80%がやせ傾向,70%が高度やせとされています.
BMIでは,18以下でやせ傾向,16以下で高度やせとなります.

②アレルギーや血縁者の突然死

1. 薬物や食物アレルギー

 バナナ,キウイ,アボカドなどにアレルギーがある場合ラテックスアレルギーを考えます.局所麻酔薬については歯科治療でのイベントが参考になります.具体的な薬品名がわかる場合には,その薬品名を聞き出しましょう.

2. 血縁者の突然死と悪性高熱症

 周術期に高熱を出して亡くなった血縁者,神経・筋疾患について問診します.

表 2-2-1　METs (Metabolic Equivalent)

運動別の消費エネルギー量が安静時の何倍かを示す

1.05×体重 (kg) ×METs数×運動時間 (hr) =消費エネルギー (kcal)	
3METs	普通歩行 (4 km/h), 軽い筋トレ, バレーボール
4METs	**速歩(6.4 km/h), ゴルフ, 自転車, ボーリング, 階段3階まで楽に昇る**
6METs	軽いジョギング, エアロビクス, 階段昇降
8METs	ランニング, 水泳, 重い荷物を運ぶ
良好：7METs超, 中等度：4〜7METs, 低下：4METs未満	

4METs以上あれば小手術は耐えうると判断.

表 2-2-2　NYHA 心機能分類

Ⅰ度	身体活動に制限のない心疾患者. 日常生活における身体活動では, 疲れ, 動悸, 呼吸困難, 狭心症状は起こらない
Ⅱ度	身体活動に軽度制限のある心疾患者. 日常生活における身体活動でも, 疲れ, 動悸, 呼吸困難, 狭心症状が起こる
Ⅲ度	身体活動に高度の制限のある心疾患者. 軽い日常活動における身体活動でも, 疲れ, 動悸, 呼吸困難, 狭心症状が起こる
Ⅳ度	身体活動を制限して安静にしていても心不全症状や狭心症状が起こり, 少しの身体活動によっても, 訴えが増強する

NYHA：New York Heart Association

表 2-2-3　Hugh-Jones 分類

1度（正常）	同年齢の健康者と同様に仕事ができ, 歩行, 階段の昇降も健康者と同様である
2度（軽度）	平地では同年齢の健康者と同様に歩けるが, 坂や階段は健康者と同様には登れない
3度（中等度）	平地でも健康者と同様な歩行はできないが, 自分の歩調ならば約1.6 km以上歩ける
4度（高度）	休みながらでなければ, 約50 m以上歩けない
5度（非常に高度）	話したり, 衣服を脱いだりするだけで息切れがし, そのため外出もできない

表 2-2-4　mMRC 息切れスケール
(modified Medical Research Counsil dyspnea scale)

0	激しい運動をしたときだけ息切れがある
1	平坦な道を早足で歩く, あるいは緩やかな上り坂を歩くときに息切れがある
2	息切れがあるので, 同年代の人よりも平坦な道を歩くのが遅い, あるいは平坦な道を自分のペースで歩いているとき, 息切れのために立ち止まることがある
3	平坦な道を約100m, あるいは数分歩くと息切れのために立ち止まる
4	息切れがひどく家から出られない, あるいは衣服の着替えをするときにも息切れがある

③常用薬,たばこ,酒

常用薬については,術前に内服(注射)している薬剤と治療効果について把握しておく必要があります.薬の種類,用量,使用期間,薬による副作用の把握とその薬剤を内服するきっかけになった疾患の治療経過について問診します.患者は病気の名前を知らなくても,内服薬や症状によって既往歴が判明することがあります(この過程が大切です).

最近では病院全域が禁煙になっているので,入院患者で喫煙している人はいないと思いますが,入院までにどのくらい吸っていたか,風邪を引いていないのに咳や痰が出るか,を確認しておきます.気管挿管した後で,ひどい痰に悩まされることがあります.

> 禁煙では,一般的に酸素運搬能の改善(約1日),気管支繊毛運動改善(約3日),喀痰の減少(約2週間),肺合併症減少(約2カ月)が得られます.

アルコールでは,肝障害,肝硬変が問題となります.検査データとつきあわせて肝予備能を把握しましょう.

④気道確保に関する診察(①マスク換気困難,②挿管困難の予測の観点で!)

1. **顔貌と開口の状態**

   2横指以上開口できるか,大きな舌,扁桃が腫れていないか確認します.あごひげにも注意します.

2. **歯牙の状態**

   入れ歯や歯牙の動揺性,前歯の差し歯,部分入れ歯をはずした後の歯並びを確認します.

3. **Mallampati分類**(図2-2-3)

   正面を向いてもらい,できるだけ大きな口を開けて舌をできるだけ前に突き出してもらいます.

4. **Upper lip biteテスト**(図2-2-4)

   下あごで上唇がどの程度噛めるかでclass Ⅰ,Ⅱ,Ⅲに分類する.class Ⅲでは挿管困難が予測される.

5. **頸部の診察**

   後屈の程度や頸部の硬さ,後屈時の神経症状を確認します.

6. **意識障害**

   意識障害〔「第3章-15 各科手術の麻酔」(p.242:表

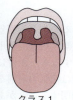

| クラス1 | クラス2 | クラス3 | クラス4 |

クラス1	口蓋弓,軟口蓋,口蓋垂ともによく見える
クラス2	口蓋弓,軟口蓋は見えるが口蓋垂の先端が見えない
クラス3	口蓋垂の基部と軟口蓋しか見えない
クラス4	軟口蓋は見えず硬口蓋しか見えない

図2-2-3 Mallampati分類
巻末の文献1より.

A) B) C)

図2-2-4 Upper lip biteテスト
class Ⅰ:上唇をすべて噛める,class Ⅱ:上唇の一部が噛める,class Ⅲ:上唇が全く噛めない.巻末の文献24より.

3-15-4,p.243:**表3-15-5**)参照〕のある場合には,その程度と気道の開通(舌根沈下の有無)に注意をします.

7. マスク換気困難の予測

気管挿管できなくても,マスク換気が継続できれば死亡することはない!が,マスク換気ができないと恐ろしい.口腔内エアウェイ(つばの大きいゲデルエアウェイ),声門上器具,2人でマスクフィット,変形を補う詰め物を工夫するなどの事前の準備と心構えが必要です.また,口腔から声門の間にある上気道の腫瘍や異物による気道困難では,意識下挿管や意識下(局所麻酔)により気管切開が必要になるため事前の精査を怠らないことです(**表2-2-5**).MOANSのMとして頸椎の可動不良〔Delikanサイン(**図2-2-5**)〕[43],顎関節の可動不良〔Upper lip biteテスト(**図2-2-4**)〕を忘れずに追加します.

表 2-2-5　マスク換気困難の予測因子（MOANS）[42]

M	Maskフィット（シールが難しい．顔面外傷，あごひげなど）
O	ObesityやObstruction（肥満や妊婦，気道閉塞）
A	Age55歳以上（コンプライアンス低下や上気道の筋緊張増加）
N	No teeth（歯がないのでマスクフィットしにくい）
S	Stiff lung or chest wall（肺や胸郭が硬い）

8. 挿管困難の予測（LEMONの法則）

【Look Externally】

<u>①外表面を観察</u>：ひげ，義歯，顔面の外傷，肥満などの有無を観察する

<u>②3-3-2ルール</u>：①開口が3横指顎関節の可動性もチェック，②おとがい－舌骨間距離が3横指，③口腔底－甲状軟骨距離が2横指以上あるかを観察する（図2-2-6）

【Mallampati Classification：マランパチ分類（図2-2-3）】

クラス3以上で喉頭展開困難であると予想される

【Obstruction：気道閉塞】

炎症，外傷，腫瘍，舌肥大などによる上気道閉塞および気管の偏位（胸部X線）の有無を確認する

> **Column　麻酔事故：気管挿管と力道山の死**
>
> 昔，力道山という国民的英雄のプロレスラーがいた．1963年に繁華街で暴漢に腹部を刺されて病院に運ばれたが，手術中にあっけなく死んでしまったという．その理由について，書籍『麻酔と蘇生』には現場にいた医学生から著者が聞いた話として，「麻酔を担当した外科医が気管挿管できなかったことによる無酸素状態が死亡の原因であった」と書かれている．気管挿管できなくてもマスクによる換気ができれば死ぬことはないが，それもできなかったとしたら，このような結末になる．気道確保困難では，その予測を行い，施行時には細心の注意が必要である．
>
> ［参考］土肥修司：「麻酔と蘇生－高度医療時代の患者サーヴィス」．中公新書，pp51-53，中央公論新社，1993

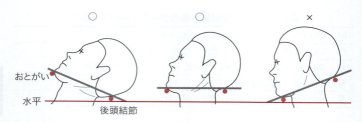

図 2-2-5　Delilkan サイン（頸椎の可動性）[43]
おとがいと後頭結節を結んだ線が水平以上を保てるか．

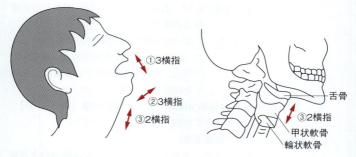

図 2-2-6　3-3-2 ルール
巻末の文献 49, p.88 より引用．

【Neck Mobility：頸部の可動性】
　外傷や頸椎疾患による可動制限の有無を確認する．頸椎が固定されていないか，前屈，後屈ができるかが鍵である．Delilkan サイン（図 2-2-5）が役に立つ

9. 挿管困難な症例（表 2-2-6）

⑤麻酔計画を立てるうえでのその他のポイント

1. 聴力や視力障害
2. 意思疎通が十分か，不安があるか
3. 出血傾向
4. 脊椎の変形と穿刺時の体位の可否
   （脊髄くも膜下麻酔，硬膜外麻酔予定症例）
5. 手背や前腕に静脈確保が可能かどうか

6. 四肢の知覚障害と運動麻痺，関節の屈曲伸展障害（手術体位に支障はないか）
7. 消毒薬や絆創膏アレルギー
8. アレンテスト（観血的動脈圧測定）（図2-2-7）
9. 感染症

表2-2-6 挿管困難な症例

Ⅰ型 [開口困難] 口が開かない
1) 炎症：顎関節やその周囲の炎症・拘縮・強直
2) 腫瘍：顔面・舌・口腔内腫瘍
3) 外傷・熱傷：顎・顔面外傷や骨折，熱傷による瘢痕
4) 先天性：小口症
5) アレルギー：血管神経性浮腫
Ⅱ型 [喉頭展開困難] 口は開くが喉頭展開ができない
先天性小顎症（ピエールロバン症候群など），下顎後退，猪首（太い短い首），頸椎の運動制限など
Ⅲ型 [挿管チューブ挿入困難] 喉頭展開はできるが挿管チューブが入らない
気管入口部の偏位，喉頭狭窄など

巻末の文献2より作成．

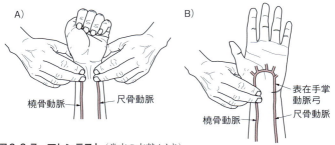

図2-2-7 アレンテスト（巻末の文献4より）

橈骨動脈と尺骨動脈が手掌，手背で正常な交通となっている（側副血行路がある）かどうかを検査する方法である．
A) 患者に手を強く握ってもらい，橈骨動脈と尺骨動脈を圧迫し血流をふさいだ後，手を開いてもらう（手は蒼白になる）．
B) 尺骨動脈の圧迫を解除すれば，手の色が正常に戻る（正常な場合をアレンテスト**陽性**）．15秒以上経過しても手の色が戻らないときは尺骨側の血行が不十分のため橈骨動脈での採血・カニューレ留置は避ける（アレンテスト**陰性**）．

⑥深部静脈血栓症の予防

　エコノミークラス症候群で有名になりました．静脈血流の鬱滞の因子に加えて，長時間足を動かさないと下肢の静脈に血栓ができて，血行性に肺塞栓を発症します．周術期では頻度が高い合併症（1/1,000～1/2,000）で，術前のスクリーニングと対策が必要です．下肢の腫脹や発赤疼痛などの症状，D-ダイマー（>1μg/mL）などで深部静脈血栓症が疑われる場合には，下肢静脈エコーを行います．さらに，下肢静脈造影を行うこともあります．これらがなくても術前には，深部静脈血栓症のリスク分類（表2-2-7）により予防策を実行します（表7-4，表7-5，表7-6も参照）．明

表2-2-7　肺血栓塞栓症／深部静脈血栓症のリスク分類

分類	要因
1. 手術リスク	
低リスク	60歳未満の非大手術，40歳未満の大手術，上肢手術，開頭術以外の脳外，婦人科の30分内の手術，正常分娩
中リスク	60歳以上あるいは危険因子のある非大手術，40歳以上あるいは危険因子のある大手術，脊椎手術，骨盤・下肢手術，脳腫瘍以外の開頭術，婦人科の良性疾患手術，帝王切開
高リスク	重度外傷，重度熱傷，重度脊損，40歳以上の癌の大手術，股関節全置換術，膝関節全置換術，股関節骨折手術，脳腫瘍の開頭術，骨盤内悪性腫瘍根治術，高度肥満の帝王切開
最高リスク	静脈血栓症既往や血栓性素因（抗リン脂質抗体症候群など）のある手術
2. 危険因子の強度	
弱い	肥満（BMI>26.4），エストロゲン（ホルモン補充）治療，下肢静脈瘤
中等度	70歳以上の高齢，長期臥床，うっ血性心不全，呼吸不全，進行癌，中心静脈カテーテル留置，癌化学療法，重症感染症
強い	静脈血栓塞栓症の既往，血栓性素因，下肢麻痺，下肢ギプス包帯固定
3. 予防法の選択	
低リスク群	早期離床および積極的な運動
中リスク群	弾性ストッキングまたは間歇的空気圧迫法
高リスク群	間歇的空気圧迫法または低用量未分画ヘパリン
最高リスク群	間歇的空気圧迫法（または弾性ストッキング）と低用量未分画ヘパリン（8時間もしくは12時間ごとに未分画ヘパリン5,000単位を皮下注）

本表は肺血栓塞栓症／深部静脈血栓症（静脈血栓塞栓症）予防ガイドライン（第2版）をもとに，著者が作成したものである．

らかに，静脈血栓がある場合には，下肢静脈フィルターの挿入を行って手術に臨みます．すでに血栓がある症例では間歇的空気圧迫法は禁忌です．術中には，ETCO$_2$の急激な低下（肺血栓発症の可能性大）に注意します．経食道心エコーで心臓や肺動脈に飛んでいないかをモニタリングする症例もあります．

⑦総合評価

ASA術前状態分類（Physical Status）（表2-2-8）によるクラスを決定します．

3）合併症のある場合に追加する医療面接と診察

①心血管系疾患［表2-2-9，第3章-14-❶（p.213）も参照］

1. 高血圧

降圧薬の種類，日常の血圧，脳血管疾患や心疾患，腎疾患などの合併症の有無，心電図変化，胸痛など．

2. 冠動脈疾患（図2-2-8，表2-2-10）

日常の症状，発作頻度，最終発作，持続時間，舌下剤の効果/心電図変化や症状がある場合には要注意であり，心筋梗塞発症6ヵ月以内はリスクが高くなります．ステント挿入の有無．特に，DES（Drug Eluting Stent：薬剤溶出性ステント）に注意します．DES挿入患者では抗血小板薬を止めるとステント内血栓のリスクがあります．術前に循環器科に相談して対策を立てる必要があります．Cypher，TAXUS，Endeavor，XienceなどはDESです．「Memo アスピリンと薬剤溶出性ステント」（p.67）も参照．

3. 不整脈

動悸などの頻拍発作や徐脈，失神発作の有無，内服薬，ペースメーカー患者の場合，ペースメーカー手帳を見せてもらいます．

4. 意識消失発作

心臓によるものと脳虚血によるものの鑑別を行います．

表2-2-8 ASAクラス分類

ASA PS分類	定義	成人例（これ以外もある）
ASA Ⅰ	健常な患者	健康な患者，非喫煙者，アルコールなしかごくわずかを飲む
ASA Ⅱ	軽度の全身疾患をもつ患者	実質的な機能制限のない軽度の疾患．現在の喫煙者，飲酒する人，妊娠，肥満（30＜BMI＜40），コントロールされた糖尿病/高血圧，軽度の肺疾患
ASA Ⅲ	重度の全身疾患をもつ患者	実質的な機能制限：1つ以上の中等度から重度の疾患．コントロール不良の糖尿病や高血圧，COPD，病的肥満（BMI≧40），活動性肝炎，アルコール依存症または乱用，埋め込み型ペースメーカー，中等度のEF低下，定期的に透析を受けている末期腎障害，心筋梗塞（3カ月以上前），脳血管疾患，TIA，冠動脈疾患/ステントの既往歴
ASA Ⅳ	常に生命を脅かす重度の全身疾患をもつ患者	最近（3カ月未満）の心筋梗塞，脳血管障害，TIA，または冠動脈疾患/ステント，進行中の心筋虚血または重度の弁機能不全，重度の駆出率低下，ショック，敗血症，DIC，急性呼吸器疾患，または定期的に透析を受けていない末期腎障害
ASA Ⅴ	手術をしなければ生存が見込めない患者	腹部/胸部動脈瘤破裂，重篤な外傷，mass effectを伴う頭蓋内出血，重度の心疾患または多臓器/系統的障害を伴う虚血性腸疾患
ASA Ⅵ	脳死患者が，ドナー目的で臓器を摘出する場合	

＊妊娠は病気ではないが，出産時の生理状態は非妊娠時と大きく異なるため，合併症のない妊婦はASA Ⅱとする．＊＊緊急手術はこれにEをつける．
ASA：American Society of Anesthesiologists（米国麻酔学会）https://www.asahq.org/standards-and-guidelines/asa-physical-status-classification-system ASA Physical Status Classification System. Last Amended：December 13, 2020（original approval：October 15, 2014）より作成．

表2-2-9 Killip分類

分類	所見	死亡率
Ⅰ	心不全なし	6％
Ⅱ	軽度〜中等度心不全，S3（＋），背部下半にrale（＋）	17％
Ⅲ	高度心不全（pulmonary edema），50％以上の肺野でrale（＋）	38％
Ⅳ	心原性ショック（BP＜90 mmHg，尿量減少，冷たく湿った皮膚，チアノーゼ，意識障害）	81％

Killip分類：身体所見より心機能を評価する分類．

小児例 (これ以外もある)	産科例 (これ以外もある)
健康（急性または慢性疾患なし），年齢相応のBMI％	
症状のない先天性心疾患，コントロールされた不整脈，安定した喘息，コントロールされたてんかん，非インスリン依存性糖尿病，年齢に対するBMI異常，軽度/中等度のOSA，寛解している腫瘍状態，軽度の制限がある自閉症	正常な妊娠*，十分にコントロールされた妊娠性高血圧，重度の徴候のないコントロールされた子癇前症，食事療法でコントロールされた妊娠性糖尿病
未治療でも不変の先天性心疾患，喘息の増悪，コントロール不良のてんかん，インスリン依存性糖尿病，病的肥満，栄養失調，重度のOSA，腫瘍状態，腎不全，筋ジストロフィー，嚢胞性線維症，臓器移植歴，脳・脊髄奇形，症候性水頭症，60週未満の未熟児PCA，重度の制限を伴う自閉症，代謝性疾患，困難気道，長期の非経口栄養，正期産乳児＜生後6週間	重度の子癇前症，合併症をもつか大量にインスリンが必要な妊娠糖尿病，抗凝固療法を必要とする血栓性疾患
症状のある先天性心疾患，うっ血性心不全，未熟児の活動的な後遺症，急性低酸素性虚血性脳症，ショック，敗血症，DIC，自動植込み型除細動器，人工呼吸器依存状態，内分泌疾患，重度の外傷，重度の呼吸困難，進行した腫瘍状態	HELLPや他の有害事象をもつ重度の子癇前症，EF＜40の周産期心筋症，後天性または先天性の未治療/非代償性心疾患
大規模な外傷，mass effectを伴う頭蓋内出血，ECMOを必要とする患者，呼吸不全または停止，悪性高血圧，非代償性うっ血性心不全，肝性脳症，虚血性腸疾患または多臓器/系統的不全	子宮破裂

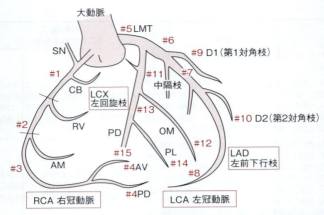

図 2-2-8 AHA (American heart association) の冠動脈枝の名称と番号
#1：近位部，#2：中間部，#3：遠位部，#4 PD：後下行枝，#4 AV：房室枝，SN：洞房結節枝，CB：円錐枝，RV：右室枝，AM：鋭角枝，#5 LMT：左冠動脈主幹部，#6：近位部，#7：中間部，#8：心尖部，#9 D1：第1対角枝，#10 D2：第2対角枝，#11：近位部，#12 OM：鈍角枝，#13：遠位部，#14 PL：後側壁枝，#15 PD：後下行枝．巻末の文献41，p.19より作成．

表 2-2-10 CCS の狭心症重症度分類

分類	所見
クラス I	日常の身体活動，例えば通常の歩行や階段上昇では狭心発作を起こさない．仕事にしろ，レクリエーションにしろ，活動が激しいか，急か，または長引いたときには狭心発作を生じる．
クラス II	日常の身体活動はわずかながら制限される．急ぎ足の歩行または階段上昇，坂道の登り，あるいは食後や寒冷，強風下，精神緊張下または起床後2時間以内の歩行または階段上昇により発作が起こる．または2ブロック（200 m）を超える平地歩行あるいは1階分を超える階段上昇によっても狭心発作を生じる．
クラス III	日常活動は著しく制限される．普通の速さ，状態での1～2ブロック（100～200 m）の平地歩行や1階分の階段上昇により狭心発作を起こす．
クラス IV	いかなる動作も症状なしにはできない．安静時にも狭心症状をみることがある．

CCS : Canadian Cardiovascular Society

②呼吸器系疾患（p.216：3章-14-❷参照）
  1. 喘息
     最終発作，発作時の治療法，日常の治療，現在の聴診所見，呼吸機能検査を把握します．
  2. COPDや器質的肺疾患
     感染徴候の有無，喫煙の有無，呼吸機能検査，術前の肺理学療法について把握します．

③糖尿病（p.218：3章-14-❸参照）
  コントロール（血糖値，HbA1c，内服薬，インスリン使用），合併症（腎機能，眼合併症，末梢性ニューロパチー，無症候性心筋梗塞）の評価を行います．

④内分泌疾患（p.219：3章-14-❸参照）
  甲状腺疾患などでは甲状腺機能異常と現在の臨床症状を聞きます（ユーサイロイドであるか）．

⑤RAなどの膠原病（p.227：3章-14-❽参照）
  ステロイド服用，頸椎病変，開口障害，四肢末梢の変形による体位の制限，点滴のとりやすい静脈を見ます．

⑥神経・筋疾患
  麻酔薬や筋弛緩薬の使用に影響するものかどうか．麻痺（部位）や神経症状を確認します．

⑦透析患者（p.220：3章-14-❹参照）
  透析スケジュール，シャント側の腕やシャントの状態，透析前後の体重（dry weight），循環器合併症の評価を確認します．

⑧消化器疾患（p.221：3章-14-❺参照）
  消化管潰瘍，消化管の通過障害や肝機能（特に肝硬変）に注意します．

⑨緊急手術（p.230，p.259参照）
  フルストマック[※1]を念頭におきます．**最終経口摂取時刻（何をどれだけ），イレウス，妊婦，消化管損傷，腹膜炎，幽門狭窄ではフルストマックとみなします．外傷では受傷時刻（受傷したときに消化管運動は停止）を確認します．**

  ※1）フルストマック
     最終経口摂取から十分に時間が経っていない患者（p.230，p.259参照）．

> ☑ **チェックシート**

> ### 緊急手術の術前回診
>
> - [ ] 主治医からの口コミの情報
>   特に，緊急度（手術がすぐに必要か，少しは待てるか），手術承諾の有無
> - [ ] 紹介状の内容（あれば）
> - [ ] 家族や友人からの情報（日常の活動度，既往歴，内服薬，アレルギー，血縁者の周術期の異常など）
> - [ ] 最終の経口摂取（食事，飲水）
> - [ ] 術前検査所見
> - [ ] 現在の状態の把握（意識状態，呼吸状態，尿量，バイタルサイン）
> - [ ] 昇圧薬，降圧薬，鎮静薬の使用の有無，出血の持続
> - [ ] 静脈ルート確保（部位とゲージ数）の有無
> - [ ] 挿管困難も含めた気道上の問題点
>
> 特に尿量は，全身状態を反映するので，尿が出ていない状態には注意する．頻脈を見逃さないように！

Column　内服薬剤から術前合併症がわかる

最近は，老人の一人暮らしが多くなり，自分の術前合併症を十分に理解していない場合も目立つ．そのような場合は，内服薬を調べると合併症を検索できることがある．自覚症状がない，本人が知らなくても該当する内服薬を常用している場合には，その合併症があるものとして対応することが肝要である．

3　全身状態の評価

1) 情報収集

主治医からの情報が頼りです．麻酔依頼に訪れたときの口頭でのやりとりを聞きましょう．カルテを参照する場合には，他院からの紹介状も参考にしましょう．家族や知人から可能な限りの情報（日常の活動度，既往歴，内服薬，アレルギー，血縁者の周術期の異常など）を短時間で引き出しましょう．

最後に経口摂取を行った時間の聴取も忘れないようにしましょう（意識がよければ本人から）．

日常の活動度は，METs（表2-2-1参照），NYHA心機能分類（表2-2-2参照），Hugh-Jones分類（表2-2-3参照），mMRC息切れスケール（表2-2-4参照）に当てはめて質問しますが，寝たきり，車いすなどの場合には，そういった表現でも記述は可能です．

また，重症患者の緊急手術の場合には，ASAクラス分類（表2-2-8参照）でうまく表現できます．

2）術前検査，現症の把握

胸部X線，12誘導心電図，血算，血液型，血清電解質，血糖などはどんなに急ぐ場合でも必須で，AST，ALTやBUN，Cr，凝固系検査も行っておくことが必要でしょう．スパイロメトリーが不可能であれば，血液ガス分析など短時間でできるものは行っておきます．

術前検査が揃いしだい，状態が許せば麻酔導入を行います．急ぐ場合には，術前検査結果が待てないものもありますが，状況判断は指導医でなければ行えません．

脱水の評価には**尿量が確保できているかどうか**を見ることが大切です．また，**バイタルサインでは頻脈，頻呼吸，低血圧を見逃さない**ようにしましょう．

簡単な診察をすばやく行い，（挿管困難を含めた）気道上の問題点を把握しておきましょう．

> **memo 予防接種後，何日おいてから全身麻酔を受けるべきか**
>
> ワクチン接種後に生体が抗体を産生するべき時期に，手術や麻酔により免疫が抑制されれば，抗体の産生が不十分となる可能性がある．またワクチンにより発熱や発疹などの副反応が起こるが，この時期に麻酔や手術を行うと，副反応の増強や生ワクチンによる感染症の発症を生じる可能性がある[44]．
>
> 生ワクチンは4週間，不活化ワクチンは2週間空けるのが従来からの通例である．
>
> しかし実際には，副反応が見られておらず全身状態良好ならこれより短くても問題を生じない場合も多い（生ワクチン

で2週間，不活化ワクチンで2日あければ，副反応の有無は確認できるという意見もある[45])．

予防接種の種類

	ワクチンの種類	空けるべき間隔
生ワクチン	BCG, 麻疹（はしか），風疹，MR（麻疹風疹混合），流行性耳下腺炎（おたふくかぜ），水痘，黄熱，ロタウイルス，帯状疱疹	4週間
不活化ワクチン（トキソイド含む）	インフルエンザ，B型肝炎，破傷風トキソイド，成人用ジフテリアトキソイド，A型肝炎，狂犬病，肺炎球菌，日本脳炎，b型インフルエンザ菌（Hib），HPV（ヒトパピローマウイルス），髄膜炎菌，四種混合（DPT-IPV），三種混合（DPT），二種混合（DT），不活化ポリオワクチン（IPV），帯状疱疹	2週間
mRNAワクチン，ウイルスベクターワクチン	COVID-19	2週間※（推奨）

D：ジフテリア，P：百日咳，T：破傷風
2012年からポリオは生ワクチンではなく不活化ワクチンに変わった
https://www.niid.go.jp/niid/ja/vaccine-j/249-vaccine/589-atpcs003.html より作成．
※「麻酔・手術を受ける患者さんへのワクチン接種の提言」（日本麻酔科学会，2022年5月2日）より
https://anesth.or.jp/img/upload/news/9cae8b8d50e6a6c89ea69bc34a8349f1.pdf

memo COVID-19のワクチン接種

・COVID-19ワクチン接種の状況に関係なく，必須の緊急手術を行う必要がある．緊急でない待機手術は，ワクチン接種後すぐに行うことができる[62]
・待期手術であっても接種後3日目（48時間経過後）に手術は可能：患者が早期の手術治療を望む場合，この期間を目安に手術治療を考慮してもよいと判断する．ただし，①ワクチン接種による発熱などの症状が軽減していることが前提で，②手術侵襲によってはワクチン接種による抗体産生が減少する可能性があることを患者に説明すべきである［「麻酔・手術を受ける患者さんへのワクチン接種の提言」（日本麻酔科学会，2022年5月2日）より．https://anesth.or.jp/img/upload/news/9cae8b-8d50e6a6c89ea69bc34a8349f1.pdf］

3. 麻酔法の決定

> **Point**
> ❶予定された手術麻酔が延期・中止になる条件を理解しましょう
> ❷麻酔法を決定するときに考えるべき項目を理解しましょう

まず,麻酔ができる状態かどうかを判断する必要があります.
予定されていた麻酔や手術が延期・中止になる場合は,以下の3つです.

1. 風邪や気管支炎などの症状,高熱などが見られるとき
2. 手術や麻酔に不都合な病気が新たに発見されたとき
3. 全身状態が変化して麻酔が危険だと判断されたとき

2は,術前診察時に1,3は当日までに判断します.

Column 小児のかぜスコア,乳幼児のかぜスコア

項目 (各1点)
1　鼻閉・鼻汁・くしゃみ
2　咽頭発赤・扁桃腫脹
3　咳嗽・喀痰・嗄声
4　呼吸音異常
5　発熱 (乳児 38℃,幼児 37.5℃以上)
6　食指不振・嘔吐・下痢
7　胸部X線写真異常
8　白血球増多 (乳児 12,000/mm^3,幼児 10,000/mm^3 以上)
9　かぜの既往 (入院前2週間以内)
10　年齢因子 (生後6カ月未満)

かぜスコア
0〜2点:健常群 (通常通り麻酔実施)
3〜4点:境界群 (十分な麻酔管理と合併症への対策)
5点以上:麻酔中止
巻末の文献5より作成.

コントロールできない高血圧，喘息発作中，頻拍性不整脈，甲状腺機能亢進症，血糖コントロール不良な糖尿病，急性心不全，急性心筋梗塞発症直後，感染徴候としての発熱，急に肝逸脱酵素が上昇している場合などには，中止や延期を考慮する必要があります．指導医に相談しましょう．

麻酔法を決定するときに考えるべきことは，下記の項目です．

1. 年齢
2. 併存合併症や身体的（心肺機能，運動能力），精神的状態（意識状態）
3. 手術の種類と部位，予定時間（手術侵襲の強さ）
4. 手術時の体位
5. 麻酔科医（指導医）と執刀医の能力
6. 患者や術者の希望
7. 術後の患者管理システム（体制）
8. 手術室の設備（体制）
9. 緊急手術（フルストマックかどうか）
10. 病院や麻酔科の方針

最終的には総合的に判断して麻酔科医自身が決定する必要があります．麻酔に関しての責任は麻酔科医がとる必要があります．

上記の項目を十分に考慮して，最適な麻酔法を決定します．何となくその麻酔法を選択するというのではなく，決定した麻酔法を選択した理由を述べることができるようにしておきましょう．

研修においては，麻酔指導医と相談のうえ，麻酔法を決定することになります．

第2章 術前管理

4. 麻酔の説明と同意の取得

Point
① 麻酔説明の流れを理解しましょう
② 絶飲食の必要性，麻酔方法の説明，麻酔合併症の説明を必ず行いましょう

　麻酔の説明では，麻酔方法の説明と合併症の説明の両方を行い，麻酔承諾書（同意書）（図2-4-1）を得る必要があります．施設によっては，すでに麻酔指導医が術前診察を行って同意書を取得しているところもあります．

【説明の流れ】
1. 絶飲食の必要性と時間
2. （必要なら）前投薬の必要性
3. 手術室の入室時刻と方法
4. 麻酔方法と手順の説明
5. 質問を受けて不安をとり除く
6. 麻酔管理についての同意書をもらう

1 説明のポイント

1）絶飲食の必要性

　絶飲食は安全な麻酔のために必要であることや，絶飲食を守らないと誤嚥を引き起こして重篤な肺炎を起こすことを説明します．

2）麻酔方法の説明

①全身麻酔

　手術室に入るまでの手順，どのような方法で入眠するか，気道確保のこと，麻酔中には麻酔専門医もずっとそばにいて適切な対応がとれること，麻酔後いつ覚めるか，覚めたときの状況や痛みがあるときにはどうするか，覚めた後の深呼吸や喀痰排泄が重要なこと，などを説明します．

麻酔承諾書

(病院控)

「麻酔方法について」
　　　　　科で　　　年　月　日（　　）に行われる
　　　　　　　　　　　　　　　　　　　の手術に対して
[全身麻酔・硬膜外麻酔・脊椎麻酔・伝達麻酔] を予定します.
麻酔科医は, 手術が安全に円滑に行えるよう麻酔を行い, 術中の全身状態を管理します.
「術前問題点について」（全身状態良好, 以下の問題点を認めます）

(1)
(2)
(3)
(4)
(5)

術前から術後数日までの間に, 以下のようなことが起きる場合があります.
(1)
(2)
(3)
(4)
(5)

一般的な麻酔の副作用として以下のようなものがあります.
☐ 悪心や嘔吐　☐ 声のかすれやのどの痛み　☐ 歯の損傷　☐ 尿閉
☐ 頭痛（脊椎麻酔）　☐ 背部痛（脊椎麻酔, 硬膜外麻酔）
☐ 既往症の悪化（　　　　　　　　　　　　　　　　　　　　　　　　）
きわめて稀ですが, 麻酔で以下のような合併症が起きることがあります.
☐ 肝腎機能障害　☐ アレルギー反応やいろいろなショック　☐ 悪性高熱症
☐ 硬膜外血腫や腫瘍, 髄膜炎（脊椎麻酔, 硬膜外麻酔）
☐ 肺炎, 無気肺, 気胸, 肺水腫, 肺血栓や肺梗塞などの肺機能障害
☐ 不整脈, 狭心症, 心筋梗塞や心不全, 心停止
☐ 脳梗塞や脳出血

以上, 麻酔方法と麻酔によって起こる合併症の説明をしました. 麻酔担当医は以下の者の予定です.
　　年　月　日

　　　　　　　　　　　　　　　　　　　　医師名

上記のことにつき説明を受け, 理解したので麻酔を受けることを承諾します.
　　年　月　日

　　　　　　　　　　　　　　　　　　　　患者名
　　　　　　　　　　　　　　　　　　　　代理人名
　　　　　　　　　　　　　　　　　　　　（続柄　　　　）代理人の場合

図 2-4-1　麻酔承諾書の例

②硬膜外麻酔

手術後の疼痛対策のために,入眠前に背中から細い管を入れることや管はいつまで入れているかなどを説明します.

③脊髄くも膜下麻酔

体位や薬液の注入後に起こること,意識は残ること,触る感じは残ること,(鎮静できる場合は)鎮静も可能なことなどを説明します.

④伝達麻酔

部分的な知覚消失,運動麻痺やシビレ感が出ることなどを説明します.

3) 麻酔合併症の説明

①全身麻酔

咽喉頭痛,嗄声,シバリング,悪心・嘔吐 (PONV),無気肺などの肺合併症,歯牙損傷,肺塞栓症,悪性高熱症について説明します.

②硬膜外麻酔

硬膜外血腫や膿瘍,神経根損傷,脊麻後頭痛 (PDPH) について説明します.

③脊髄くも膜下麻酔

血圧低下などによる気分不良,脊麻後頭痛,馬尾症候群などについて説明します.

④伝達麻酔

局所麻酔の副作用による気分不良やしびれ感などについて説明します.

4) インフォームドコンセントの注意点

説明のときには,稀な合併症を強調しすぎないことが大切です.また,適切に対応するので予測できること(説明できること)に対しては,あまり不安にならないように説明することが必要です.指導医のインフォームドコンセントをよく観察しましょう.

手術前の患者は,目が覚めるか? 元通りの生活ができるか? 手術の後は痛いか? など多くの不安をもっています.これらの不安をとり除くことが大切です.

第2章 術前管理

5. 術前麻酔科指示（輸液・前投薬）

> **Point**
> 主治医，病棟への連絡事項をチェックして，絶飲食，内服薬，輸液，前投薬，入室時刻を確実に伝達するようにしましょう

1 主治医への連絡事項（図2-5-1）

追加検査，他科紹介，手術室への持参薬などがあります．

2 病棟への連絡事項（図2-5-1）

1）絶飲食時間

①成人

午前0時よりNPO（nothing per os：絶飲食）
（服薬を除く）
1. 固形物：術前8時間前
2. 透明水：2時間前（便宜上，8時間前とする場合もある）

施設により絶飲食時間のとり決めがあるので，指導医に確認すること．

②小児の絶飲食時間（筆者の場合）

	固形物，ミルク，離乳食	透明水（水，茶，経口補水液など）
6カ月未満	4時間	2時間
6〜36カ月	6時間	2時間
36カ月以上	6〜8時間	2時間

麻酔前評価報告（兼病棟指示）

_____科 _____様 ID__-__-__ ____歳（M/F）
主治医_____先生 _____病棟_____号室

ASA（PS）class ☐
Problems
#1_____
#2_____
#3_____
#4_____
#5_____
#6_____

> class1：手術を要する疾患はあるが，患者の一般状態に影響はなく，正常人と変わりないと考えられるもの
> class2：中等度の系統的疾患のあるもの
> class3：重症な系統的疾患のあるもの
> class4：生命に危険を及ぼす恐れのある系統的疾患のあるもの
> class5：瀕死の患者で，手術を受けても生存の可能性が少ない（麻酔より蘇生を要する）
> class6：脳死患者
> E：緊急手術を受ける患者の状態は class1～5の後につける（手術侵襲に関する評価は含まない）

Anesthesia _____ を予定します．

【麻酔前指示】

___月___日（ ）
（手術日）

絶　食 ___:___ より
絶　飲 ___:___ より
術前輸液 ___:___ より_____（　　mL/hr）でdiv
前投薬 ___:___ （　　　　　　） PO, SP, im, iv
☐ ___:___ ヘルツァーテープ　　1枚貼付
☐ 就寝前　ペンレス　　1枚貼付
☐ 手術室入室前の点滴確保不要

手術室入室時間 ___:___ 厳守　入室方法　ストレッチャー・車イス・独歩
レミフェンタニル___A, フェンタニル___A, 塩酸モルヒネ___A 持参
備考：経口の前投薬はコップ1/2（100 cc）以下の水で服用して下さい．

麻酔科医師_____

【伝達事項】

○○病院麻酔科

図 2-5-1　麻酔科術前指示表

■ 絶飲食時間のめやす [46〜48]

術前絶飲時間

摂取物	絶飲絶食時間（時間）
清澄水	2
母乳	4
人工乳・牛乳	6
固形物（軽食）	6
固形物（脂質や肉類）	8

軽食とは「トーストを食べ清澄水を飲む程度の食事」．
揚げ物，脂質を多く含む食物，肉の場合は8時間以上

8時間を経過してもフルストマックと考えて対処すべき患者として以下のものがある．

- 緊急患者（特に外傷患者）
- 意識障害があり病歴，食事などの状況がわからない場合
- 腸閉塞，胃切除後，食道裂孔ヘルニアなど，消化管に異常がある患者
- 腹腔内巨大腫瘍（卵巣腫瘍など）
- 大量の腹水
- 妊婦
- 重症糖尿病
- 透析患者

2）術前内服薬の指示

「チェックシート：中止薬と継続薬」（p.64参照）によります．

3）術前輸液の指示

午前中の手術では基本的に必要ありませんが，午後からの手術では術前輸液をしておいた方がよいでしょう．手術科側で指示が出ている場合もあり，確認が必要です．

成人では，多くの場合，午後からの手術では500〜1,000 mLの輸液を行います．

4）前投薬の指示

最近では前投薬を行わない場合がほとんどです．

> 入室90分前（具体的に時刻を明記）
> 1. 鎮静薬：リスミー 2 mg 内服など
>   （手術術式，年齢，体重，全身状態により調整）
> 2. H_2 ブロッカー：ガスター 20 mg 内服

アトロピンの投与を行わない場合が増えています
（入室後必要時に静注投与）．

・原則として前投薬を行わない患者

意識レベル低下，帝王切開術などの妊娠患者，緊急手術患者．

・前投薬量を減らす患者

65歳以上の高齢者，気道に問題のある患者，心不全患者．

5）手術室入室時間の指示

・執刀時刻と手術室入室時刻

手術執刀時刻と手術室入室時刻をとり違えると大変なことになります．一般的に，麻酔申し込み，手術申し込みに書かれている時刻は手術執刀時刻であり，手術室入室時刻ではありません．手術室入室時刻は，通常，執刀時刻の15分〜60分前ですが，施設や症例により異なりますので，麻酔科指導医に確認するようにします．

6）入室方法の指示

麻酔科診察の結果，全身状態，精神状態，手術の種類，前投薬などを総合的に判断して歩行，車いす，ストレッチャーなどの入室方法を指示することがあります．

> **✓ チェックシート**

中止薬と継続薬

手術前に中止する薬剤と手術当日まで継続する薬があります．中止や継続理由と薬剤名を覚えておきましょう．専門医とも十分に中止や継続について相談する必要があります．

I 中止薬

A）抗血栓薬（p.422：表7-1参照）

抗血栓薬の中止が難しい場合は，半減期の短いヘパリンに変更し継続する． ヘパリン療法は手術4～6時間前に中止し，ACT測定を行いながら手術に臨む．

1）抗血小板薬

- ☐ プラビックス（クロピドグレル），エフィエント（プラスグレル），コンプラビン（クロピドグレル・アスピリン）
    抗血小板作用（不可逆的）．手術14日前に中止．
- ☐ パナルジン
    抗血小板作用（不可逆的）．手術7～10日前に中止．
- ☐ バファリン81 mg，バイアスピリン，タケルダ
    抗血小板作用（不可逆的）．手術7～10日前に中止．
- ☐ エパデール
    抗血小板作用．手術7日前に中止．
- ☐ プレタール
    抗血小板作用（可逆的）．手術2日前に中止．
- ☐ ペルサンチン
    抗血小板作用（可逆的）．手術前日に中止（24時間前）．
- ☐ プロサイリン，ドルナー，オパルモン，プロレナール，カタクロット，キサンボン，アンプラーグ，コメリアン，ロコルナール
    手術前日に中止（24時間前）．

2）抗凝固薬

- ☐ ワーファリン
    抗凝固作用．手術4日前に中止．

- [ ] NOAC/DOAC[※1]

    イグザレルト，エリキュース，リクシアナ，アリクストラ，プラザキサ，手術1〜2日前に中止．

    ※1) NOAC：new/novel oral anticoagulants.
    DOAC：direct oral anticoagulant.

B) 経口避妊薬（ピル）（エストロゲン，エストラジオール）
DVTリスクを高める（大手術で長期臥床は特に注意）．

- [ ] ヤーズ，プラノバール，オーソ，シンフェーズ，アンジュ，トリキュラー，ラベルフィーユ，ファボワール，マーベロン
    <u>手術28日前に中止，術後14日間，産後28日間は中止．</u>

C) 経口糖尿病薬
- [ ] 手術当日は中止

    食事をしない場合には必要ない．投与すれば低血糖になる．

- [ ] SGLT2阻害薬は手術3日前，ビグアナイド系薬剤は2日前（前々日）から中止．

D) 向精神薬
- [ ] 三環系抗うつ薬

    麻酔薬の作用増強．可能ならば2週間前に中止（アミトリプチリン，イミプラミンなど）．

- [ ] MAO阻害薬（セレギリン）

    交感神経刺激薬投与で高血圧，高体温，痙攣の可能性．2週間前に中止．

- [ ] 炭酸リチウム（リーマス）

    心筋抑制作用，筋弛緩増強．2週間前に中止．

- [ ] フェノチアジン誘導体（クロルプロマジン，ヒベルナ）

    突然死の報告がある．QT延長（心電図異常），電解質異常，肝機能障害に注意．

E) ジギタリス製剤
- [ ] 心臓手術

    48時間前に中止，必要なら他の薬剤に変更．

- [ ] 非心臓手術

    できれば24時間前に中止，上室性頻拍の抑制に用いられている場合には手術当日まで継続．

F) サプリメント[※2]

- [ ] 麻酔作用を増強するものがある
    種類によっては2週間前に中止(セント・ジョーンズワート, 甘草, 麻黄, イチョウ葉エキス, 朝鮮人参など).

※2) サプリメントについては巻末の文献6を参照.

II 継続薬

A) 降圧薬

- [ ] β遮断薬
    急に中止するとリバウンドを起こすため継続(逆に麻酔時の低血圧, 徐脈に注意).
- [ ] 利尿薬
    低カリウム血症に注意.
- [ ] ACE阻害薬, ARB(アンジオテンシンII受容体拮抗薬)
    手術前日まで, 当日は中止(麻酔導入時の低血圧に注意).

B) 抗コレステロール薬

C) 抗不整脈薬

- [ ] 基本的には継続
    ジギタリス製剤は, 不整脈抑制に用いられている場合には継続だが, ジギタリス血中濃度の測定を行っておく.

D) 冠血管拡張薬

- [ ] 経口薬を貼付剤に変更することもある

E) 気管支拡張薬

- [ ] 状況によりテオフィリン濃度を測定しつつ継続, 経口薬をホクナリンテープに変更することもあり

F) 抗てんかん薬

- [ ] 必要なら薬剤血中濃度の測定, 非脱分極性筋弛緩薬の作用時間短縮

G) 抗パーキンソン薬

- [ ] 中止によりパーキンソン症状, 嚥下障害, 唾液分泌亢進のため, 術後も早期に再開する必要がある

H) 抗甲状腺薬

- [ ] 術前の甲状腺機能をチェック

I) 補充療法

- [ ] インスリン
  周術期は扱いやすい短時間作用性のインスリンに変更.
- [ ] チラーヂン
  継続（術前の甲状腺機能をチェック）.
- [ ] ステロイド（「Memo：ステロイドカバー」，次ページ参照）
  手術当日まで継続，術中，術後は**ステロイドカバー**と言い，静注ステロイドを増量.

memo アスピリンと薬剤溶出性ステント

アスピリンは心筋虚血や脳虚血をもつ患者には予防的投与として用いられる．最近，よく使用されるようになった薬剤溶出性ステントを留置されている冠動脈疾患患者ではアスピリンを中止すると血栓を形成して突然死することが知られている．最近は，手術前でもアスピリンを継続したまま手術に臨む症例がある．クロピドグレルやチクロピジンは中止にするがアスピリンは中止にしないことが多い．抗血小板作用が不可逆性であるため術中に万が一止血困難になれば，血小板輸血を考慮する必要もある（正常な血小板ができるには7日以上かかるとされている）．アスピリンを中止する場合はヘパリンの持続静注に変更するが，ヘパリンは抗血小板作用ではなく抗凝固作用なので，同じ効果を果たすとは限らない（苦渋の選択であるが，しかたない）．

memo ステロイドカバー

ステロイド薬内服中の患者は手術ストレスが加わっても自前の副腎皮質ホルモンを放出することができない（外因性ステロイド投与で脳下垂体と副腎皮質系の反応が抑制される）ために，周術期にステロイドを補充する必要がある．最近6カ月以内に1カ月以上ステロイド薬を投与していた場合や最近1週間以上投与している場合にはステロイドカバーを考慮する．

- **大侵襲手術**
  手術当日：300 mgを術前，術中，術後に分けて静注．
  術後4〜5日で漸減して元の量に戻す．
- **小手術**は適宜減量（上記より少なくてもよい）．

memo ジェネリック（通称ゾロ品）

新薬の特許出願日から25年が経過すると，別の会社が同仕様の製品を発売できる．その際に発売される後発品はジェネリック（通称ゾロ品）と呼ばれる．薬価が先発品に比べて低く設定されるので，採用する病院が増えている．

6. 症例呈示（術前カンファレンス）

Point
❶ 現病歴，既往歴に重きをおくのではなく，問題点に対する対策と麻酔計画を簡潔に呈示しましょう
❷ 発表前には十分に練習を行っておきましょう

簡潔に要領よく1～2分程度で！

1. 患者名・性別・年齢・身長・体重
2. 診断名・術式
3. 麻酔管理上の問題点（高血圧，糖尿病，喘息，虚血性心疾患など）と対策
4. 麻酔方法
    - 硬膜外麻酔（穿刺部位，手術に必要な無痛域）
    - 導入薬・筋弛緩薬・挿管方法
    - 維持（GOS[※1]，Epidural-TIVA[※2]，Spinal[※3]など）
5. ライン類（動脈ライン，中心静脈ルート，末梢静脈ルートなど）
6. 術後鎮痛法

1日20例の手術があれば1例1～2分でも，20～40分もかかってしまいます．要領が悪くて内容を伝えられず，時間オーバーしてしまうと全体の業務にも差し支えることになるため，十分に内容を吟味して練習しておきましょう．**発表内容については，あらかじめ指導医に相談しておく必要があります．**

※1）**GOS**
   Gas（笑気），O₂（酸素），S（セボフルラン）で麻酔を行うこと．
   AODとはA（Air），O₂（酸素），D（デスフルラン）

※2）**TIVA**
   Total Intra Venous Anesthesia（全静脈麻酔）

※3）Spinal（脊髄くも膜下麻酔）
   Epidural（硬膜外麻酔）

■ プレゼンテーションで声が小さいのは

　症例プレゼンテーションを聞いていると，声が小さいと感じる人の共通点がある．必ず，うつむいて紙をみて（読んで）プレゼンをしている．これでは，発声がうまくできないのだ．麻酔科で気道確保を勉強したなら，気道を開く（確保する）ことができていないと言えばわかるであろう．つまり，気道が閉塞しているために発声がきちんとできていないのである．背筋を伸ばして前を見て（原稿を手に持って），気道を開けば発声ができるのである．このことをおろそかにしている．声楽家はうつむいて発声をすることはない．「気道を開く」がキーワードである．気道を開くとは前を向いてスニッフィングポジションになることである．

http://msanuki.com/archives/1681

■ 症例プレゼンテーションの心構えとコツ

　麻酔前の症例プレゼンテーションは，患者にどのような問題点があり，どのように対応する（麻酔計画）かを呈示するのが目的である．いわゆる内科系の入院時のプレゼンテーションや外科系の手術前のプレゼンテーションとは目的が異なる．最も大切なことは，問題点別（Problem oriented）に要約されていることで，現病歴や既往歴を述べることではない．

　呼吸，循環，体液，代謝管理などについて問題点を挙げ，それに対する管理法を要領よく述べることが大切である．2～3分で述べるためには発表内容を吟味し言葉を選ぶこと，発表用原稿を作成すること，声に出して5回以上練習することである．

　研修医が使いがちな言葉の中で，使ってはいけないつなぎ言葉として「にて」「として」「したところ」がある．例えば「以前より胃潰瘍を指摘されていましたが，黒色便が気になり，当院内科を受診したところ上部消化管内視鏡検査にて胃ガンとして診断されました」など，不思議な流儀のプレゼンテーションが横行している．「にて」は場所，手段原因，理由などを表す古語で，通常使用されない．「で」「により」などで置き換えることができる．「として」「したところ」も何でもつなぐことができる便利な言葉として使われているようだが，プレゼンテーションに使用するのは避けたほうが無難である．

第3章 術中管理

1. 麻酔前の準備

> **Point**
> 麻酔前の準備として，麻酔器，麻酔回路，麻酔器具，麻酔・緊急薬の準備，モニターの点検があり，術中管理に支障をきたさないよう入念な準備が必要です

麻酔前の準備では，麻酔器と麻酔回路，麻酔器具，麻酔・緊急薬の準備，モニターの点検を行います．入念な準備なくして，麻酔を研修することは許されません（図3-1-1）．

```
麻酔器の準備と点検
麻酔器具の準備
薬剤の準備
モニターの点検
```

図3-1-1 麻酔前の準備

1 麻酔器の準備と点検（図3-1-2）

全身麻酔でなくとも麻酔器と麻酔回路は蘇生器具として使用できるため準備と点検を必ず行います．常に使用できる状態にしておくことが大切です（**セルフチェック機能をもたないものは以下の手順で点検します．セルフチェック機能をもつものは，それにしたがいます**）．

① 補助ボンベ内容量および流量計
② 補助ボンベによる酸素供給圧低下時の亜酸化窒素遮断機構およびアラームの点検
③ 医療ガス配管設備（中央配管）によるガス供給
　中央配管のアウトレットに，酸素，笑気，空気の配管を接続する．ガスの種類により色が分けられ（酸素：緑，笑気：青，空

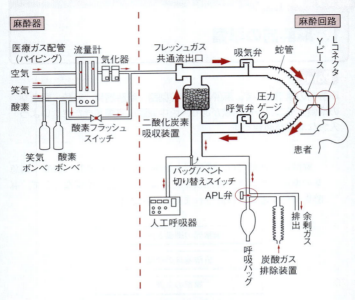

図3-1-2 全身麻酔器,麻酔回路の基本構造[7]

気:黄色),さらに同じ種類のもの同士しか合わないようにピンの位置が決められている(図3-1-3).

これらを接続した後,ガス圧をチェックする.

④気化器
⑤酸素濃度計
⑥二酸化炭素吸収装置
⑦患者呼吸回路の組立て
　正しく,しっかりと組立てられているかどうかを確認する
⑧患者呼吸回路,麻酔器内配管のリークテストおよび酸素フラッシュ機能
⑨患者呼吸回路の用手換気時の動作確認
⑩人工呼吸器とアラーム
⑪完了

以上の点検完了を確認します.

> **memo** ピンインデックスシステム
>
> 中央配管からのガスのパイプと麻酔器からのホースのアダプタは,ピンインデックスといって,同じ種類のガスでないと合わないようにできている.酸素,笑気,空気,吸引のホースで別々の位置に穴が開いている.ちなみにホースの色も酸素は緑,笑気は青,空気は黄色である.

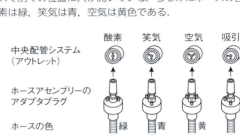

図3-1-3 ピンインデックスシステム

2 麻酔器具の準備

麻酔器と麻酔器具台(麻酔カート)(図3-1-4)を準備します.

1) 全身麻酔時の麻酔器具台 (図3-1-4, 図3-1-5)

①気管チューブ

挿入しようとするものを中心に前後のサイズ3本を準備する(目的とするもののみ開封).

成人女性:7.0〜7.5 mmID(内径),男性:8.0〜8.5 mmID(内径)が目安となる.

②バイトブロック

気管チューブより太いものを準備する.

③喉頭鏡(ビデオ喉頭鏡)

マッキントッシュ3号または4号(McGRATH MAC3または4).

④吸引器と吸引カテーテル

吸引器は適切な吸引圧が出るかを確認し,ホースが手元まで届くかをチェックする.

吸引カテーテルは気管内用と口腔内用の2本を準備する.

⑤ **カフ用注射器** 通常は10 mLのものを用いる.
⑥ **スタイレット**
  ホッケースティック状に曲げておく. McGRATH™ MACでは, **ブレードの湾曲にあわせて**曲げておく. 気管先端より1 cm手前（飛び出さない）になるようにストッパーの位置を合わせる.
⑦ **聴診器**
⑧ **胃管** 成人で12〜16 Frを準備する.
⑨ **絆創膏** 幅1.25 cmの布絆（気管チューブ固定用）を用いる.
⑩ **K-Yゼリー** 気管チューブや胃管挿入時に用いる.
⑪ **キシロカインスプレー**
  気管挿管時に舌根部に散布する.
  気管内散布は, 4％のものを用いる.
  （8％のものは気管内に散布してはいけない）
⑫ **アルコール綿**
⑬ **ガーゼ**
⑭ **マスク** 各種サイズを用意する.
⑮ **枕**
⑯ **蛇管立て**

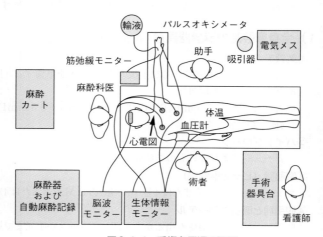

図3-1-4 手術台周辺の配置
巻末の文献8より作成.

⑰ L ジョイント（コネクタ）
⑱ 蛇管とバッグ（すでに麻酔器につけているはず）
⑲ 呼吸回路フィルタ
⑳ 口腔内エアウェイ

マスク換気で気道が通らない（肥満や睡眠時無呼吸など）とき．

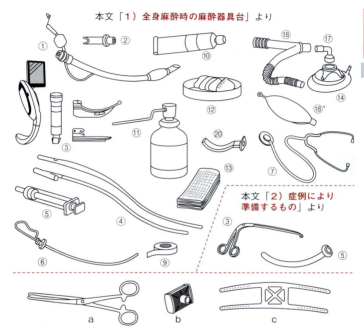

図 3-1-5　麻酔器具（図中の番号は本文に対応している：p.73～p.76参照）
　1）-①気管チューブ，②バイトブロック，③喉頭鏡（ハンドルおよびブレード），④吸引カテーテル（気道内1本，口腔・食道内1本），⑤10 mL注射器，⑥スタイレット，⑦聴診器，⑨絆創膏，⑩K-Yゼリー，⑪キシロカインスプレー，⑫アルコール綿，⑬ガーゼ（歯の欠損部分の充填あるいは歯列の保護に），⑭マスク，⑰Lジョイント，⑱蛇管，⑱'バッグ，⑳口腔内エアウェイ．
　2）-③マギール鉗子，⑤経鼻エアウェイ．
　a：チューブ鉗子，b：人工鼻，c：ヘッドバンド．
　巻末の文献9より作成．

2）症例により準備するもの

①観血的動脈圧測定用キット一式
ディスポーザブルトランスデューサーキット，
生理食塩水500 mL，加圧バッグ，ヘパリン2〜2.5 mL．

②中心静脈穿刺用カテーテル

③マギール鉗子
経鼻挿管のとき，胃管挿入の補助に用いる．

④シリンジポンプ
静脈麻酔薬，カテコラミンや降圧薬などの持続注入時に用いる．

⑤経鼻エアウェイ

⑥食道聴診器
胸部手術，腹臥位手術，坐位手術に用いる．

⑦輸血セット
輸血フィルター，加温コイル，加温器．

3 薬剤の準備

麻酔導入や維持に必要な薬物を準備します．

アトロピン（原液），エフェドリン（40 mgを10 mLに希釈）は常に準備します．

1）麻酔導入薬（必要なもののみ開封する）

[鎮静薬]
①プロポフォール（ディプリバン）
②レミマゾラム（アネレム）
③チオペンタール（ラボナール）かチアミラール（イソゾール）
④ミダゾラム（ドルミカム）
鎮静薬として①〜④のいずれかを用意する．

[鎮痛薬]
⑤レミフェンタニル（アルチバ）
⑥フェンタニル（フェンタニル）
鎮痛薬として⑤〜⑥のいずれかもしくは両方を用意する．
（これらは維持にも使用）

[筋弛緩薬]
⑦ロクロニウム（エスラックス）
⑧ベクロニウム
　筋弛緩薬として⑦〜⑧のいずれかを用意する．
　（これらは維持にも使用）

[昇圧薬]
⑨エフェドリン
⑩フェニレフリン（ネオシネジン）
　必要ならいずれも計10 mLに希釈して用意する．

2）麻酔維持薬

①揮発性吸入麻酔薬（セボフレン，スープレン）
②プロポフォール（ディプリバン）
③レミマゾラム（アネレム）
　別のものの封を開けないで手元に置いておく．

> **Column　キーインデックスシステム**
>
> 　揮発性吸入麻酔薬の気化器の注入口とリフィルアダプタ（麻酔薬の瓶にとり付けるアダプタ）の形がキーのように同じ形でないと合わないようになっている．異なる揮発性吸入麻酔薬では形が違い絶対に合わないような構造になっている．

4 モニターの点検

①**心電図**
ケーブル断線,電極の接点.

②**パルスオキシメータ**
プローブを自分に装着してみて確認する.

③**血圧計のマンシェット**(表3-1-1)
腕が太い場合に細いものを使用すると血圧は高く,逆では低く出る.**上腕の直径の1.2〜1.5倍**のものを用いる.

表3-1-1 血圧計のマンシェットの直径

成人	
	13 cm幅が普通

小児	
0〜3カ月	3 cm
3カ月〜3歳	5 cm
3〜6歳	7 cm
6〜9歳	9 cm
12歳以上	12 cm

※マンシェットの幅が腕の直径に対して細すぎると血圧は高く表示される(p.121も参照)

④**呼気終末炭酸ガスモニター(カプノメータ)**
口でふいてCO_2が検知できるかを確認.

⑤**(必要なら)観血的動脈圧モニター**
接続とゼロ点補正を行う.
(自動記録装置の場合は,これを行うと記録されるので注意)

⑥**筋弛緩モニター**(ケーブル断線)

⑦**脳波モニター**(センサーがあるか)

5 シリンジポンプの準備

memo シリンジポンプのセットの注意点

シリンジポンプには，必ず空気を完全に抜いた状態で薬剤をセットする．セットした後は，患者に接続しない状態で「早送り」ボタンで（延長チューブ）先端まで薬液が出るのを確認する．これを怠ると図3-1-6のような状態でセットされているのに気づかず，患者が重篤な状態に陥ることがある（医原性に危機的状態をつくってしまう）．また，シリンジの押し子をポンプの後ろクランプがつかんでいない状態で，患者にチューブを接続するとポンプと患者位置の高低差が大きい場合にはサイフォニング現象を引き起こし，薬液が高速注入される．これらを防止するためにも，必ず完全にセットして早送りボタンを押して延長チューブの先まで薬液が出てくるのを確認する．その後に，延長チューブを輸液ルートに接続するクセをつけることが大切である．

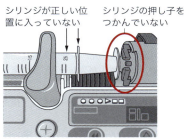

図3-1-6 シリンジの誤セット
シリンジがきちんとセットされていないが，この状態でも作動する機種がある．図のような状態だとポンプがピストンを押すとシリンジごと移動して，はじめのうちは薬液が注入されない．

memo サイフォニング現象

シリンジポンプが患者より高い位置にあり，シリンジの押し子が固定されていない場合に，落差で薬液が大量注入される現象．また，流量の多い輸液ルートの側管に接続されていると発生しやすい．

✅ チェックシート

準備物品や麻酔器・麻酔器具点検

I 麻酔器点検

- [ ] 麻酔回路の組立て（蛇管，バッグ，Lジョイント，マスク）
- [ ] 補助用ボンベの点検（酸素，笑気）
- [ ] 流量計のノブ，浮き子の動きがスムーズか
- [ ] 酸素流量 5 L/分以上
- [ ] 酸素OFFとしたとき，笑気も自動でOFFになるか
- [ ] 補助用ボンベOFFとする
- [ ] パイピング（酸素，笑気，空気）を行う → パイプ接続漏れとパイピング圧[※1]

   ※1）パイピング圧：酸素＞空気＞笑気の順になっている．安全のために酸素が最も高く，笑気が最も低い．

- [ ] 流量計のノブ，浮き子の動きがスムーズか
- [ ] 流量計酸素ノブをOFFにしたとき，笑気が自動でOFFになるか
- [ ] 酸素パイピングをはずしたとき，笑気が自動でOFFになるか
- [ ] 気化器（麻酔薬の補充，薬液注入栓を閉める，OFF状態で臭いが出ない，ダイヤルがスムーズ，別の気化器と同時にダイヤルは回らない）
- [ ] 酸素濃度計（電池，センサーの較正，酸素フラッシュで酸素濃度が上昇）
- [ ] キャニスター（ソーダライムの色，量，一様に詰まっているか，水抜き）
- [ ] 呼吸回路の接続チェック（蛇管，バッグ，Lジョイント，マスク）
- [ ] リークテスト（酸素ノブを最低に → APL弁を閉めてYピースを閉塞 → 酸素5〜10 L/分 → 回路内圧30 cmH$_2$O → 酸素1 L/分以下 → 10秒以上30 cmH$_2$O以上 → APL弁解放）[※2, 3]

   ※2）**酸素1 L/分以下でリークテスト**：低流量にする場合，酸素1 L/分以下とする．これでだめなら，何L/分で30 cmH$_2$Oが10秒以上保てるかを調べる．5 Lでも保てなければ，リークは大きく，総点検が必要（指導医に報告）．

   ※3）**APL弁**：半閉鎖弁．ポップオフバルブとも呼ばれる．

- [ ] Yアダプタにテスト肺をつけてバッグを押す（呼気弁と吸気弁の動き，テスト肺の動き，APL弁を回して機能を確認）

- ☐ 人工呼吸器とアラーム（人工呼吸器の操作確認，アラーム作動確認，テスト肺の動き確認）
- ☐ 麻酔ガス排除装置（接続，吸引量，呼吸回路から異常にガスが吸引されないことを確認）

Ⅱ 麻酔器具点検

（A：aspiration， B：bronchoscopy， C：cuff）

A ☐ 吸引装置（接続，吸引圧，延長チューブは十分手元に届くか，口腔内吸引）

B ☐ 喉頭鏡（ON-OFFくり返しても明かりはつくか，明るいか）
　　☐ ビデオ喉頭鏡（ONにして画面がつくか，明かりがつくか）

C ☐ 気管チューブ（カフ漏れの確認，確認後カフ内空気を抜く，<u>スタイレットの曲げ方</u>，<u>ゼリー塗布</u>）※4
　　☐ 声門上器具（カフ漏れの確認※5，ゼリー塗布，確認後カフ内空気を抜く）※5
　　☐ マスク（十分に空気が入っているか）※6
　　☐ エアウェイ（<u>口腔内エアウェイ</u>）
　　☐ カフ注射器
　　☐ バイトブロック
　　☐ 聴診器

※4）気管挿管する場合（サイズを前後3本，1本のみ開ける）．
※5）ラリンジアルマスクの場合（i-gelではカフ確認不要）．
※6）空気が抜けている場合は補充するか交換する．

- ☐ 吸引カテーテル（<u>口腔内吸引用を接続</u>，気管内吸引用は開けない）
- ☐ キシロカインスプレー

Ⅲ 薬品点検（<u>必要なもの</u>を注射器に吸ってラベルがついているか．代表的なもの）

- ☐ 静脈麻酔薬（鎮静薬）：いずれか必須
  プロポフォール（ディプリバン）（<u>シリンジポンプにセット</u>）
  レミマゾラム（アネレム）（<u>シリンジポンプにセット</u>）
  チアミラール（イソゾール），チオペンタール（ラボナール）
  ミダゾラム（ドルミカム）

- [ ] 鎮痛薬：いずれか必須
   レミフェンタニル（アルチバ）(シリンジポンプに正しくセット)
   フェンタニル
- [ ] 筋弛緩薬
   ロクロニウム（エスラックス）
- [ ] 昇圧薬：いずれか必須
   エフェドリン
   フェニレフリン（ネオシネジン）
- [ ] アトロピン：必要時
- [ ] リドカイン（2％キシロカイン）：必要時
- [ ] その他，救急薬品は手元にあるか

Ⅳ モニター点検

- [ ] 血圧計（適正なカフ幅のもの）
- [ ] 心電図（リード，断線，電極接点の汚れ）
- [ ] パルスオキシメータ（プローブを自分に装着して動作確認）
- [ ] 圧モジュールの準備（観血的動脈圧，中心静脈圧，スワンガンツカテーテル測定用）[※7]

   ※7）ヘパリンは入れたか，圧ラインの接続部はきちんと閉まっているか（増し閉め），空気は完全に除去できたか，ゼロ点補正．

- [ ] 呼吸モニター（カプノメータ，スパイロメーター）を自分で吹いて動作確認
- [ ] 脳波モニター（ケーブル断線）
- [ ] 筋弛緩モニター（リード，断線）

第 3 章　術中管理

2. 全身麻酔の基本的知識

Point
❶全身麻酔の4条件を理解しましょう
❷麻酔導入・維持・覚醒時の薬剤投与の考え方を理解しましょう

　全身麻酔とは何かを考えてみましょう．何かというのは，どんな状況であれば全身麻酔状態と言えるかということです．これを考えるには，全身麻酔が成立するための条件を考えればよいのです．

全身麻酔の4条件と言われるものがあります．

1. 意識がないこと（amnesia）
2. 痛みがないこと（analgesia）
3. 十分な筋弛緩（muscle relaxation）
4. 有害反射の抑制（prevention of reflex）

　これらが，全身麻酔と呼ぶために必要な条件というわけです．では，全身麻酔を行うためには，どんな薬剤が必要でしょうか？ 1剤だけで可能でしょうか？ 答えはNOです．全身麻酔を成立させるためには，現在では通常，鎮静薬（全身麻酔薬と呼ばれるものを含む），鎮痛薬，筋弛緩薬といった，麻酔の4条件に当てはまるそれぞれの役目をする薬剤を組合わせて行います．これを，**バランス麻酔**と呼びます．「あれ，最後の有害反射の抑制は？」と思われた方．そうです，それに相当する薬剤は存在しません．有害反射が起こらないように手術侵襲に対して3種類の薬＋αを使って麻酔の強さを調節するのです．**4番目の有害反射の抑制というのは薬があるのではなく，技術なのです．**有害反射とは，異常な高血圧，頻脈などといった，いったん起これば生体にとって非常に都合の悪い事象のことです．

　では，全身麻酔をしていれば，手術侵襲が加わっても有害反射が起きないかといえば，そうではありません．**強い手術侵襲が加わっていれば，深い麻酔が必要**です．何も手術操作をしていないのに，深い麻酔を続けていれば，異常な低血圧や徐脈が起こるか

もしれません．麻酔によって有害反射を起こしてしまうこともあるのです．手術中に手術侵襲はダイナミックに変化します．それに合わせて麻酔も変化させる必要があるのです．

ここまでは，全身麻酔の条件について考えましたが，全身麻酔を行うこと自体が正常な状態から異常な状態への変化と捉えましょう．

全身麻酔中は呼吸，循環，代謝，体温，意識，筋弛緩などの恒常性は失われ，放置すれば死にいたるため，恒常性を人為的に維持すべき必要性が生じます．そのために**気管挿管，人工呼吸，循環管理，輸液管理，体温管理をはじめとした技術や患者の状態をモニターする技術**が必要となります．それらの技術を駆使して，きちんとした管理を行うことにより安全な麻酔が可能になります．また，**全身麻酔中は，患者は苦痛や異常を訴えられないため麻酔担当医が患者の命を守り，安全を確保しています**．

全身麻酔を理解するために必要なものとして，麻酔関連薬剤，緊急薬剤の知識，モニターの知識，呼吸・循環・代謝の管理方法と手技，手術侵襲に対する理解などがあります（以後，全身麻酔関連知識）．実際の麻酔管理においては，常に状況に応じた判断を迫られます．全身麻酔関連知識を総動員して，対応することになります．**麻酔中に問題が生じたり，対応できないことを放置すれば大事にいたることになり，指導医にすぐ報告して判断を仰ぐ必要があります．**

1　麻酔導入・維持・覚醒時の薬剤投与の考え方

麻酔導入，維持，覚醒は飛行機のフライトによく例えられます．離陸，着陸時に最も事故が多く，気を抜けば維持で安定しているときにもいろいろなイベントが起こります．飛行機で言えば乱気流や悪天候でしょうか．それらに対応できる能力がなければ，麻酔を一人で組立てて実施することはできません．臨床研修では麻酔をかけることが目的ではありませんが，麻酔にどのような危険があるのか，どのように対処すれば回避できるのかを学ぶことの中には，他の臨床場面での危機管理のヒントが隠れています．きちんとした対処方法を見たり，実習したりすることは臨床適応能力を大きく飛躍させることでしょう．

1) 麻酔導入

麻酔導入には以下の方法があります．

1. 急速導入（rapid）
2. 緩徐導入（slow）
3. 迅速導入（RSI：rapid sequence induction，
   通称：クラッシュインダクション）

[急速導入：rapid induction]
成人の通常の麻酔導入方法．静脈麻酔薬で入眠させた後，非脱分極性筋弛緩薬を使って筋弛緩を得てから，気管挿管する．気管挿管までの間は，マスク換気で人工呼吸を行う．

[緩徐導入：slow induction]
乳幼児などの輸液ルートがない場合や自発呼吸を残して維持したい場合などに，吸入麻酔薬を使用して導入する．

[迅速導入：rapid sequence induction]
フルストマックや緊急手術で行う導入法．静脈麻酔薬で入眠後，直ちにスキサメトニウムや0.9mg/kgのロクロニウムを使用して筋弛緩薬が効くまでマスクで人工呼吸を行わずに，気管挿管を行う方法．筋弛緩薬を入れた瞬間から気管挿管の完了まで，3kgの力でクリコイドプレッシャー（輪状軟骨の圧迫）を行う．BURP法とは異なる（p.289：コラム「BURP法」参照）．

[意識下挿管：awake intubation]
迅速導入でも，危険なフルストマックや意識や呼吸が停止してからでは気管挿管できないと判断される症例の導入および挿管方法．McGRATH™などのビデオ喉頭鏡やファイバー挿管が必要になる．気管挿管直後にタイミングよく静脈麻酔薬で麻酔を導入する．

「1．急速導入」と「2．緩徐導入」は以下のような手順で行います．

| 急速導入 | 緩徐導入 |

❶ ベッドの高さと枕の位置の調整

❷ マスクの大きさの調整とフィット

❸ 酸素吸入（3分以上）

❹ SpO₂で酸素濃度が適正値に上昇することを確認

❺ オピオイド鎮痛薬の投与　　　　　吸入麻酔薬吸入開始
　（静脈麻酔薬の投与後もある）

❻ 静脈麻酔薬の投与
　（睫毛反射，呼名反応消失後）
　　　　　　　　　　　　　　　　（十分な深度にあれば）
❼ マスク換気で気道が　　　　　　❼ 静脈路の確保
　通ることを確認

❽ 筋弛緩薬投与（必要なら）

❾ 気管挿管，声門上器具挿入

注意：麻酔深度の調節，バイタルサインの監視を行いながら進めることが重要．

「3. 迅速導入（RSI）」は以下のような手順で行います．

❶ ベッドの高さと枕の位置の調整

❷ マスクの大きさの調整とフィット

❸ 酸素吸入（5分以上），深呼吸（3回以上）
　（HFNCシステムの使用がよい．図3-2-1）

❹ （必要なら）麻薬の投与

❺ 静脈麻酔薬の投与
　（タイミングを見てすぐに）

❻ クリコイドプレッシャー
　（輪状軟骨圧迫：p.234の図3-15-4参照）

❼ 筋弛緩薬投与

❽ 喉頭展開・気管挿管

注意：意識がある間は呼吸を促す．

> **Column** 前酸素化と無呼吸酸素化

〔前酸素化〕

全身麻酔の導入で，気道は閉塞し低酸素に陥ることが問題となる．そこで，<u>麻酔薬や筋弛緩薬を投与する前に，必ず，前酸素化</u>を行い機能的残気量にある窒素を酸素に置き換え（<u>脱窒素</u>），体内の酸素貯蔵量を増加させる必要がある．空気呼吸では1分の無換気で70%の低酸素状態となるが，前酸素化により，低酸素状態になるのを5分以上（肥満患者や小児では，低酸素になるまでの時間は半分ぐらい）延長できる．

〔前酸素化の方法〕[70]

① 患者にマスクを密着させる．
② 100%の高濃度酸素5L/分で，3分以上普通に呼吸させる．または，10L/分の酸素流量で8回深呼吸させる．
③ その後，麻酔薬の投与を開始する．

〔無呼吸酸素化〕[71]

経鼻加湿急速送気換気交換（transnasal humidified rapid-insufflation ventilatory exchange：THRIVE）システム（図3-2-1）で，HFNCを用いて40〜50L/分の100%酸素を投与し3分間以上の十分な前酸素化を行い，麻酔薬投与後（患者無呼吸時）に70L/分の100%酸素を鼻腔から持続投与しつつ気道確保を行うと無呼吸時間の平均が約17分間となり，全症例で90%以上の酸素飽和度を維持できて，高二酸化炭素血症による不整脈その他の合併症を認めなかった．しかし，長時間の無呼吸酸素化には高二酸化炭素血症のリスクがあるため，頭蓋内圧上昇，代謝性アシドーシス，高カリウム血症，肺高血圧症などでは避ける．

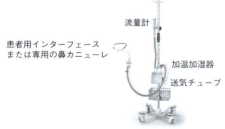

図3-2-1　HFNCシステム
画像提供：フィッシャー＆パイケルヘルスケア株式会社

2) 麻酔維持

全身麻酔の4条件，①意識がないこと（amnesia），②痛みがないこと（analgesia），③十分な筋弛緩（muscle relaxation），④有害反射の抑制（prevention of reflex）を十分に満足するように維持を行うことが大切です．すなわち，鎮痛薬，鎮静薬，筋弛緩薬をうまく組合わせて，現在，何が足りないのかをよく考えましょう．そのためには，どの薬がどの程度の持続時間をもっているか，どのくらいで効果があらわれるのか知ることが大切です．

全身麻酔＋硬膜外麻酔で維持を行っている場合で，鎮痛薬にレミフェンタニル，鎮静薬にプロポフォール，筋弛緩薬にロクロニウム，硬膜外麻酔に0.5％ロピバカインを使っているとしましょう．硬膜外麻酔に投与したロピバカインの役割として，手術範囲に十分効果が拡がったとすれば鎮痛作用と筋弛緩作用をもつことになります．その場合には，レミフェンタニルとロクロニウムの減量が可能ですが，硬膜外麻酔の効果発現までには15〜30分以上かかり，効果持続は60〜80分程度です．また，硬膜外麻酔の効果が手術範囲より狭ければ，全身麻酔を補助できるとは言えないわけです．効果が不十分な場合には，レミフェンタニルやロクロニウムは減量できないことになります．

ただ眠っているだけの人をつねれば，痛みのために目が覚めますね．手術もそれと同じです．手術刺激が強ければ強い鎮痛が必要です．鎮静薬を一定にしている場合，手術侵襲に対して鎮痛が弱ければ目が覚めたり，有害反射を引き起こしたりする可能性があります．ですから，強い手術刺激のときには強い鎮痛が必要になります．このときに，動くからといって筋弛緩薬のみを投与すれば，目が覚めているのに金縛りの状態を作ることになります．基本的には脳波モニター（BIS，SEDLINEなど）による，脳波活動のモニタリングが必要です．

3) 覚醒（抜管）

麻酔から覚醒させるには，麻酔薬の効果が消失するように，麻酔薬の投与を中止すればよいのですが，効果を消失させる順番をよく知っておかなければいけません．

一番はじめに，筋弛緩薬の効果を消失させます．筋弛緩薬（ロクロニウムなど非脱分極性筋弛緩薬）はスガマデクスを使用して，

効果を打ち消すことができます（これを筋弛緩のリバースと言います）．

次に，鎮静薬です．プロポフォールや吸入麻酔薬はリバースができませんので，安定した人工呼吸を行いながら投与を中止して時間が経つのを待ちます．

フェンタニルなどの鎮痛薬は，リバース可能ですが，リバースするのは過量投与で呼吸が出ないときのみです．

この順番を逆にするとどうなるでしょうか．一番先に，鎮痛薬をリバースしたとすれば，痛みが出ますので，鎮静薬の濃度が高くても覚醒しやすくなります．しかし，筋弛緩が残っていれば，目は覚めても動けない状態なのです（p.101：「チェックシート 抜管時」参照）．

第3章　術中管理

3. 麻酔導入・維持・覚醒

> **Point**
> ❶実際の麻酔導入・維持・覚醒のチェックポイントを整理します
> ❷「患者の安全が最優先される」ことを忘れないことが最大のポイントです

　麻酔の導入，維持，覚醒は飛行機の離着陸に例えられます．麻酔自体は導入，覚醒時のトラブルが問題ですが，麻酔以外の要素が加わりますので維持も大変です．手術刺激（侵襲），出血，異常な反射，体動などは手術の妨げになるだけでなく最終的には患者さんにとってもデメリットになります．**臨床研修で全身麻酔を研修するというのは，患者の命を預かる現場での研修ということになります．気持ちを引き締めて，とり組みましょう．**

> **memo** WHO手術安全チェックリスト
> ［表紙裏（後面⑥）参照］
> 　麻酔や手術を行うにあたって，患者や手術部位を取り違えないことは当たり前であるが，きちんと確認を行わないと医療以外の部分で過ちを犯してしまう．それだけではなく，ガーゼ遺残，摘出標本紛失などにより患者さんがきちんとした治療を受けられないことになる．有害事象の発生につながる間違いが，単純な手続き上のミスから起こっている．現在では，手術安全チェックリストを使用し「麻酔導入前」「皮膚切開前」「手術室退出前」に（患者），術者，麻酔科医，手術室担当看護師が確認しそれぞれ自筆でサインを残すシステムの導入が求められている．
>
> ・「WHO安全な手術のためのガイドライン2009」
> 　http://www.anesth.or.jp/guide/pdf/20150526guideline.pdf

☑ チェックシート

手術室入室

- ☐ 患者の出迎え（あいさつ，緊張をほぐす）[※1]
- ☐ 意識レベルのチェック（話をすればわかる，前投薬の効果の評価を兼ねる）
- ☐ リストバンドの確認（血液型，生年月日，氏名，病棟，科名など）
    1. 目で確認
    2. 患者にリストバンドに書かれている内容を言ってもらう
    3. リストバンドとカルテ内容を確認
- ☐ カルテ，X線フィルム（電子カルテではこの2点は不要），持参薬品（フェンタニル，抗生物質など）
- ☐ 主治医到着の確認[※2]
- ☐ 入室時刻の確認
- ☐ 該当する手術室へ搬送（必ず話しかけながら）[※1]
- ☐ 手術台への移動（転倒転落がないように見守る）
- ☐ 基本モニターの装着（血圧計，心電図，パルスオキシメータ）
- ☐ 入室時の血圧，脈拍（不整脈の有無），SpO_2 をチャートに記録

※1）必ず声をかけるようにする．入室時から麻酔管理は始まっている．
※2）麻酔導入時に主治医が到着していることを確認．

✓ チェックシート

麻酔導入

すべての手技の前に必ず声をかける[※1]

- [ ] 末梢静脈ルートの確保（上肢に20 G以上が基本）とチェック[※2]
- [ ] 必要なら動脈ライン確保（キシロカインで局所麻酔後）．全身麻酔後に行うときは局所麻酔は不要
- [ ] 必要なら硬膜外カテーテル挿入（輸液を比較的速く落としながら）[※3]
- [ ] モニター装着（血圧計，ECG，SpO$_2$以外にカプノメータ，筋弛緩モニター，脳波モニター装着）
- [ ] バイタルサインのチェック（血圧，脈拍，SpO$_2$，呼吸数）
- [ ] 酸素投与（通常6 L／分程度）下でマスクのフィットと深呼吸数回（SpO$_2$が適切な値に上昇するのを確認）
  〔麻酔導入薬の投与（通常は指導医が行う），順番，タイミングに注意〕
- [ ] 静脈麻酔薬（アルチバ，ディプリバンなど）で入眠してもらう
- [ ] 入眠後，マスク換気（呼吸が止まれば）
- [ ] マスク換気可能（マスクからの漏れはないか，胸部が上下するのがわかるか，腹部膨満はないか）なら，筋弛緩薬初回量投与（気管挿管の場合）
- [ ] 循環，呼吸に注意しながらマスク換気を続ける
- [ ] 喉頭展開して舌根部にキシロカインスプレー噴霧（循環変動に注意）（省略可）
- [ ] （気管挿管可能な時期になれば）喉頭展開 → 気管挿管
- [ ] カフの注入，蛇管接続，呼吸音の聴診（左右差，食道挿管でないこと），カフ漏れの確認（音を聞く）
- [ ] 食道挿管なら，カフを抜き，チューブ抜去 → すみやかにマスク換気に移行
- [ ] カプノメータでCO$_2$呼出の確認，SpO$_2$が下がらないことを確認
- [ ] バイタルサインの確認
- [ ] 気管チューブの固定
  バイトブロックあり，なしいずれも可[※4]
- [ ] 蛇管立てで蛇管を固定
  → <u>人工呼吸を続ける</u>（人工呼吸器の設定）

- [ ] 人工呼吸器をONにしたら必ず気道内圧,カプノメータ,胸の上がりをチェック

> **人工呼吸器の設定**
> 一回換気量　　　　6〜10 mL / kg（7 mL / kg）
> 呼吸回数 10〜12回/分（小児：20〜30回/分）
> I：E比　 1：2

- [ ] 麻酔維持薬の投与
- [ ] （必要なら）動脈ライン,中心静脈ルート,スワンガンツカテーテル挿入[※5]
- [ ] （必要なら）体位変換[※5]

※1）末梢静脈ルートを確保するとき,麻酔薬を投与するとき,局所麻酔を行うときなどすべての行為を行うときには,黙って行わない.必ず,「点滴をしますのでチクッとします」とか「局所の痛み止めをしますのでしみます」,「麻酔の薬を入れますので眠くなります」などと必ず,声をかけてから行うようにする（最も大切なこと）.

※2）末梢静脈ルートが手術室入室前に確保してあることがある.その場合,輸液を全開にして点滴速度,漏れや腫れを観察する.漏れや腫れがあれば,別の末梢静脈ルートを確保する必要がある（その場合,すでに確保しているルートより下流から確保しないこと）.

※3）腎不全,心不全がない場合.

※4）チューブの固定（p.290:「第5章-2 気管挿管」参照）.

※5）いずれも循環変動,呼吸変動に注意.

> ☑ **チェックシート**

手術開始前〜執刀時

- [ ] 執刀前までに十分に麻酔深度を深くする
- [ ] (必要なら) 鎮痛薬,静脈麻酔薬,筋弛緩薬の追加,吸入麻酔薬濃度調整
- [ ] バイタルサインのチェック[※1],瞳孔の観察(執刀前)
- [ ] 執刀時はバッグで手動換気する(バッグのコンプライアンスを感じること)
- [ ] バイタルサインのチェック[※1],瞳孔の観察,術野の血液の色,体動,筋弛緩(執刀後)
- [ ] (必要なら) 鎮痛薬,静脈麻酔薬,筋弛緩薬の追加,吸入麻酔薬濃度調整
- [ ] (開腹術では,開腹直後まで注意) 顔面紅潮,血圧低下[※2]

※1) 執刀前後では,血圧,脈拍,不整脈,体動.
※2) 腸間膜牽引症候群.

✓ チェックシート

麻酔維持（術中管理）

バイタルサインは何もなければ5分ごと，急激な変化が起きそうなときは1～2.5分ごとにチェック

- [ ] 呼吸状態
    1. SpO_2（> 95）
    2. $EtCO_2$の波形と数値（30～45），呼吸パターン
    3. 肺のコンプライアンス（麻酔バッグの硬さ）
    4. 術野の血液色
    5. 呼吸回数と換気量（10～12回，6～10 mL/kg），人工呼吸器の作動状況

- [ ] 心臓の状態，末梢循環
    1. 血圧（NIBP：non-invasive blood pressure）
    2. 観血的動脈圧（波形と呼吸性変動）〔p.123～：「第3章-7-❶-2）平均血圧と脈圧」参照〕
    3. 脈拍数，不整脈
    4. 中心静脈圧（CVP）（15分ごと）と波形
       （p.136：図3-7-10参照）
    5. 尿量（0.5～1 mL/kg/時間）
    6. 四肢末梢の温度（触診）
    7. スワンガンツカテーテル[※1]〔CCO（continuous CO）またはCO（cardiac output）とPA圧と波形，PCWP〕（p.137：図3-7-11参照）
    8. 経食道心エコー[※1]（収縮力や心筋壁の動き，左房-左室径，左房逆流など）

[※1] 7，8は入っていれば使用する．

- [ ] 循環血液量
    1. 出血量(少なくとも30分ごと)
    2. 尿量(少なくとも30分ごと)
    3. 術野の様子
    4. 末梢静脈の浮き具合,腸管の色調や腫れの程度
    5. 輸液(輸血)速度
    6. CVP
- [ ] 麻酔深度と手術侵襲[※2]
    1. 術野の様子
    2. 手術操作と血圧,脈拍変動,脳波変化
- [ ] 筋弛緩効果
    1. 筋弛緩モニター
- [ ] 体温管理
    1. 体温(15分ごと)上昇,低下
- [ ] 術中検査(酸塩基平衡,血糖,血算,電解質,凝固系)
    1. 血液ガス分析測定(呼吸モニターで変化や異常を疑わせる)
    2. 血算(出血,尿量,出血傾向などから必要性を判断)
    3. 電解質検査(出血,輸血,尿量,輸液量,心電図と脈拍の変化などから必要性を判断)
    4. 凝固系検査(出血量,出血傾向などから判断)

※2) 手術侵襲は手術操作で容易に変化し,麻酔がそれに見合うものでなければ,呼吸,循環,代謝にも影響を及ぼし全身管理を複雑なものにする.まず,循環,呼吸の変化は手術侵襲によるものでないかを見極める必要がある.

■ 麻酔中にチェックする項目と順番

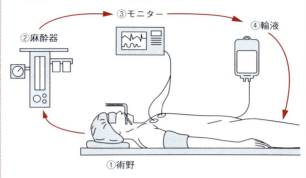

図 3-3-1 麻酔中にチェックする項目と順番

① 術野（手術操作，出血）
② 麻酔器（ガス流量，麻酔薬濃度，ベンチレータの設定・動作）
③ モニター
④ 輸液（ボトル残量，輸液速度，ルートの異常）

順番を決めてきちんと確認を行う．5分おきに一周するクセをつける．

1. **麻酔器とモニターが別々の場合**
   麻酔器は右側，モニターは左側にあるので
   ①→②→③→④　の順がよいだろう．
2. **麻酔器にモニターが組込まれている場合**
   ・モニターが術野に近い場合
   ①→③→②→④　の順にチェックする．
   ・麻酔器設定パネルが術野に近い場合
   ①→②→③→④　の順がよいだろう．

いずれにしろ，疲れない方法で4カ所をチェックする．

■ 流量計の浮き子のどこを読むか

酸素，笑気，空気の流量を示しているもの：
　横幅の最も太い位置が
・逆三角形のもの：一番上を読む
・ボール型のもの：真ん中を読む

■ 麻酔器の人工呼吸器の設定

[初期設定値]

一回換気量	VT（tidal volume）	$6 \sim 10$ mL/kg
呼吸回数	f（frequency）	$10 \sim 12$ 回/分
分時換気量	MV（minute volume）= VT × f	（$7 \sim 10$ L）
吸気呼気比	I：E比	1：2
PEEP（positive end-expiratory pressure）		$0 \sim 5$ cmH$_2$O
酸素濃度		25％以上
FGF（fresh gas flow）		$5 \sim 6$ L/分

酸素流量と空気（笑気）流量の和（total flowとも呼ぶ）

■ 人工呼吸器

[人工呼吸器のモード]

　全身麻酔中では，自発呼吸が出現しないように管理するため調節呼吸とする．声門上器具で鎮静下に行う手術中に自発呼吸で管理する場合は補助換気が使用される．調節呼吸には従量式換気（VCV）と従圧式換気（PCV）がある．補助換気には，SIMV，PSVなどがある．

・VCV ：volume controlled ventilation
・PCV ：pressure controlled ventilation
・SIMV：synchronized intermittent mechanical ventilation
・PSV ：pressure support ventilation

[調節呼吸の2つのモード]

　VCVは一回換気量と呼吸回数を規定するのでPaCO$_2$のコントロールが容易である．しかし，胸郭が重い場合には一定の換気量を確保するために高い気道内圧がかかる可能性がある（図3-3-2A）．そのために気道の最高圧（測定値）をモニターする必要がある．全身麻酔中の調節呼吸には，成人では通常，VCVが利用される．

　PCVは吸気圧および呼吸回数を設定して換気を行う方式で，高い気道内圧をかけたくない場合に利用される（図3-3-2B）．肺の圧外傷（バロトラウマ）を避けたい症例や乳幼児の症例ではPCVと

することが多い．しかし，胸郭が重くなった場合には一回換気量（VT：tidal volume）が保てなくなり，吸気および呼気の換気量（測定値）をモニターする必要がある．いずれの換気法の場合も，酸素化が保てない場合には，即座に換気設定や換気モードを見直す必要がある．

[補助換気の代表的なモード]

自発呼吸に同期して一定回数の強制換気を行うSIMVのほか，自発呼吸のたびに一定の圧で吸気をサポートするPSVあるいは気道に常に陽圧をかけるCPAPなどがある．SIMVは自発呼吸に同期させて設定の一回換気量を1分間に一定回数だけ換気させる方法で，必要最低限の分時換気量を保つことができる．PSVは，自発呼吸の吸気努力（吸気流速）を人工呼吸器が感知すると，タイミング良く陽圧をかけて吸気をサポートする換気法である．CPAPは自発呼吸に常時（吸気時も呼気時も）PEEP（positive end-expiratory pressure）をかけておく方法で，PSVの自発呼吸の吸気努力（吸気流速）に陽圧をかけない（PS圧 = 0）場合と同じである．自発呼吸がないときにはPSVやCPAPは行うべきではない．

[各種換気モードの使い分け]

・自発呼吸がない：VCVまたはPCV
・自発呼吸があるが換気補助が必要：SIMVかPSV

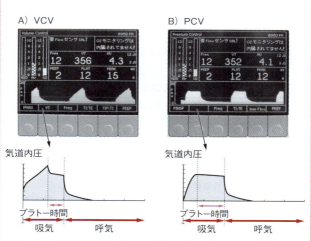

図3-3-2 従量式換気（VCV）と従圧式換気（PCV）の気道内圧パターン

[人工呼吸器の初期設定と目標値]（表3-3-1）

人工呼吸の開始時には，マスク換気などで$FiO_2 = 1.0$（吸入酸素濃度100%）であるが，酸素化が保たれる場合には可及的速やかに$FiO_2 = 0.5$以下に設定する．高濃度酸素による吸収性無気肺や酸素による肺障害を避けるため，不必要に吸入気の酸素濃度を100%にしないようにする．酸素化が悪い場合にはPEEPを活用する．初期設定は4 cmH_2Oとする．高いPEEPや高い気道内圧は胸腔内圧の上昇で静脈還流が悪化するため循環動態に影響を及ぼす．血管内容量不足や心機能抑制をまねかないように注意する必要がある．SpO_2は95%以上（COPDでは90%以上）を目標とし，$PaCO_2$は35〜45 mmHg（正常CO_2）とする．

表3-3-1 人工呼吸器の初期設定

VCV	一回換気量7〜10 mL/kg， 呼吸回数10〜12回/分， I：E比＝1：2
PCV	吸気コントロール圧10〜15 cmH_2O， 換気回数10回/分（小児：20〜30回/分）， 吸気トリガー感度−1 cmH_2O， 吸気時間25〜35%または1秒， 吸気ホールド0%または0秒
PSV	一回換気量10 mL/kgが得られる程度の吸気サポート圧10〜15 cmH_2O， 吸気トリガー感度−1 cmH_2O

Column　CO_2をコントロールするには

CO_2は肺胞換気量に反比例するので，$ETCO_2$（$PaCO_2$）を減少させたい場合には，肺胞換気量を増加させる．逆に増加させたい場合には，肺胞換気量を減少させる．

$PaCO_2 = 0.863 \times CO_2$産生量／肺胞換気量
なので，CO_2産生量が一定であれば
肺胞換気量と$PaCO_2$は反比例の関係になる．
MV（分時換気量）＝ TV（一回換気量）× f（呼吸回数／分）
なので，TVもしくはfを減少させればよいということになる．
$PaCO_2$が30 mmHgの場合，MVを20%減少させれば36 mmHg（20%増加）程度になると予測する．

✓ チェックシート

抜管時

覚醒前にあらかじめ口腔内の吸引・気管内吸引をしておく

- [ ] 口腔内吸引（気管チューブの後面付近に注意）
- [ ] 気管吸引（同時に咳反射を確認）
- [ ] 気管吸引後は呼吸バッグに数回の陽圧をかけて肺虚脱をふせぐ
- [ ] 純酸素で麻酔薬・筋弛緩薬の影響がないことを確認
    1. 時間経過からみて麻酔薬の影響が少ない
       〔自発呼吸下〕呼気中の吸入麻酔薬濃度がほぼ０％
       ディプリバンの予測血中濃度が＜1.0 μg/mL
    2. 50 Hzテタヌス刺激を５秒以上行ってもフェードがない
       〔**TOF（train of four）**％で**90％以上**〕
- [ ] 指示に従える
- [ ] 深呼気が可能，自発呼吸が規則的で呼吸回数が正常
- [ ] 離握手が可能
- [ ] 開口・舌出しが可能
- [ ] （普通の声の呼びかけで）開眼が可能
- [ ] $EtCO_2$，SpO_2 が正常値
- [ ] 循環不全がない

上記の条件（意識・呼吸・循環）が良ければ以下を行う

- [ ] 喉頭鏡をかけカフを減圧
- [ ] 口腔内の気管チューブのカーブに沿って抜管
- [ ] 自発呼吸を確認，マスクで酸素投与
- [ ] 呼吸回数，深さ，呼吸パターンをチェック
- [ ] SpO_2 をチェック
- [ ] 抜管後，異常があれば再挿管を考慮

■ 抜管基準 〔p.88:「第3章-2-❶-3)覚醒(抜管)」参照〕

全身麻酔の影響,筋弛緩薬の影響が抜管によって問題を起こさないことが条件である.
① 麻酔,筋弛緩からの回復
② 意識が回復
③ 呼吸が十分
④ 循環不全がない

実際に確認するには以下のように行います.

①筋弛緩薬の残存なし
非脱分極性筋弛緩薬が残存していると考えられるときはブリディオンで拮抗する.

②意識状態
指示に従える,深吸気が可能,離握手が可能,開口が可能.

③呼吸状態(酸素化と換気)
$EtCO_2$,SpO_2 が自発呼吸下で正常値か.

④循環動態が安定

■ 術後回復室(PACU:post anesthetic care unit)

麻酔が終了して覚醒したら,病棟ではなく術後回復室に移動する施設もある.ここでは,麻酔覚醒直後の患者の状態を観察,評価して術直後に起きる問題に対応する.

> ☑ **チェックシート**

抜管後:術後回復室

以下のことに注意して観察します.

- ☐ 意識レベルの低下
- ☐ 興奮
- ☐ 呼吸抑制
- ☐ 上気道閉塞
- ☐ 低酸素血症
- ☐ 高血圧,低血圧,不整脈(循環器合併症)
- ☐ 無尿
- ☐ シバリング
- ☐ 悪心・嘔吐

※)術後回復室という部屋が用意されていることもあるが,部屋がない場合には抜管後に観察する時期のことを呼ぶと考える.

おのおのの対策については,「第4章-2 術後回診と術後合併症管理」(p.271〜)も参照してください.

✅ チェックシート

手術室退室（一般病棟への移動許可）

- [ ] **意識**
  昏睡（resedationなど）ではない，開眼
  著しい興奮状態ではない
  簡単な命令に従える（手足の動き確認，生年月日が言える）

- [ ] **呼吸**
  抜管されている
  気道閉塞がない
  気道反射が保たれている
  $SpO_2 > 96\%$（O_2投与下でもよい）
  呼吸数：10〜20回
  呼吸音に問題がない

- [ ] **循環**
  術前血圧の±30％以内
  頻脈，徐脈，不整脈がない
  ドレーン，出血に問題がない

- [ ] **筋弛緩が切れている**
  TOF > 90％
  頭部挙上10秒以上

- [ ] **痛み，悪心・嘔吐**
  痛みが許容範囲
  悪心・嘔吐が許容範囲

- [ ] **体温とシバリング**
  深部温：36.0℃以上
  シバリングなし

- [ ] **区域麻酔の効果**
  麻酔域（運動および感覚）が許容範囲
  硬膜外カテーテルから局所麻酔をボーラス投与して30分以上経過

※退室基準としてModified Aldreteスコア（表3-3-2）がある
※腰部以上の硬膜外麻酔併用であれば膝立や足首の動きを確認（図3-3-3）すること

表3-3-2 Modified Aldrete スコア

項目	スコア
意識レベル	
覚醒または見当識あり	2
軽い刺激で覚醒する	1
触覚刺激のみに反応する	0
身体活動	
命令で四肢を動かすことが可能	2
四肢の動きがいくらか弱い	1
四肢を自発的に動かせない	0
血行動態	
平均血圧が15%未満の変化	2
平均血圧が15〜30%の変化	1
平均血圧が30%より大きい変化	0
呼吸	
深呼吸が可能	2
咳はできるが頻呼吸	1
弱い咳しかできず呼吸困難	0
酸素飽和度	
$SpO_2 > 90$（空気呼吸）	2
酸素投与を必要とする	1
酸素投与を行っても90%未満	0
術後疼痛	
痛みがないか軽い不快感	2
静注鎮痛薬により中等度から高度の痛みをコントロール	1
頑固な強い痛み	0
術後嘔気	
ないか軽度の吐気	2
一過性の嘔気	1
持続する中等度から高度の悪心・嘔吐	0

合計14点満点，12点以上が必要．巻末の文献27より作成．
1項目でも0点があると帰室できない．
手術室退室時にはAldrete Scoreに加えて，最終の<u>血圧，心拍数，SpO_2（酸素投与量），呼吸数，体温</u>を記録し申し送ること！

例：血圧：125/72 mmHg，心拍数：83 bpm（整），SpO_2：97%（O_2マスク5 L／分），呼吸数：12 bpm，体温：37.4℃

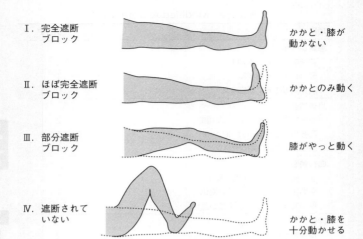

図3-3-3 Bromageスケール（運動機能の評価）

第3章 術中管理

4. 術後指示

Point
❶術後指示は，麻酔中から麻酔後への問題点の申し送りです
❷術後に注意すべきことを指示します

手術後の患者は
1) 病棟
2) ICU（PACU）
3) 帰宅（日帰り）

の3つの場所に移動します．以下の内容は病棟に帰ることを前提としています．

1 術後指示

麻酔科の術後指示は，麻酔後に注意することや麻酔中よりの問題点を申し送っているものと理解してください．それに対しての対策を指示書などに記述します．

1) 酸素投与
2) 鎮痛指示
3) 絶飲食の最低継続時刻
4) 術後体位
5) 持続投与中の循環作動薬，輸液指示
6) その他

1) 酸素投与 （表3-4-1, 表3-4-2, 表3-4-3, 表3-4-4）

通常：PaO_2 100 mmHg, SaO_2 95％以上, $PaCO_2$ 50 mmHg以下
COPD：PaO_2 70〜90 mmHg, SaO_2 90％以上, $PaCO_2$ 50 mmHg以下

になるように酸素流量を調節します．

［注意］COPDなどでは高濃度酸素で低換気を引き起こし，CO_2が蓄積することがあります．

表3-4-1　鼻カニューレまたは経鼻カテーテル（FiO₂の想定）

O₂流量 (L/分)	1	2	3	4	5	6
FiO₂ (%)	24	28	32	36	40	44

表3-4-2　酸素マスク

O₂流量 (L/分)	5〜6	6〜7	7〜8
FiO₂ (%)	40	50	60

表3-4-3　オキシマスク（オープンマスク）

O₂流量 (L/分)	3	5	10
FiO₂ (%)	25	35	50

文献63より作成．

表3-4-4　リザーバー付きマスク

O₂流量 (L/分)	6	7	8	9	10
FiO₂ (%)	60	70	80	90	99

2）鎮痛指示

「第4章-1 術後疼痛管理」（p.265〜）参照．

3）絶飲食の最低継続時刻

消化管に関連しない手術では必要となります．
（基本的には，腹部聴診などで腸管の動きを確認してから許可となります）

4）術後体位

上半身挙上20°程度のセミファーラー位にします．

5）持続投与中の循環作動薬，輸液指示

シリンジ内の希釈法．
「イノバン2Aを生食で計50 mL」などのように指示します．
輸液指示は，手術担当科で術後輸液を出さない場合に必要となります．

6）その他

術中イベントに関連した指示を出します．
術後モニター（心電図，パルスオキシメータなど）なども必要です．

第3章 術中管理

5. 鎮静

Point
1. 全身麻酔と鎮静の違いを明確に述べることができる
2. さまざまなレベルの鎮静があることを理解する
3. 鎮静で生命の危機に陥ることを理解する

1 全身麻酔と鎮静の違い

「全身麻酔」と「鎮静」の違いが明確に説明できることは大切です.鎮静薬を用いて鎮静を行う場合には鎮静と言います.しかし,投与量を増やしていけば,鎮静薬単独であっても全身麻酔と同じ状態になります(表3-5-1).近年,検査や,処置をする時に"鎮静"を行うことが多くなってきました.例えば,上部や下部の消化管内視鏡検査(胃カメラや大腸カメラ),循環器領域の心血管カテーテル検査(心カテ),呼吸器領域の気管支鏡検査(ブロンコ),小児のCTやMRI検査などです.鎮静の目的は,意識をなくすことではなく不安を除去することです(小児の場合は,意識をなくすことを要求されます).鎮静の程度を深くしていけば,医学的な介入をしない限り,生命の危機が訪れます.米国麻酔学会が鎮静の程度と生体反応をわかりやすく表現した「鎮静と全身麻酔の連続性」を発表しています(表3-5-1).図3-5-1は,

表3-5-1 全身麻酔と鎮静の連続性(鎮静レベルの定義)

	最小限の鎮静(不安除去)	中等度の鎮静(意識のある鎮静)	深い鎮静	全身麻酔
反応	呼びかけで正常反応	呼びかけで意味のある反応	くり返し刺激や痛み刺激で意味のある反応	痛み刺激で覚醒しない
気道	影響なし	介入不要	介入必要性あり	介入必要
自発呼吸	影響なし	十分	不十分	通常は消失
心血管系	影響なし	保たれる	通常は保たれる	破綻の可能性

米国麻酔学会, 2009.
巻末の文献50より作成.

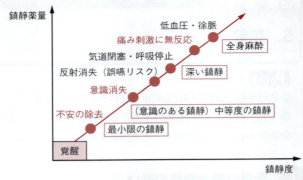

図 3-5-1　鎮静レベルと生体反応

それを図式化したものです．

　鎮静を行うためには，生命の安全を確保する必要があります．鎮静は深くなれば全身麻酔と変わらない状態になります．つまり鎮静と引き換えに，気道閉塞，気道反射の抑制，呼吸停止，循環虚脱を引き起こします．その保障がなければ生命に危険が及びます．安全な鎮静レベルは，不安の除去を目的に行う最小限の鎮静，意識のある鎮静（中等度の鎮静）ですが，その状態を保持するには，患者の状態を観察しつつ鎮静薬投与を処置（侵襲の程度）に応じてうまくコントロールする必要があります．

　本来の「鎮静」は不安の除去や苦痛のないように，生体の反応性を減弱させる行為であり，「全身麻酔」は意識を取り，痛み刺激に反応しない状態にすることです．

　鎮静と全身麻酔は，求めるものが異なる行為のはずですが，鎮静を深くしていくことで全身麻酔と同等の状態になります．「全身麻酔」を行う時には，気道閉塞（気道反射の抑制）に対して気道確保（Airway），呼吸停止に対して人工呼吸（Breathing），循環虚脱に対して循環のサポート（Circularion：輸液や循環作動薬など）を行うつもりで，あらかじめ準備して臨みます．「鎮静」を行うつもりで，不意に鎮静レベルが深くなった場合にはその心構えや道具，薬剤および人の準備ができておらず，患者を生命の危機に陥れる現実があります．鎮静を行う時にも，意識，呼吸，循環のモニタリングや観察を行い，それぞれが危機的な状況になったときに，逐次，対応できれば何も問題はありません．この対応に関してのスキルがあるかどうかが，鎮静を行う場合にも大切です．

2 バランス麻酔

　全身麻酔に求められる3要素は，抗侵害受容（手術刺激：侵害受容刺激に対する鎮痛），意識消失と健忘（鎮静），不動（筋弛緩）です．かつては，鎮痛，鎮静，筋弛緩と有害反射の抑制が全身麻酔に求められるものとされてきました．鎮痛を抗侵害受容とすれば，オピオイドなどの鎮痛薬を，意識消失と健忘には鎮静剤（全身麻酔薬：吸入麻酔薬や静脈麻酔薬）が，不動には筋弛緩薬を用いて行う麻酔を「バランス麻酔」と呼びます．抗侵害受容に関しては，心拍変動／血圧変動により類推し，意識消失と健忘に関しては脳波で，不動に関しては筋弛緩薬の効果を筋弛緩モニターでモニタリングします．

3 全身麻酔＋区域麻酔と鎮静＋区域麻酔のちがい

　全身麻酔＋区域麻酔とは，区域麻酔だけではできない手術の場合に用いられる方法です．一方，鎮静＋区域麻酔は，区域麻酔だけでも手術が可能である場合に，患者あるいは術者の希望により鎮静が加えられる場合が多いです．区域麻酔で行えるはずの手術が，手術中に区域麻酔の効果が減弱したために，鎮静では保てず全身麻酔に移行しなければならないことがあります．いずれにしろ，患者監視に対しては鎮静＋区域麻酔は全身麻酔＋区域麻酔と同等のスキルが必要になります．

4 MAC (monitored anesthesia care) 監視下鎮静管理

　検査・処置・手術などで，麻酔の有無にかかわらず麻酔科医の監視下になされる全身管理を言います．一般的に，自科麻酔では不安な状況において麻酔科が全身管理を行うために患者を絶え間なく監視している状態です．MACは特定の鎮静レベルを言うのではなく，麻酔科医が厳重に監視・管理することにより患者の安全を確保することを言います．気道閉塞や低酸素，循環管理や鎮静の程度を監視するのは，全身麻酔の時と同様です．

　局所麻酔の麻酔科管理とか局所麻酔管理とか呼ばれる場合もありますが，本来はMACと言うべきです．

第3章　術中管理

6. 五感による状態の観察

> **Point**
> ❶モニター機器を使った観察以前に五感による観察が大切です
> ❷視覚，聴覚，触覚，嗅覚による観察能力を身につけると臨床医としての自信になります

　麻酔状態，特に全身麻酔においては，患者は自分では何も訴えられず，麻酔科医に命を預けた状態です．硬膜外麻酔，脊髄くも膜下麻酔においても感覚の消失，運動麻痺，血圧の低下など，患者は日常からかけ離れた状態におかれています．患者の生命の安全の確保において，麻酔医が「患者からの情報（徴候）」を迅速・的確に判断するためには，小さな異変を見逃さないような努力と知識が必要です（表3-6-1）．モニター機器を使った観察は，きめ細かく状態の変化を追うことができますが，モニター機器の異常やモニター機器の接続不良などにより，通常ではあり得ない数値や波形が生じることを経験します．そういった場合，頼りになるのは自分の五感しかありません．また，モニター機器も五感による観察も患者の発する徴候を捉えることには変わりありません．**「モニター機器の数値を治療するのではなく患者を治療する」**のです．モニター機器は患者の徴候を捉えるための道具でしかあり

> **Column　モ原病**
>
> 　モニターの表示する値に一喜一憂する医師がかかる病気．研修医に多数発生するとされている．伝染性はないが地域性がある．最新の機械を好むタイプは要注意．モニターが表示する数値は，通常は正しいが，ときには異常値を出すこともある．モニターの原理を理解せず異常な値でもすぐに信じてしまう研修医は要注意．モ原病にかかっている．もちろん異常値は正しいこともあるが，五感による観察でその値が正しいかどうかを自分で確かめることができるようになっておく必要がある．

表3-6-1 安全な麻酔のためのモニター指針

[前文]

麻酔中の患者の安全を維持確保するために，日本麻酔科学会は下記の指針が採用されることを勧告する．この指針は全身麻酔，硬膜外麻酔および脊髄くも膜下麻酔を行うとき適用される

[麻酔中のモニター指針]

① 現場に麻酔を担当する医師がいて，絶え間なく看視すること

② **酸素化のチェックについて**
- 皮膚，粘膜，血液の色などを看視すること
- パルスオキシメータを装着すること

③ **換気のチェックについて**
- 胸郭や呼吸バッグの動きおよび呼吸音を監視すること
- 全身麻酔ではカプノメータを装着すること
- 換気量モニターを適宜使用することが望ましい

④ **循環のチェックについて**
- 心音，動脈の触診，動脈波形または脈波のいずれか1つを監視すること
- 心電図モニターを用いること
- 血圧測定を行うこと
- 原則として5分間隔で測定し，必要ならば頻回に測定すること．観血式血圧測定は必要に応じて行う

⑤ **体温のチェックについて**
- 体温測定を行うこと

⑥ **筋弛緩のチェックについて**
- 筋弛緩薬および拮抗薬を使用する際には，筋弛緩状態をモニタリングすること

⑦ **脳波モニターの装着について**
- 脳波モニターは必要に応じて装着すること

注意：全身麻酔器使用時は日本麻酔科学会作成の始業点検指針に従って始業点検を実施すること．
(日本麻酔科学会，2019年3月改訂．http://anesth.or.jp/files/pdf/monitor3_20190509.pdfより引用)

ません．モニター機器が信用できない場合には自分の五感を使うことができるように観察能力やくせを身につけておくことは研修医時代に培うべきものです．

1 五感による観察

五感とは，視覚，聴覚，触覚，嗅覚，味覚のことを指しますが，診察手技においては，視診，聴診，触診，打診が主となります．

基本的には，視診，聴診，触診が主ですが，打診も行うことがあります．五感のうち味覚を使うことはありませんが，嗅覚を使う場面があります．

1）視診（顔面，術野の血液色，出血状況，胸郭の動き）

①術野の出血の状況
- 吸引瓶への貯留速度，ガーゼへの血液の付着具合

②血液，皮膚，唇，爪の色などからチアノーゼや循環不全

1. 皮膚の観察
   - 皮膚の発汗
   - 色調：蒼白[※1]，チアノーゼ[※2]，紅潮[※3]
   - 浮腫
   - 腫脹
   - 点滴の漏れや内出血

※1）蒼白
「顔色が青い」という状態です．
皮膚の血流量低下，血液の酸素飽和度低下，血圧低下を反映しています．
いずれにしても，蒼白は放置できる状態ではありません．

※2）チアノーゼ
術中の低酸素血症の発見に大切な徴候です．
100 mL血液中に4〜5 g以上の還元ヘモグロビンが存在するときに見られます．高度貧血では生じません．
酸素吸入濃度の低下，気道閉塞，換気障害，心不全，ショック，組織低酸素（青酸中毒）などで見られます．

※3）皮膚の紅潮
二酸化炭素の蓄積による血管拡張で赤紅色，ターニケット解除後の紅潮，腹腔内操作開始時の顔面紅潮（p.229：コラム「顔面紅潮」参照）．
静脈麻酔薬投与後の毛細血管拡張，自前カテコラミン放出後の皮膚紅潮などで見られます．

2. **静脈の観察**
    - 静脈の拡張（張り具合）
      静脈内容量を反映するので，輸液の指標にもなります．
    - 静脈の怒張（末梢，頸静脈）
      頸静脈のうっ血や怒張は右心不全を疑わせる所見です．
      （総合的に判断します）

3. **尿の観察**
    - 尿は出ているか（色[※4]，量，速度）

> ※4）尿の色
> 麦わら色であればよいが，尿量が少ないと褐色尿です．また，血尿やミオグロビン尿では赤く，原因によって対応が異なります．尿混濁があれば尿路感染を疑いますが，プロポフォールの代謝産物によっても尿混濁をきたすことがあり注意が必要です．

4. **モニター作動状況の観察**
    - 各種モニターは正しく作動しているか
      （患者の異常とモニターの異常）．患者の異常をモニターの異常と思わないこと！！

> パルスオキシメータのセンサーがきちんと装着されていないと酸素飽和度（SpO_2）が異常値になるか表示しませんが，本当にSpO_2が下がっていても異常値になったり，表示しなかったりします．どちらかを瞬時に判断できる方法を身につけるには，五感を使って総合的に判断する必要があります．

③呼吸器系

- 呼吸パターン（自発呼吸では回数，大きさ，規則性）
- 胸郭の動き（左右対称[※5]，シーソー呼吸[※6]，自発呼吸の有無）
- 呼吸バッグの動き（自発呼吸の有無）
- 呼吸音の聴取
- 呼吸回路の異常（閉塞：図3-6-1），不完全な接続（図3-6-2）

※5）胸郭が左右対称でなければ，気胸，片肺挿管を疑います．
※6）シーソー呼吸は気道閉塞のサイン（図3-6-3）です．

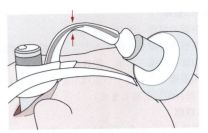

図3-6-1　気管チューブの閉塞

正しい接続

不完全な接続

図3-6-2　蛇管の接続

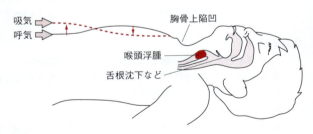

図3-6-3　気道閉塞のときのシーソー呼吸
　巻末の文献8より作成.

④神経系と麻酔深度

- 瞳孔（大きさ，左右差）
- 対光反射（有無，左右差）
- 睫毛反射

睫毛反射の出現，流涙は浅い麻酔の徴候です．また，閉じていたのに自然に目が開くのは麻酔が浅い証拠です．

- 流涙
- 開眼

麻酔が浅くなくてもどうしても閉眼しない人がいます．開眼したままだと，角膜が乾燥して麻酔後に角膜潰瘍ができるので，テープやメパッチクリアなどで閉眼させましょう．

⑤体位や周囲の状況の確認

1. **体位**
   - 側臥位や砕石位，腹臥位では体位がずれて，四肢の脱臼，骨折や神経圧迫（麻痺）を起こすことがあるので注意しましょう

2. **周囲の状況**
   - 呼吸回路が閉塞していないか，はずれかかっていないか
   - 点滴（静脈路ルート，動脈ライン，中心静脈ルート）が確実に入っているか．漏れがないか．周りが濡れていないか
   - 圧トランスデューサーの位置は正しいか，床に落ちていないかなどを確認しましょう．圧トランスデューサーが床に落ちていると異常に高い圧を示します（ゼロ点がずれている）

⑥手術室の全体の動き（看護師，術者，手術器械や機器）

自分の仕事だけでなく，他の人々の動きにも注意しましょう．麻酔管理上は忙しくないのに，手洗い看護師，外回り看護師は手術器械の準備などであわてていることがあります．

2）聴診（心音，呼吸音など）

①心音

- 聴診で心拍を連続的に聴取
- 心音の整・不整，心雑音，ギャロップリズム
- モニターアラーム音の聞き分け

②呼吸音

1. **自然に聴こえる音に注目**
   - 気道閉塞や狭窄音(気道確保できていない場合の舌根沈下,いびき,喉頭痙攣)
   - 分泌物貯留による異常音
   - カフ漏れ音
   - 喘息(気管支痙攣)によるwheeze(ぜえぜえいう音)
   - 呼吸音の不整,大きさ,質,呼吸回数,呼吸の有無

2. **聴診器を使って**
   - 喘息ではヒューまたはクー
   - 分泌物貯留ではゴロゴロ
   - 気道閉塞(気管チューブの折れ曲がり,呼吸回路はずれ)では全く音が聞こえなくなる
   - 気道閉塞の初期はクー,ひどくなると全く音が聞こえないことも頭に入れておこう

③特殊な聴診

- **坐位手術による空気塞栓**:食道に挿入した聴診器で聴くと水車音が聞こえる(胸壁からも聞こえることがあります)

3)触診(脈拍,体温,呼吸)

①脈拍

- 脈拍数,脈の強さ,不整,末梢の湿り具合,温度などから末梢循環を感知
- 脈を感じる(脈拍数,強さ,緊張,大きさの変化,整不整)ことで,血圧が低すぎないこと,不整脈を察知できる
- 触知部位:橈骨動脈(触れれば60 mmHgはある),頸動脈,大腿動脈(触れれば心臓は止まっていない)

②呼吸

- 呼吸バッグの動き(手応え,自発呼吸の有無)
- 呼吸を触診で確認する(手のひらを口元に当て,呼気を感じる.呼吸パターン,強さ,回数がわかる)

③呼吸回路(蛇管)の触診

- 蛇管に触れて,震えていれば,痰の貯留を疑わせる

④**胸壁の触診**
- 胸壁を触れて振動の増強があれば,肺内の分泌物貯留,無気肺を疑い,減弱では気胸や血胸,胸膜炎などが疑われるとされている
- 胸壁の触診ではほかに,皮下気腫[※7](皮膚を圧迫すれば握雪感)

[※7] 空気や医療用ガスが皮下組織に入った場合.

⑤**皮膚の触診**
- 体温,発汗,乾燥具合,浮腫,腫脹など

4)打診

 麻酔中のモニターとしての役割は少ないが,術前診察,麻酔終了後に行うことがあります.打診では,生じる音と振動から内部の器官の性状を推測することができます.実質性の臓器では濁音,含気が多いところでは清音を生じます.心臓,肝臓などの大きさ,腹水,胸水の貯留状態,肺や消化管の含気量の変化を知ることができます.

5)嗅覚(あまり使わないが嗅診)

 吸入麻酔薬の濃度(回路内,患者の呼気),排便や嘔吐,ケトン臭(呼気)などを診るのに役立ちます.

第3章 術中管理

7. モニターと検査のポイント
（血圧，心電図，パルスオキシメータやカプノメータ，スパイロメーター，中心静脈圧，心拍出量，脳波モニター，筋弛緩モニター，手術室内検査など）

Point
1. 血圧，心電図，パルスオキシメータは最も基本的なモニターです．原理を含めて理解しましょう
2. 動脈圧波形，カプノメータは波形の読み方が大切です
3. 筋弛緩モニター，BISモニターは麻酔に特有なモニターですが，術中管理に大変役立ちます

バイタルサインとは，生命徴候という意味です．心臓の鼓動（脈拍），呼吸（数），血圧，体温，意識などで，これによって各個人が生きていることが示されます．これらのサインは，観察および測定，監視が可能で，それによって個人の身体機能のレベルを評価できます．

1 血圧モニター

循環の指標としての血圧，脈拍は最も基本的なバイタルサインと言えます．

1）血圧を測定する4つの方法

① 触診法
② 聴診法
③ 自動血圧計
④ 観血的動脈圧測定

①と②はマンシェットの血圧計（手動）を用いる方法です．

①触診法

触診法は，マンシェットを巻き，橈骨動脈を指で触れます．カフ圧を上げてから同側のカフ圧を下げていき拍動が触れ始めた時点を収縮期圧とします．拡張期圧の測定はできません．

②聴診法

聴診法は，マンシェットのカフの下（通常は肘部）に聴診器をおき，コロトコフ音の聞こえはじめを収縮期圧，聞こえ終わりを拡張期圧とします．

③**自動血圧計**（NIBP：non-invasive blood pressure）

自動血圧計の原理は聴診法と同じですが，低血圧や体動があると測定できないので注意が必要です．測定できないと自動でカフ圧を上げていく仕組みがあり，測定不能をくり返すと，起きている患者は非常に痛みを感じます．血圧測定中は，締めつけていること自体に加えて，動脈が遮断，静脈は怒張しているため腕の痛みが強いと考えられます．

連続測定（STAT）というボタンがありますが，1拍ごとの血圧を測定するのではなく，1回計り終わるとすぐに次の測定のためにマンシェットのカフ圧を上げる動作をくり返します．

memo　血圧計

表3-7-1　血圧計のマンシェットの規格

	幅 (cm)	長さ (cm)
[成人用]		
上腕用 標準体格用	13	22〜24
肥満者用	14	28
下肢用 大腿用	18	50
[小児用]		
上腕用		
3カ月未満	3	15
3カ月〜3歳	5	20
3歳〜6歳	7	20
6歳〜9歳	9	25
9歳以上	12	25

血圧は心拍出量と血管抵抗によって変化する．
高血圧治療ガイドライン2019（日本高血圧学会）より作成

血圧測定の最もポピュラーな方法は，マンシェットによる測定法である．マンシェットは通常，点滴ルートと反体側の上肢に巻くが，上肢が術野の場合，下肢（足首）に巻いてもよい．

下肢用のマンシェットがないときは上肢用のマンシェットを足首に巻き測定してもよい．足首の内顆でコロトコフ音を聴取できる．ただし，下肢の方が上肢より高めに出ることが多い．マンシェットの幅（表3-7-1）は巻く部位の直径の1.5倍のものがよいとされている．上腕と足首はほぼ同じ太さであることが多いので，同じカフ幅のものが使える可能性が高い．カフ幅が，規定より狭いものは血流を遮断するために高い圧が必要なため，実際の血圧より高く測定される．幅が広すぎるものは，逆に低く測定される．また，緩く巻くと高く，きつく巻くと低く測定される．

Column　逆流防止弁つき点滴ルート

　点滴ルートと同側に血圧計マンシェットを巻かなければならないこともある．
　その場合，点滴ルート内に逆流防止弁が組込まれたものを利用することがある．
　逆流防止弁がないと，血圧測定のたびに血液が点滴内に逆流し，点滴ルートが詰まる原因となる．

④観血的動脈圧測定（AP：arterial pressure）

　観血的動脈圧測定では，動脈内にカテーテルを留置して動脈内の圧力をトランスデューサーで電気信号に変換しモニター画面に表示します．英語でartery lineというのでAラインとも呼ばれています．この場合は1拍ごとの血圧波形と収縮期/拡張期（平均動脈圧）の数値を表示できます．実際には数値は1拍ごとではなく何拍かの代表値です．

【観血的動脈圧測定の適応】

①頻回に採血が必要な場合，②循環動態の急激な変化が予想される場合（患者要因，手術要因），③血圧がマンシェットで測れない場合（手術要因，患者要因），④継続的な血圧変化を監視する必要のある場合（低血圧麻酔，人工心肺手術など）．

2）平均血圧と脈圧

　血圧には収縮期血圧，拡張期血圧があります．それだけでなく，麻酔，手術，重症患者管理中には平均血圧と脈圧に注意を向けてください．「脈圧＝収縮期血圧－拡張期血圧」で，「平均血圧＝脈圧／3＋拡張期血圧」です．平均血圧は，モニター上にも 120/80（93）などと（　）内に表示されますが小さいので見落としがちです．**平均血圧は臓器血流を実質的に規定しています**．110/40 では平均血圧は 63 ですが，110/75 では平均血圧 87 です．**平均血圧は最低でも 60 を下回らないようにしましょう**．注目していれば見落とすこともありません．また，**一回拍出量の増加で脈圧は増加**しますが，末梢血管抵抗の増減では変化は一定ではありません．

　　平均血圧－中心静脈圧＝心拍出量×末梢血管抵抗
　　心拍出量＝一回拍出量×心拍数

　観血的動脈圧測定では，他の測定法に比べて連続的に血圧がモニターできることに加えて，**動脈波形を見ることが重要**です．波形を見なければ動脈ラインの情報のほとんどを捨てています．

　正常な波形は**図 3-7-1** のように表示されます．一番高いところが収縮期血圧，一番低いところが拡張期血圧を表します．波形を観察するときのポイントは，①収縮期血圧にいたるまでの立ち上がり，②波形の戻り，③波形の硬さ，柔らかさ，④大動脈弁閉鎖ノッチ（dicrotic notch）の位置と有無，⑤血圧波形の呼吸性変動です（**図 3-7-1**）．

①波形の立ち上がり

　dp/dt が急なほど心収縮力がよいと考えられます．

②波形の戻り

　a が低く，b の速度が速い（急峻）ほど血管抵抗は低いことを表しています．

③波形の硬さ

　動脈硬化が強い場合には立ち上がりが垂直に近く先細りの波形になります．敗血症性ショックのように動脈の抵抗がない場合には，傾斜は緩やかで丸みを帯びた波形になります．

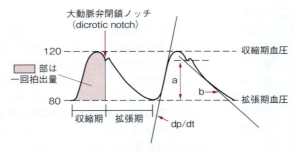

図 3-7-1 正常な動脈圧波形

④大動脈弁閉鎖ノッチ

立ち上がりから大動脈弁閉鎖ノッチのところまでを収縮期，その後ろが拡張期にあたります．収縮期に相当する部分の線に囲まれた面積が一回拍出量を反映します．

また，大動脈弁閉鎖ノッチの位置が低いか見られない場合は，循環血液量が十分にない（ハイポボレミア）か末梢血管抵抗が低いことを表します（大動脈が閉鎖するまでに，左室内血液をすべて拍出してしまっている．すなわち空うち）．

⑤動脈圧波形の呼吸性変動（図 3-7-2）

胸腔内に異常（緊張性気胸や心タンポナーデなど）があるか出血などで循環血液量が大変少なくなっているときには，呼吸性に波形の頂点の動揺が大きくなります．動脈圧波形の最も高い位置を目で追ってみれば呼吸性に変動しているかどうかがわかります．

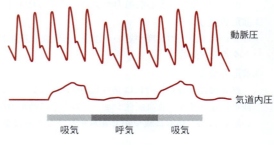

図 3-7-2 動脈圧波形の呼吸性変動

> **memo 血圧計の高さとトランスデューサーの位置**
>
> 　血圧計の高さというのは，心臓と血圧計を巻いた位置が違うときの話である．心臓よりマンシェットを巻いた位置が高ければ，血圧は低く出る．また，マンシェットが心臓より低ければ血圧は実際より高い圧を示す．側臥位のときに問題になるが，通常は下側の腕で測定するほうがよい．
>
> 　トランスデューサーは心臓の高さ（中腋窩線）でゼロバランスをとる．そのため，トランスデューサーが元の心臓の位置より低くなっているときには，血圧は高く表示され，トランスデューサーが高い位置にあるときには血圧は低く表示される．床にトランスデューサーが落ちていれば50〜60 mmHg（ベットと床の高さが50 cmぐらいとすると）血圧が高く表示される．高血圧と思いこみ，降圧薬を投与するととんでもないことになる．

3）陽圧人工呼吸時の動脈圧波形の呼吸性変動

　動脈圧波形を陽圧人工呼吸時（一回換気量8 mg/kg以上）に観察していると，末梢動脈圧波形が吸気と呼気で変化することが観察される．血管内容量（静脈内容量）が少ないと，吸気時（気道内圧が高い）には静脈系が圧迫され心臓に血液がもどりにくくなる．逆に呼気時（気道内圧がゼロまたは低）には静脈にプールされていた血液がもどりやすくなるため，心臓からの血液の一回拍出量にも反映される．吸気時には拍出量や収縮期圧，脈圧は増加し，呼気時には減少する．これらの吸気時と呼気時の変化を％，mmHgで表現したものが，SVV，PPV，SPVである（p.175：**図3-11-4**参照）．

2 心電図モニター

　基本的には3点誘導で四肢誘導をモニターし，通常はⅡ誘導を用います．P波が見やすい，心室性不整脈を発見しやすいことによります．

　虚血性変化を見たいときには5点誘導とし，V_5をモニターします．つまり，Ⅱ誘導とV_5をモニターします．

> 心拍数とリズム（不整，徐脈，頻脈）を「耳で聞く」ことができる．画面を見なくても音で不整脈の有無はわかる．

【確認！】
心電図モニターでは心臓のポンプ機能は反映しません．また血圧もわかりません．心拍出がなくても心電図は正常のことがあり，心電図が正常であっても循環が正常であるとは言えません．

1）装着法
1. アルコールで皮膚を拭いてから電極を装着する
2. 3点誘導では「あ・き・み」（あっ，君！），すなわち，赤：右肩，黄：左肩，緑：左臀部（側胸部）
3. 5点誘導では「あ・き・く・み・し」（亜紀，久美，しーっ），すなわち，赤：右肩，黄：左肩，黒：右臀部，緑：左臀部，白：V_5の位置（左側胸部）
4. 波形がきちんと出ないときには，①電極の密着が悪い，②電極とリード線の接点にゴミがないか（イソジンがついていることがある），③リード線は本体にきちんとつながっているか，④誘導と感度を変えてみる，⑤電気メス使用中でないか（電気メスで波形は乱れる）をチェックする

2）心電図波形のチェックポイント（表3-7-2）
1. 心電図音が規則的に聞こえるか，心拍数は音で聞く
2. P波があるか
3. ST変化はどうか

不整脈と虚血性変化を見逃さないようにする．
また，KやCaなどの電解質変化を疑う補助にもなります．
ST低下は（虚血性心疾患でなくても），大量出血や，低血圧のときに現れるが，基本的に虚血を反映していると考えて対応する．

表 3-7-2　心電図変化を引き起こす原因

1. 手術，麻酔による手技や侵襲（疼痛）
2. 麻酔薬，抗不整脈薬，昇圧・降圧薬，筋弛緩薬など
3. 出血
4. 低血圧
5. 低酸素
6. 低体温
7. 高二酸化炭素血症
8. 電解質異常（K^+，Ca^{2+}，Mg^{2+}）
9. 心筋虚血

> **memo　必須基本モニター（3種の神器）**
> **自動血圧計，心電図，パルスオキシメータ**．どんな手術や麻酔（局所麻酔でも）においても，この3つは必須．

3　呼吸モニター

【用語】

- **SaO_2 と SpO_2**
  SaO_2：血液ガス分析装置で測定した酸素飽和度
  SpO_2：パルスオキシメータで測定した酸素飽和度

- **$EtCO_2$ と $PaCO_2$**
  $EtCO_2$：カプノメータで測定した呼気終末のCO_2分圧
  $PaCO_2$：血液ガス分析装置で測定した動脈血のCO_2分圧
  通常は $EtCO_2$ の方が 5 mmHg ほど低値になる

- **PaO_2**
  PaO_2：血液ガス分析装置で測定した動脈血の酸素分圧

1）パルスオキシメータ

　呼吸と循環のモニターと言えます．酸素飽和度と脈波形（プレチスモグラフ），脈拍を連続的に表示できます．パルスオキシメータで脈波形が表示されていれば脈が触れる証拠であり，同時に酸素飽和度で動脈血中の酸素化をリアルタイムにとらえることができます．プレチスモグラフの読み方は，**観血的動脈圧測定と同じ**〔「❶-2）平均血圧と脈圧」（p.123～参照）に示した波形の読み

方と同じ〕であり，心収縮力や，血管内ボリューム，末梢血管抵抗が推測可能です．酸素飽和度は，麻酔中は95％を切らないように管理します．酸素解離曲線（図3-7-3，表3-7-3）はS字状となっており，SpO_2とPaO_2の関係を理解しておきましょう．また，代表的な数値も覚えておくと役に立ちます．

【原理】

酸化ヘモグロビンと還元ヘモグロビンの吸光度の違いを利用して，酸素飽和度を測定します．赤色光を拍動成分に当てて，返ってくる光をもとにSpO_2を表示します．酸化ヘモグロビン（鮮赤色）が多ければ，光は多く返ってきますが，還元ヘモグロビン（暗赤色）が多いときは光が吸収されやすいため，光はあまり返ってきません．

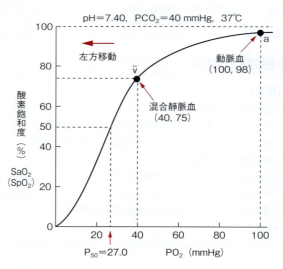

図3-7-3 酸素解離曲線

- 横軸：PO_2（mmHg），縦軸：SaO_2（％）
- S字状曲線
- 動脈血：100 mmHg 98％，混合静脈血：40 mmHg 75％，P_{50}：27 mmHg 50％
- 以下が上昇すると右方移動
  温度，水素イオン（pH低下），二酸化炭素分圧，2,3 DPG
- S字状曲線が左に移動すると，PO_2が低くなってもSaO_2は下がり始めません

表 3-7-3　PO_2 と酸素飽和度（SpO_2）の覚え方

PO_2 (mmHg)	酸素飽和度（%）	覚え方
10	13	
20	35	
30	57	
40	75	5と7を入れ替え
50	83	+8
60	89	+6
70	93	+4
80	95	+2
90	97	+2
100	98	+1

2）気道内圧

麻酔回路内ガスの漏れや人工呼吸による肺の圧外傷（バロトラウマ）を防止するためにモニターします．

麻酔中の気道内圧が 30 cmH₂O を超える症例では気管チューブの閉塞や屈曲，肺胸郭コンプライアンスの低下（肥満，%VC 低下など）を考えます．また気道内圧の低下が 10 cmH₂O 以下の場合，麻酔回路の漏れやはずれ，気管チューブの位置異常，カフ漏れなどを考えます．

3）換気量

呼気量をモニターします．

一回換気量の測定は気管チューブの位置（片肺，抜けかけなど），マスク麻酔時の換気の良し悪し，覚醒時の自発呼吸の大きさなどの判定に有用です．

一回換気量×呼吸回数＝分時換気量

4）スパイロメトリー

気道内圧は人工呼吸中の低圧，高圧に注目する．換気量と気道内圧との関係を示す P-V 曲線（図 3-7-4）やフローとの関係を示す F-V 曲線（図 3-7-5）で判断する．

一回換気量（VT）×呼吸回数（f）＝分時換気量（MV）

換気量と気道内圧の関係を示すP-V曲線では，ループが立っていれば低い圧で換気が可能なことを示し，ループが寝ていれば換気に高い圧が必要なことを示す（ループの傾きに注目する）．この傾きは胸郭全体の硬さを示しておりコンプライアンスと呼ばれる．コンプライアンスが低いことは胸郭が硬いことを示す（圧力をかけても換気量がでにくい）．また，ループが閉じていなければ呼吸回路に漏れがあることがわかる（図3-7-6A）．換気量とフロー（流速）の関係を示すF-V曲線でもループが閉じていなければ呼吸回路に漏れがあることがわかる（図3-7-6B）．また，F-V曲線では呼気時の最後が上に凸の波形となる場合には，呼気時の気道閉塞があり，痰などの存在が疑われる（図3-7-5B）．

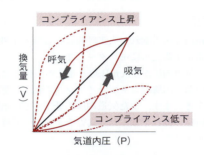

図3-7-4　P-V曲線（プレッシャーボリューム曲線）

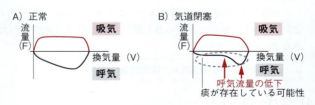

図3-7-5　F-V曲線（フローボリューム曲線）

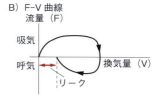

図 3-7-6　呼吸回路に漏れがあるときのP-V曲線とF-V曲線
P-V曲線もF-V曲線も，ループが閉じていないときは，漏れ（リーク）がある．吸気量＞呼気量．

5）カプノメータ（呼気CO_2モニター）

呼気のCO_2測定により呼気終末CO_2濃度（$EtCO_2$）の数値だけでなくCO_2呼出曲線を描画します（図3-7-7 a）．

この波形から，挿管時の食道挿管と気管挿管の判別，呼気障害（吸気障害）などの判断が可能です．CO_2濃度を参考にして人工呼吸を行う際に，一回換気量や呼吸回数の設定に役立てることができます．

換気不全，代謝亢進や悪性高熱症ではCO_2は徐々に上昇し，肺塞栓では肺血流がなくなるため$EtCO_2$が急激に低下します（図3-7-7）．また，心拍出量の低下でも$EtCO_2$は下がります（表3-7-4）．$EtCO_2$は，内呼吸（細胞の呼吸）と外呼吸の両方をつなぐモニターです．

6）麻酔ガス濃度

セボフルランなどの揮発性吸入麻酔薬や笑気の濃度を測定します．麻酔薬濃度の設定で判断するのではなく，モニターした数値で麻酔薬の濃度を判断する癖をつけましょう．設定値と実測値は異なるものです．また，麻酔覚醒時の呼気中から排出される麻酔ガス濃度で覚醒するかどうかの判断材料にしたり，覚醒遅延を起こした場合，吸入麻酔薬がその原因かどうかを判定するのに役立ちます．

7）動脈血液ガス分析

動脈血を採取して血液のpH，PaO_2，$PaCO_2$，HCO_3^-，SaO_2を測定します．連続モニターではパルスオキシメータでSpO_2を，カプノメータで$EtCO_2$を測定していますが，血液ガス分析での値と

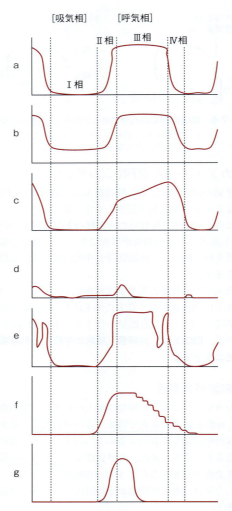

図3-7-7 代表的な CO_2 曲線

a：正常，b：呼気弁の異常などによる再呼吸，c：気管支攣縮，慢性閉塞性肺疾患など，d：食道挿管，e：自発呼吸がある場合，f：心原性振動，g：呼気の漏れ．d（食道挿管）では次第に波形がとれなくなるが，g（呼気の漏れ）では変化しない．巻末の文献11, 12より作成．

表 3-7-4　EtCO$_2$増加・減少の原因

原因	増加	減少
代謝	麻酔覚醒（シバリング） 悪性高熱症，悪性症候群 甲状腺クリーゼ 重症敗血症	低体温 代謝性アシドーシス
循環	駆血解除 CO$_2$使用の腹腔鏡 アシドーシス治療	麻酔導入時 肺塞栓 ハイポボレミア，出血性ショック 心原性ショック 心内シャント
呼吸	低換気 COPD 喘息	過換気 肺水腫 肺内シャント
テクニカル	CO$_2$吸収剤の消費 モニターのよごれ	接続不良 サンプリングチューブ閉塞

巻末の文献58より引用

> **Column　サイドストリームとメインストリーム**
>
> CO$_2$濃度をモニターするとき，サイドストリームと呼ばれる方式では，モニター機器内に回路内のガスを引き込むために長いチューブが必要で，そのチューブで回路内ガスを機器内に引き込んで測定する．メインストリームでは回路内に直接センサーを組込んで電気信号のみを機器本体に送る仕組みになっている．

> **Column　P/F比**
>
> PaO$_2$をFiO$_2$で割ったもので，酸素濃度を変化させても酸素化を評価できる．
>
> P/F比＝PaO$_2$÷FiO$_2$
> 正常値は400以上．
>
> 例）PaO$_2$＝150 mmHg，FiO$_2$＝0.5ならば
> 　　150÷0.5＝300
> 200以下なら抜管しない
> （術後も挿管のままの管理がよいかもしれない）．

はかけ離れていることがあります．SpO₂（SaO₂）とPaO₂の関係は**図3-7-3**，**表3-7-3**を参照してください．

4 尿量

循環の指標としての尿量測定があります．**術中は0.5〜1.0 mL/kg/時間以上の尿量を確保**します．腎機能，心機能が正常であれば輸液量の指標となります．ただし，利尿薬やドパミンを投与している例では尿量はモニターとしては役に立ちません．

5 体温モニター

全身麻酔では最初の1時間に1℃下がります．これを放置すると麻酔覚醒時に覚醒遅延やシバリングを引き起こすため，手術室入室時から体温保持を行うことが大切です．

1）直腸用プローブまたは膀胱温プローブ

体温の連続モニターのために必要です．

2）鼓膜温測定

最近では家庭用のものが普及していますが，医療用のもの，特に，救急領域や麻酔領域で使用できる低体温から高体温まで測定できるCEサーモがあります．鼓膜温度は鼓膜温計（CEサーモ，ニプロ社）（**図3-7-8**）を使用します．

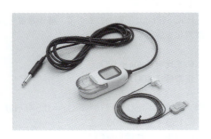

図3-7-8　鼓膜温計
（画像提供：ニプロ株式会社）

3）深部体温モニタリング

深部体温の測定，赤外線を利用した深部体温計です（図3-7-9）．頭部や四肢にセンサーを貼ることで組織内の体温を測定できます．中枢温（頭部）と末梢温（手のひら）との温度差が5℃以上離れれば末梢循環不全です．

図3-7-9　3M™ ベアーハガー™ 深部温モニタリングシステム
旧製品名：3M™ スポットオン™ 深部温モニタリングシステム
写真提供：スリーエムジャパン株式会社

6 （侵襲的）循環器モニター

1）中心静脈圧（CVP）（図3-7-10）

右房付近の圧で，前負荷や循環血液量の指標になります．陽圧の影響（人工呼吸）を受けないように測定は呼気終末で行います．正常値は5〜10 cmH₂O（4〜8 mmHg）です．PEEPがかかっている場合にはPEEPの圧だけ高くなります．PEEPが5 cmH₂Oであれば5 cmH₂O高く表示されます．

> **Column　mmHg（Torr），cmH₂O，kPa（キロパスカル）**
>
> 血圧にはmmHg（Torr），中心静脈圧にはcmH₂Oが使われてきた．mmHgとは水銀柱という意味で，血圧計が水銀式であったことよりmmHgが使われ，中心静脈はcmH₂Oが慣習的に使われてきた．最近は，中心静脈圧もmmHgで表現される．
> 1 mmHg＝1.35 cmH₂O
> 1 cmH₂O＝0.74 mmHg
> 1 気圧＝101325 Pa＝760 mmHg

第3章　術中管理

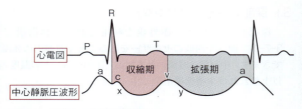

図3-7-10 正常な中心静脈圧波形
内頸静脈の拍動がプクプクして見えるのはこの拍動を見ている．波形にはa波，c波，v波がありaはatrial（右心房の収縮），cはclosure of tricuspid valve（三尖弁の閉鎖），v波はventricle（右室収縮終了時の三尖弁閉鎖による静脈環流）を意味している．巻末の文献13，p.115より作成．

2）心拍出量と肺動脈圧

①スワンガンツカテーテル（図3-7-11，表3-7-5）

　先端部にバルーンがついた肺動脈カテーテルで，1970年代にスワンとガンツが臨床使用を普及させたため，この名前がついています．心拍出量のほか肺動脈圧，肺動脈楔入圧，右房圧を測定できます．肺動脈楔入圧は左房圧を反映します．

　心拍出量を測定する場合は通常は熱希釈法という原理を用います．測定装置のスタートボタンを押した後，注入開始指示が表示されれば，0℃の5％ブドウ糖液（氷と水が混じった状態のもの）を5 mLまたは10 mL注入します．温度変化を感知して画面に熱希釈曲線が表示され心拍出量が表示されます．3回程度反復して，平均値を心拍出量として記録します．

　動脈圧ラインと肺動脈圧をモニターすると，体血管抵抗（SVR）や肺血管抵抗（PVR）の計算が可能になります．循環変動の場合，体液の出入り（出血）が激しい場合，心機能が悪い場合などではSVRやPVRが全身管理の指標として使用できます．

【挿入部位】
　内頸静脈．

【適応】
　ショック状態，肺高血圧の術中管理，坐位手術の空気塞栓に対する対処．

A) スワンガンツカテーテルの構造

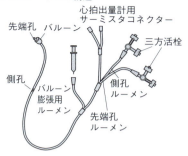

B) スワンガンツカテーテル挿入時の圧変化

バルーンを膨らませて閉塞すると、前方の左房の圧が伝わってくる。閉塞したままにしておくと、肺梗塞になる。

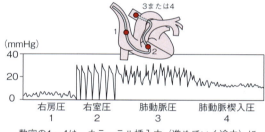

数字の1～4は、カテーテル挿入中（進めていく途中）に、先端孔の位置が図の位置にあるときに表示される波形。

図3-7-11　スワンガンツカテーテル

②連続心拍出量（CCO）と混合静脈血酸素飽和度（SvO_2）

先端に酸素飽和度センサーがついているものでは混合静脈血の酸素飽和度（SvO_2）が測定できます。SvO_2は酸素濃度が一定であれば心拍出量の変化に一致して変動します。さらに、先端に特殊なサーミスタのコイル（通常の血液温を測定するもの以外に）がついたものでは、連続的に心拍出量を表示することができます。

3）中心静脈血酸素飽和度（$ScvO_2$）

中心静脈カテーテルの先端に酸素飽和度センサーがついているものでは、$ScvO_2$が測定できます。**正常値：70～80％**。

表3-7-5 スワンガンツカテーテルで得られる測定値とそれらから計算される値の正常値

略号	項目	計算式	正常値
HR	心拍数		80±10/分
CO	心拍出量		5±1 L/分
CI	心係数	CO/体表面積	3±0.5 L/分/m^2
SV	一回拍出量	CO/HR	65±5 mL
PAP	肺動脈圧 収縮期		20±5 mmHg
	拡張期		12±3 mmHg
	平均 (mPAP)		15±5 mmHg
PCWP	肺動脈楔入圧		10±2 mmHg
RAP (=CVP)	右房圧		6±2 mmHg
SVR	体血管抵抗	(mAP−RAP)×80/CO	1,200±200 dyne・秒/cm^5
PVR	肺血管抵抗	(mPAP−PCWP)×80/CO	150±50 dyne・秒/cm^5
SvO$_2$	混合静脈血酸素飽和度		60〜80%

4) 経食道心エコー (TEE) (図3-7-12, 図3-7-13)

食道にエコープローブを挿入して手術中の心臓を形態的に評価できます．体表面からのエコーに比較して肺の影響が少ないため心臓大血管の観察が容易です．やや侵襲的でプローブ挿入に伴う血圧変動や，無理な挿入に伴う食道穿孔に注意が必要です．

また，プローブの出し入れで気管挿管チューブを抜去して患者さんを危険にさらさないような配慮が必要です．プローブの挿入には*K-Y*ゼリーなどの潤滑剤とプローブカバーが必要です．

> TEEで観察するポイント
> 1. 血管内ボリューム（前負荷）
> 2. 心収縮能，拡張能
> 3. 局所壁運動異常（心筋壁の動き）
> 4. 弁，大血管の異常（逆流，異常血流を含む）
> 5. カテーテル類の位置
> 6. 空気や血栓を含む異常構造物

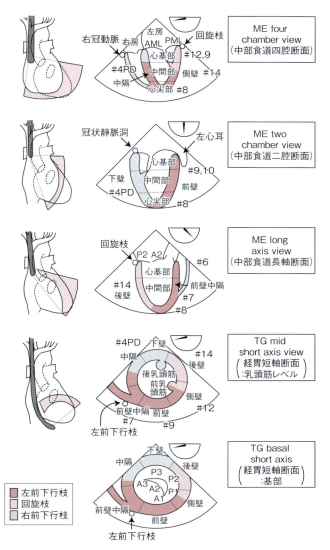

図 3-7-12 プローブの位置から捉える基本断面像
ME：中部食道，TG：経胃，AML：僧帽弁前尖，
PML：僧帽弁後尖．
巻末の文献13, p.121 より作成．

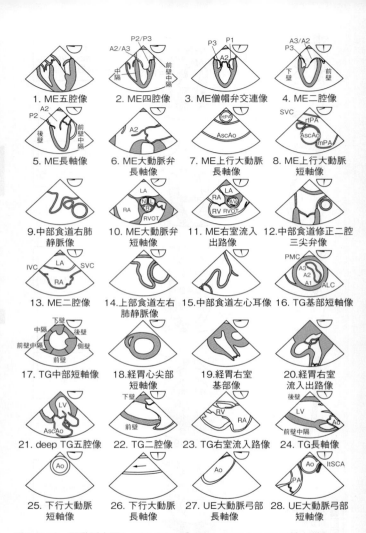

図3-7-13 冠動脈支配とASE/SCAガイドラインによる28の基本断面

ME：中部食道，TG：経胃，UE：上部食道，AV：大動脈弁，Ao：大動脈，AscAo：上行大動脈，N, L, R：大動脈弁の無冠尖，左冠尖，右冠尖，ltSCA：左鎖骨下動脈起始部，A1～3：僧帽弁前尖，P1～3：僧帽弁後尖，ALC：前外側交連，PMC：後内側交連，RVOT：右室流出路，rtPA：右肺動脈，mPA：肺動脈主幹部．
巻末の文献14より作成．

7 神経筋モニター

1）BISモニター（脳波モニター）（図3-7-14，図3-7-15，表3-7-6）

　脳波のパワースペクトル解析から鎮静の深度を知るモニターです．0〜100の数値で表現され，100で完全覚醒，0で脳波なし，60〜70で浅い鎮静深度，40〜60で適切な鎮静深度です．プロポフォールを使用する麻酔では，術中覚醒の検知によく利用されています．

　BISモニターのセンサーは**図3-7-14**のように貼ります．電極を貼る前に皮膚をスキンピュア（日本光電）やアルコール綿で拭いて角質を落とすときれいな波形が記録できます．皮膚と電極間の抵抗に精度が左右されると言っても過言ではないでしょう．抵抗

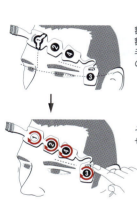

額の上に，左記のように斜めにセンサーを置く：額の中央（鼻橋のだいたい5 cm上）に❶を，眉毛のすぐ上に❹を，こめかみ（目尻と髪の生え際の間）に❸を置く

それぞれのセンサーのへりを押して確実に粘着させる

❶〜❹をしっかりと5秒間ずつ押さえる

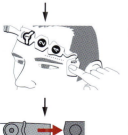

センサータブを患者のインターフェースケーブルに差し込む

図3-7-14　BISモニターのセンサーの貼り方

BIS	脳波を成分解析し，鎮静レベルに相当する指数を表示する
EMG	筋電図成分．70〜110 Hzの周波数帯域パワーをdBで表現したもの．これが0でない場合BIS値が高く表示される
SR	(suppression ratio) 60秒間で脳波が出なかった部分（平坦脳波）が出現した割合（%）
EEG	脳波の生波形
SQI	(signal quality index) 信号の信頼度：−は信頼なし．＋は信頼性あり．右にふれればふれるほどよい

図3-7-15　BISモニターとBISモニターに表示される情報

※亜酸化窒素，ケタミンなどでは大きな数値が表示される可能性がある．
※電気メスのノイズ，アーチファクト，筋電図混入時は高周波成分が混じるので正しい値が表示されないことがある．

表3-7-6　BIS値と鎮静状態

BIS値	鎮静状態	臨床的意味
100	覚醒	
80〜90	覚醒の可能性あり	軽度〜中等度鎮静
70〜80	強い侵害刺激に反応	覚醒に近く，中等度〜深い鎮静
60〜70	浅麻酔，健忘	術中覚醒の可能性は低いが否定できない
40〜60	中等度麻酔，意識なし	手術麻酔の維持に適している
<40	深い麻酔状態	バルビツレート昏睡，超低体温，burst and suppression
0	平坦脳波	

が大きい場合は，アラームが鳴ります．

BISモニターでは，BIS値を見るだけでなく波形に注目することが大切です．BIS値は波形を解析した結果が数値として表示されています．BIS値が低くなるつれて速波から徐波に変化（図3-7-16）します．適切な麻酔状態では，幅広で振幅の比較的大きい睡眠紡錘波が多数見られます（図3-7-17）．

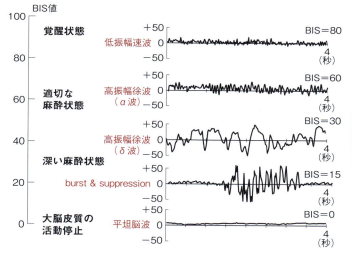

図 3-7-16　BIS値と脳波の関係
　巻末の文献28より引用.

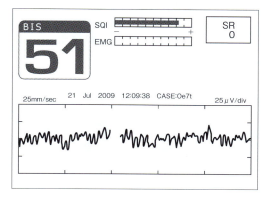

図 3-7-17　適切な麻酔管理時に見られる波形（睡眠紡錘波）
　睡眠が深くなったときに現れる少し遅い（10～12 Hz）脳波が0.5～2秒程度連続する.

2）エントロピー

エントロピーはGEヘルスケア社の麻酔モニターのモジュールとして提供されている，脳波モニターです．脳波から信号の不規則性を数値化したものでBISと解析方法が異なります．不規則なほど数値は高く，規則的なほど数値が低くなります．脳波は意識消失により不規則からより規則的なパターンに変化することを利用しています．術中にはBISと同様に麻酔の鎮静度の指標として用いられています．

エントロピーセンサーは図3-7-18のように貼付します．センサー装着のポイントは左右の大脳半球をまたがないこと，眼輪筋を避けて（筋電図の混入を避ける）貼付すること，髪の毛を巻き込まないことです．

【波形や数値の読み方】（図3-7-19）

麻酔中の鎮静深度が深くなればREとSEは共に減少します．脳波波形は，徐波の割合が増加します．全身麻酔中の推奨範囲は40〜55です（BISは40〜60）．推奨範囲以下では，睡眠紡錘波が観察されます．必要以上に深い鎮静になれば，平坦脳波が増加しBSRが上昇します（推奨範囲では0）．筋弛緩が不十分な状態で，REとSEは解離（筋電図活動増加）しRE-SE＞5となれば鎮痛が不十分とされます．また，麻酔覚醒時や鎮静深度が浅くなる場合にはRE上昇が先行するためSEと解離します．

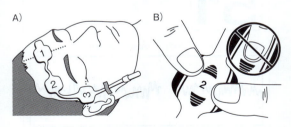

図3-7-18　エントロピーセンサー：エントロピーセンサーの貼り方

はじめに，センサー貼り付け部の皮膚を付属の紙やすりで軽くこすることで，皮脂を落とす．アルコール綿で拭き取る．
A) 前頭部にセンサーを装着：①部分を前頭部の中央かつ鼻から約4cm上の位置に付け，③部分を目尻と生え際の間のこめかみの位置に付ける．
B) 確実に接着するように端を押さえる．BISセンサーとは異なり，センサーの中心を押してはいけない．

（図提供：GEヘルスケア・ジャパン株式会社）

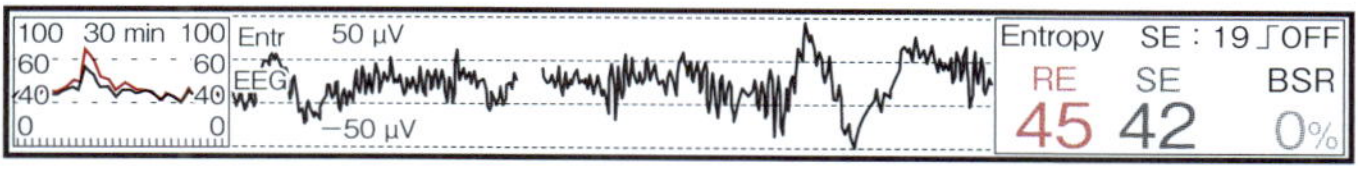

図3-7-19 エントロピーとモニターに表示される情報

左:30分間のトレンドグラフ，中:脳波形，右:エントロピー数値情報の3つが表示される．
数値には，RE（Response Entropy）とSE（State Entropy），BSR（Burst supression ratio）がある．REは高い周波数帯（0.8～47Hz）で，脳波成分と（前頭部）筋電図成分が混在したもの，SEは低い周波数帯（0.8～32Hz）で脳波成分を反映したものである．BSRは1分間の平坦脳波の割合でBISのSRと同じである．REは0～100，SEは0～91で変化し，REは2秒ごとSEは60秒ごとに計算される．

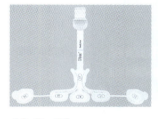

図3-7-20 RD SedLineセンサー
（画像提供：マシモジャパン株式会社）

3）SedLine

SedLineはMASIMO社のRoot多項目モニターの機能として提供されている，脳波モニター（脳機能モニタリング）です．脳波は，意識消失により不規則からより規則的なパターンに変化することを利用しています．術中にはBISと同様に麻酔の鎮静度の指標として用いられています．BISやエントロピーと大きく異なるのは，センサー貼付部位が片側ではなく両側であることです．また，右2チャンネル，左2チャンネルの計4チャンネルの脳波を同時記録することで脳機能の左右差の検出に有利と考えられます．脳波は，脳虚血により鋭敏に抑制されることが知られており，SedLineは鎮静度の指標だけでなく脳虚血の検出に用いることが可能です．BIS値に相当するPSi（Patient State Index：患者状態指標）値で評価しますが，他の脳波モニターと同様に脳波のリアルタイム波形を確認する必要があります．

RD SedLineセンサー（図3-7-20）は図3-7-21のように貼付します．センサー装着のポイントは左右の大脳半球をまたがないこと，眼輪筋を避けて（筋電図の混入を避ける）貼付すること，髪の毛や眉毛を巻き込まないことです．

図3-7-21　RD SedLineセンサーの貼付部位

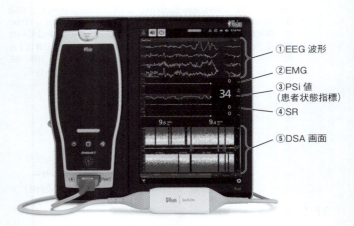

図3-7-22　SedLineで表示される情報
①脳波波形.
②EMG（筋電図）.
③PSi（Patient State Index：患者状態指標）値.
④SR（Supression ratio）. BISと同様.
⑤DSA（Density Spectral Array）.
脳波波形を解析し上部に左脳，下部に右脳の脳波を周波数で色分け表示.
（画像提供：マシモジャパン株式会社）

【波形や数値の読み方】（図3-7-22）

画面の中段に表示されるPSi値と色分け表示のトレンドグラフは図3-7-23のような意味を持ちます.

麻酔中の鎮静深度が深くなればPSi値は減少します. 脳波波形は, 徐波の割合が増加します. 全身麻酔中の推奨範囲は25〜50です（BISは40〜60）. 推奨範囲以下では, 睡眠紡錘波（p.143：図3-7-17参照）が観察されます. 必要以上に深い鎮静になれば, burst suppressionが増加しSRが上昇します（推奨範囲では0）.

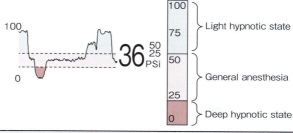

色	PSi値	意味
黄	PSi＞50	軽い鎮静/麻酔レベル（覚醒の可能性）
緑	25≦PSi≦50	適切な全身麻酔レベル
青	PSi＜25	深すぎる麻酔レベル burst suppression

図3-7-23 PSi値の読み方

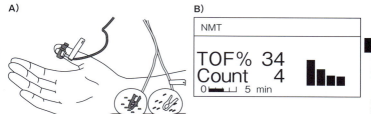

図3-7-24 筋弛緩モニターのセンサーの装着（A），モニター画面に表示されたTOF比（B）

尺骨神経の遠位にマイナス（黒または茶），近位にプラス（白）の電極を貼り付ける．同側手の母指（腹側）にセンサーを装着する．
母指内転筋の動きをセンサーで検知する．センサーのない場合は，刺激側の母指に触れて触覚でTOFの反応を検知する．

4）筋弛緩モニター

尺骨神経上に電極を装着し（図3-7-24），神経を刺激して母指内転筋の筋収縮反応を見ます．筋弛緩薬は神経筋接合部に作用するので，神経を刺激して筋肉の反応を見ることで，その作用を判定できます．麻酔中の筋弛緩の程度を判定する目的と麻酔覚醒時の筋弛緩の残存を判定する場合に有用です．麻酔中にはTOF

表3-7-7 臨床上で目標とする値

		TOFカウント	TOF比
麻酔導入（気管挿管時）		0/4	0
麻酔維持			
筋弛緩薬追加	通常	3/4以下	0
	開腹 頸部手術など	2/4以下	
	深い筋弛緩	PTC5以下	
筋弛緩の拮抗			
アトワゴリバース		4/4	0.4以上
ブリディオン2 mg/kg		2/4	
ブリディオン4 mg/kg		PTC 1-2	
抜管時		4/4	1.0以上

カウントの4発目が出なければTOF比は0．

(train of four) というモードで使用します．TOFは2 Hzの頻度で4回刺激を行い反応回数（TOFカウント）を見ます．4回刺激して4回とも反応する場合には，1番目の反応に対する4番目の反応の比（TOF比：train of four ratio）を評価します（表3-7-7）．TOF比はT_1とT_4の比を表し，TOF％はTOF比を％表示にしたものです．

神経刺激装置のみの場合には，母指の動きを目で見るか手で感じて評価しますがTOF比は不正確です．神経刺激装置に母指につける加速度センサーがあるものでは，モニター画面にTOF比を数値として表示できます．4回刺激で1〜3回の反応が外科手術で求められる筋弛緩の状態で，4発目が出現するようであれば，筋弛緩薬の追加が必要です（図3-7-24B, 図3-7-25）．また，手術室退室前にはTOF比が1.0（TOF％が100％）以上必要です．

麻酔覚醒前に筋弛緩の残存を見るには50 Hzのテタヌス刺激を用いてフェードを見ます．フェードとは強く収縮した後刺激を続けているにもかかわらず収縮が保てない状態です．5秒以上フェードを観察しなければ筋弛緩の残存はありません．テタヌス刺激は加速度センサーのないもの（母指の動きを見ることだけ）でも目で観察することができます．

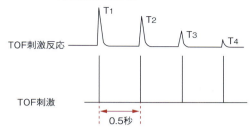

図3-7-25　TOF刺激とTOF比 (train of four ratio)

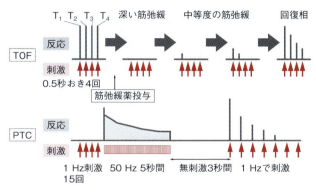

図3-7-26　PTC (post-tetanic count)
　はじめに1Hzで15回刺激し，反応が出ない場合に（出た場合はテタヌス以後の刺激は行わない），50Hz，5秒間刺激を行った後3秒あけて1Hzのtwitch刺激を15回行う．何回反応があったかをカウントする．一連の刺激とカウントは，PTCボタンを押せば自動的に行われる．

【深い筋弛緩状態の確認】

　PTCとはPost tetanic countの略で，TOFカウントが0/4（TOF刺激には全く反応しない深い筋弛緩）のときに用いる指標．

　50Hz，5秒間のテタヌス刺激を行った後，3秒あけて1Hzで刺激をしたときに収縮が出現する回数のこと（図3-7-26）．この回数でPTCが1なら10分以内にTOFのT_1が出現する．5なら3〜4分で，7ならまもなくT_1が出現することが予測できる．

8 筋電図方式の筋弛緩モニター

これまでの加速度方式，メカニカル方式に加えて，筋電図方式の筋弛緩モニターが各社（GEヘルスケア社，日本光電工業社，フクダ電子社）から発売されています（図3-7-27，図3-7-28）．筋電図方式は，末梢神経に与えた電流に対する刺激の機械的応答による筋電図を検出して筋弛緩薬による神経-筋ブロックの程度を知る方法です．刺激のモードに関してはすべての方式で共通です．

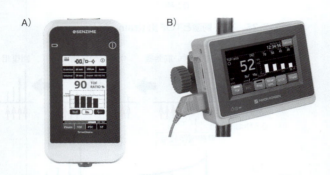

図3-7-27　筋電図方式の筋弛緩モニター
画像提供：フクダ電子株式会社（A），日本光電工業株式会社（B）

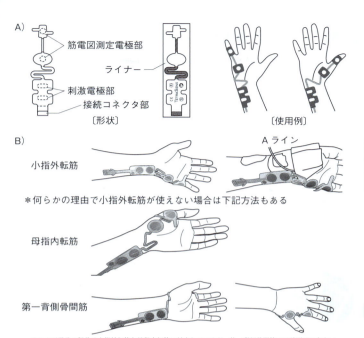

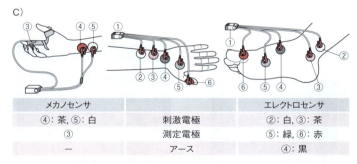

メカノセンサ		エレクトロセンサ
④:茶,⑤:白	刺激電極	②:白,③:茶
③	測定電極	⑤:緑,⑥:赤
―	アース	④:黒

図 3-7-28 筋電図方式の筋弛緩モニターの電極とセンサの貼付位置[64]
A）フクダ電子社製電極貼付部位，B）日本光電社製電極貼付部位，C）GE社製電極貼付部位．
C）左：圧電素子方式（メカノセンサ），右：筋電図方式（エレクトロセンサ）．
（圧電素子方式）メカノセンサ注意点：刺激電極は尺骨神経に沿って貼る．③のセンサが示指と母指にしっかりと沿うようにセットする．テープはイラストのように1箇所のみで固定して，母指の動きを妨げないようにする．
図提供：フクダ電子株式会社（A），GEヘルスケア・ジャパン株式会社（C）

9 TOF-Cuff 筋弛緩モニター

TOF-Cuff筋弛緩モニターは，電極を内蔵したカフ（マンシェット）を上腕（尺骨神経）または下肢のくるぶし（後脛骨神経）に巻くことで筋弛緩のモニターと血圧測定が可能です（図3-7-29）．TOF-Cuff筋弛緩モニターは，オートパイロットモードを備え，麻酔導入から麻酔覚醒前までのすべての時期で，筋弛緩の深さに応じたモードに自動的に切りかえて筋弛緩モニタリングを行うことができます（図3-7-30）．

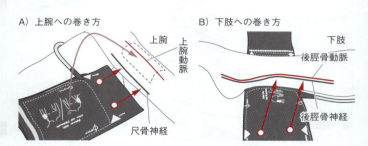

図3-7-29　TOF-Cuffセンサーのカフの巻き方

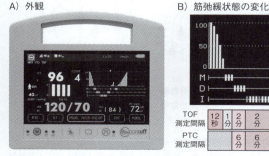

図3-7-30　TOF-Cuff筋弛緩モニター

A）外観．B）上段（浅い筋弛緩）：0〜100％のTOF比の確認が可能．下段（深い筋弛緩）：M, D, IはTOFが出ないときの表示．
M（modelate）：TOFカウントのみ．D（deep）：TOF＝0, PTC≧1．I（intense）：TOF＝0，PTC＝0．
（画像提供：アイ・エム・アイ株式会社）

10 カフ圧のモニター

カフ圧計（図3-7-31）

特に笑気を使用した麻酔や長時間手術では気管チューブのカフ圧を調節することは有用です．気管粘膜に加わる圧が静脈圧より高くなると気道粘膜の浮腫が起こり抜管後の気道閉塞の原因になります．気管挿管ではカフ圧は 20 cmH$_2$O を超えないように管理しましょう．

11 自動カフ圧コントローラ：SmartCuff®

気管内チューブのカフ内圧を自動制御する機能をもつ自動カフ圧計（図3-7-32）．カフ内圧の変化や接続はずれがあればアラーム機能が働きます．カフ圧は 20～30 cmH$_2$O が基準です．マイクロカフでは 10 cmH$_2$O とします．

図 3-7-31　カフ圧計

図 3-7-32　**自動カフ圧計**
自動カフ圧コントローラー SmartCuff®（スマートカフ）
（画像提供：スミスメディカル・ジャパン株式会社）

12 手術室内検査(血液ガス分析, 電解質, 乳酸など)

手術室で行う血液ガス分析装置では, 血液ガス分析, Na, Cl, K, Caなどの電解質, 血糖値, 乳酸値やHb (Ht) が測定できます (表3-7-8).

酸塩基平衡を見たい場合は, pH, $PaCO_2$, HCO_3^-, BEに注目します.

PaO_2で酸素化の評価 (p.133:コラム「P/F比」参照), $PaCO_2$で換気能の評価 (p.100:コラム「CO_2をコントロールするには」参照), Lactate (乳酸) は組織の酸素需給の指標 (組織の虚血で上昇), Hb (Ht) で貧血の有無を確認できます.

表3-7-8 血液ガス分析, 電解質, 乳酸などの正常値

データ	正常値
pH	7.35〜7.45
PaO_2	80〜100 mmHg (酸素濃度21%の場合)
$PaCO_2$	35〜45 mmHg
HCO_3^-	22〜24 mmol/L
BE	−2〜+2 mmol/L
Na	135〜145 mEq/L
Cl	95〜105 mEq/L
K	3.5〜4.5 mEq/L
Ca	9〜11 mg/dL
Lactate	3〜15 mg/dL
BS	80〜100 mg/dL
Ht	40〜50%

mg/dl (現行単位) → mmol/l (si単位) の換算係数は0.111.
ca:1.0〜1.2 mmol/l, lactate:0.33〜1.6 mmol/l

第3章 術中管理

8. 手術体位・体位変換

> **Point**
> ❶各手術体位の合併症を理解して，合併症を起こさない体位を工夫します
> ❷手術内容の把握をすると麻酔についてもよく理解できます

1 手術体位（図3-8-1）

手術体位には，仰臥位，頭低位，甲状腺位，砕石位（高砕石位，低砕石位），側臥位，半側臥位，腎体位，腹臥位，膝胸位，坐位，半坐位，ビーチチェア，パークベンチなどがあります．いずれの体位の場合も以下の方針で臨むのが原則です．

1. 良肢位（苦痛でない肢位）
2. 十分なクッションを用意して硬い器具に直接，体の一部が当たったり圧迫することがないように注意
3. 体位が呼吸や循環に影響を及ぼさないかチェック
4. 術野が十分に展開できること
5. 麻酔管理がきちんと行えるよう観察しやすいこと

4を優先しますが，5とは相反します．しかし，きちんとした麻酔管理を行うためには工夫をすることが必要です．手術術式により手術体位が決定されます．基本的には術者が手術しやすい体位を選択しますが，患者因子に問題がある場合には，麻酔科と手術担当科での話し合いで体位の変更もあります．体位とそれによる合併症については，「チェックシート 手術体位により生じやすい合併症」（p.157参照）にまとめました．

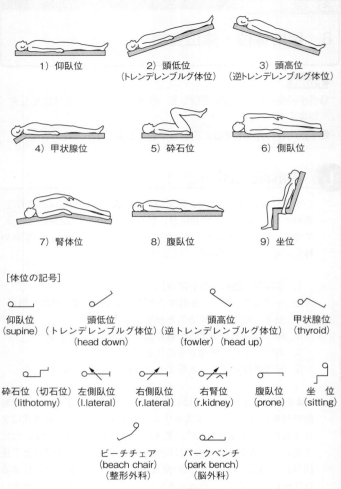

図 3-8-1 手術体位

✅ チェックシート

手術体位により生じやすい合併症

- [ ] 仰臥位
  - **腕神経叢麻痺** → 上肢を90度以上挙上（外転，外旋）させた体位を避ける，頭部側屈による腕神経の過伸展を避ける
  - **橈骨，尺骨，正中神経麻痺** → 手術台による圧迫を避ける
  - **腓骨神経麻痺** → 下肢の無理な外転を避ける，過伸展を避ける（膝窩にクッション）
- [ ] 頭低位（トレンデレンブルグ体位）
  - **拘束性換気障害** → 換気をチェック（十分な換気を確保）
  - **気管チューブの位置移動**
  - 脳圧，眼圧の上昇
  - 顔面うっ血，血圧上昇
- [ ] 甲状腺位（肩枕）
  - **気道のトラブル** → 気管チューブの固定（位置確認）
  - **頸椎過伸展** → 無理な頸椎過伸展を避ける
- [ ] 砕石位
  - **腓骨神経麻痺（尖足），坐骨，大腿，閉鎖神経麻痺，足受けによる圧迫（褥瘡）** → クッションを十分に左右対称にして無理な力がかからないようにする
  - **体位変換時の低血圧（特に高砕石位）** → 片足ずつ降ろす（血圧低下に対応できる準備）[※]
- [ ] 側臥位
  - **下側四肢の圧迫** → 腋窩，膝間にクッション
  - **拘束性換気障害** → 換気をチェック（十分な換気を確保）
  - **体位変換時の低血圧** → ゆっくり体位変換（血圧低下に対応できる準備）[※]
  - **顔面圧迫** → 顔面圧迫部をチェック（特に眼球，耳，鼻）
  - **気道のトラブル** → 気管チューブの固定（位置確認）
- [ ] 腎体位
  - **腎部挙上による圧迫** → 十分なクッション
  - **拘束性換気障害** → 換気をチェック（十分な換気を確保）

- ☐ 腹臥位，膝胸位
  - **気道のトラブル** → 気管チューブの固定（位置確認）
  - **顔面圧迫** → 顔面圧迫部をチェック（特に眼球，鼻），目や鼻に圧迫がかからないようなクッション
  （圧迫はひどいときには圧挫傷となる）
  - **眼球圧迫** → 視神経虚血（失明）を避ける
- ☐ 坐位（p.241：「memo 坐位手術」参照）
  - **空気塞栓** → スワンガンツカテーテル挿入（空気吸引），$EtCO_2$モニター，食道聴診器，経食道心エコー
  - **下肢のうっ血** → 下肢に弾力包帯
- ☐ ビーチチェア位（肩手術時の体位）
  - **脳梗塞** → 平均血圧を高めに維持（脳低灌流を防止）
  - 血圧測定部位より頭部が高い位置にあることが問題！

※）輸液，昇圧薬などを準備し，片足ずつあるいはゆっくり血圧を測定しながら数分かけて降ろす．

memo 仰臥位の肺機能の変化

仰臥位では肺活量（%VC）は10％減少し，機能的残気量（FRC）が低下する．麻酔時にはさらに筋緊張が低下するので，肥満患者や腹部膨隆患者ではFRC＜VCとなり無気肺を作りやすくなる（図3-8-2）．

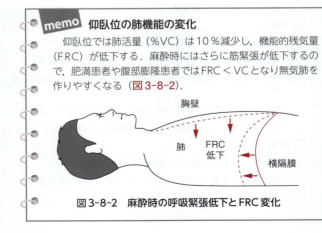

図3-8-2 麻酔時の呼吸緊張低下とFRC変化

2 体位変換後の異常

1）呼吸，循環の異常

①血圧低下，徐脈
- 全身麻酔時の体位変換（血圧上昇，頻脈は全身麻酔が浅い）
- ハイポボレミア，ハイポキシア，四肢麻痺，脊損（頸損），低栄養状態患者の体位変換
- 心不全（起坐呼吸）の体位変換
- 寝たきり患者の体位変換
- 広範囲脊椎麻酔，硬膜外麻酔後
- 妊娠末期や巨大腹部腫瘍の体位変換
- 砕石位から仰臥位への体位変換
- 腎体位や腹臥位，膝胸位（ジャックナイフ体位）後

②呼吸抑制，呼吸状態悪化
- 腹臥位や頭低位（肺・胸郭のコンプライアンス低下）後
- 著しい肥満患者の仰臥位

2）輸液ルート，気管チューブ，モニターのはずれ
- 輸液ルートのはずれでは，出血，薬剤投与ルートの確保困難
- 気管チューブでは，気道閉塞，片肺挿管，分泌物のたれ込み
- モニターのはずれでは，異常値

3）神経麻痺，眼球圧迫，褥瘡

「チェックシート 手術体位により生じやすい合併症」（p.157）参照．

✓ チェックシート

ベッド移動，体位変換時の確認点

- [ ] <u>ルート</u>（動脈，静脈），気管チューブ
- [ ] 尿道カテーテル（<u>バルーン</u>）
- [ ] 硬膜外カテーテル（<u>エピ</u>）
- [ ] <u>ドレーン</u>
- [ ] モニター（<u>ケーブル</u>），マンシェットの<u>ホース</u>

※）ルート・バルーン・エピ・ドレーン・ケーブル・ホースと覚える

第3章 術中管理

9. 手術侵襲・手術内容と進行状況の把握

> **Point**
> ❶手術侵襲によって生じる生体反応を理解する
> ❷手術内容や進行状況に応じて麻酔レベルを調節する

1 手術侵襲

　麻酔科医の仕事は，手術を受ける患者の全身管理です．特に，手術侵襲から患者を防御することが麻酔科医の役割です．手術侵襲が加わると生体は恒常性を維持するために，神経系・内分泌系を中心に防御反応を示します．表3-9-1のような変化が，生体内では生じていることを知る必要があります．

表3-9-1　手術侵襲がもたらす生体反応

生体反応	原因
心拍数 ↑	アドレナリン，ノルアドレナリン放出
心収縮力 ↑	アドレナリンβ刺激により
血管収縮	ノルアドレナリンのα作用により血管収縮
循環血液量 ↑	ADH（抗利尿ホルモン）の上昇や，レニン-アンギオテンシン系の賦活で水・Naの再吸収が促進
心拍出量 ↑	心拍数↑と心収縮力↑による
循環の中心化	血管収縮は末梢血管で起こる
尿量減少	出血や血圧低下で腎血流低下，循環血液量↑の理由
体液貯留	上記＋サードスペース増大
血糖値 ↑	インスリン抵抗性ホルモン↑（外科的糖尿病）
凝固・止血能 ↑	出血による凝固因子の活性化，血小板の粘着や凝集炎症性サイトカインによって白血球の浸潤や粘着，血栓形成
換気量・呼吸数 ↑	精神的ストレスや侵害刺激などは呼吸中枢を刺激
疼痛・体動・逃避・覚醒反応	侵害刺激の持続的な入力

❷ 手術内容や進行状況の把握

　手術内容を把握しておかなければ，麻酔の流れをうまく作ることはできません．手術の流れや操作を知り，状況に合わせた対応を行う（図3-9-1）必要があります．手術操作をきちんと把握できるようになれば，麻酔についてよく理解できます．バランス麻酔におけるモニタリングと薬剤（図3-9-2）の知識に加えて，手術操作，麻酔効果，患者状態の変化を常に考えます（図3-9-3）．

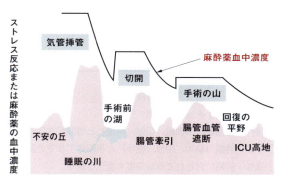

図3-9-1　手術操作を考慮した麻酔管理：手術操作で患者状態は変化する（巻末の文献25より）

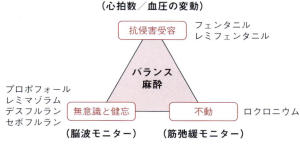

図3-9-2　モニタリングと薬剤

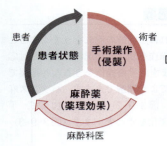

図3-9-3 麻酔管理時に考えるべき3項目
モニターで表示しているのは，手術侵襲が加えられ，麻酔でコントロールしている状態である．患者の状態のみではなく3項目の影響を合わせたものを表示している．

> ### ✓ チェックシート
>
> #### 手術操作の把握
> ☐ 術野を見て手術操作を認識
> ☐ 操作（周囲組織の剥離，切除，再建）と侵襲度を認識
> ☐ 手術の時期（前半，中盤，後半）と手術終了までの時間
> ☐ 操作・時期に合わせて麻酔深度を変化させる
> ☐ 手術操作とそれに伴う合併症を認識

10. 呼吸管理・循環管理の基本

> **Point**
> ❶呼吸管理では酸素化と換気，酸素運搬について考えましょう
> ❷循環管理では構成要素，臓器血流，循環維持目標について考えましょう

1 呼吸管理の基本
[「第3章-7-❸呼吸モニター」（p.127〜134参照）の理解のための解説]

呼吸管理では，**酸素化と換気は分けて考えます**．

1）酸素化と換気

酸素化とは，肺胞内の酸素が血液に移行することです．空気呼吸（吸入酸素濃度FiO_2 = 0.21）ではPaO_2 60 mmHg以上（SpO_2 90％以上）を目標とします．リアルタイムに連続的に酸素化を知るにはSpO_2でモニタリングします．SpO_2が低下する場合には血液ガス分析でPaO_2を測定して判断します．

酸素化が不良な場合は，まず吸入酸素濃度を増加させて対応します．全身麻酔中は，酸素濃度を空気呼吸より少し高め（FiO_2 = 0.3〜0.5）に管理しているので，PaO_2/FiO_2（P/F）を計算して判断します．P/Fの正常値は400〜500です．P/F≦300では，酸素化は悪い（軽度ARDS），P/F≦200では，酸素化は非常に悪い（中等度〜重度 ARDS）と判定します．200以下では気管挿管で人工呼吸管理を行うのがよいでしょう．

PaO_2 = 100 mmHgであってもFiO_2 = 1.0とFiO_2 = 0.33では意味が異なり，その判断にはP/Fを使います．PaO_2/FiO_2 = 100/1 = 100，PaO_2/FiO_2 = 100/0.33 = 300，とP/Fを用いて酸素化の良否がわかります．

換気とは，呼吸運動による肺での肺胞内の気体（肺胞気）と大気の交換を言います．

血液中のCO_2値は，動脈血ガス分析により$PaCO_2$を測定することでわかりますが，手術中はCO_2の産生が同じ状態であれば，人

工呼吸回路内に接続した呼気ガスモニターのEtCO$_2$でも類推できます．注意点は，呼気中から得られたEtCO$_2$と動脈血中のPaCO$_2$にどの程度の乖離があるかを知っておくことです．全身麻酔中の人工呼吸の換気で大切なことは**呼吸性アシドーシス（呼吸性アルカローシス）にならないように管理**することです．**換気異常（不適切な呼吸器設定）では酸素化と酸塩基平衡に直結（呼吸性アシドーシス，呼吸性アルカローシス）するためpH 7.35〜7.45（PaCO$_2$ 35〜45 mmHg）に維持することを目標とします．分時換気量（MV）＝一回換気量（VT）×呼吸回数（f）を調節して，常に正常化に努めます**［特にpH 7.2未満では臓器機能（細胞）の維持困難となるためpHは厳密に監視します］．

分時換気量とPaCO$_2$は，（理論的には）反比例します[※1, 2]．換気は，麻酔開始〜気管挿管〜麻酔維持〜抜管〜麻酔終了を通じて，自発呼吸→人工呼吸→自発呼吸と変化する中で，常にCO$_2$を正常域（pH正常域）に保つ管理が大切です．

※1）換気と酸塩基平衡
 CO$_2$(↑↓) + H$_2$O ⇔ H$_2$CO$_3$ ⇔ H$^+$(↑↓) + HCO$_3^-$

 呼気中のCO$_2$蓄積は，血液中でH$_2$Oと反応し，H$^+$を産生（上昇）してpHを低下させる（アシドーシス）ため，全身麻酔（呼吸管理）中のCO$_2$蓄積はpHを容易に低下させる．呼気中のCO$_2$減少（過換気）は，HCO$_3^-$を産生（上昇）してpHを上昇させる（アルカローシス）ため，全身麻酔（呼吸管理）中のCO$_2$減少はpHを容易に上昇させる．PaCO$_2$を正常域（35〜45 mmHg）に保つことが大切である．

※2）肺胞換気式より
 PaCO$_2$は分時換気量と反比例する．
 PaCO$_2$ (mmHg) = 0.863 × VCO$_2$ (mL/分) ÷ VA (L/分)
 PaCO$_2$：動脈血中二酸化炭素分圧，VCO$_2$：二酸化炭素産生量，VA：肺胞換気量≒分時換気量（MV）

［ワンポイント］
麻酔導入時（気管挿管時），麻酔維持中，麻酔覚醒時（抜管時〜抜管後）の下手な呼吸管理により呼吸性アシドーシス（呼吸性アルカローシス）にしない．

2）酸素運搬

肺から取り込まれた酸素は，血液中ではヘモグロビン（Hb）と結合して運搬される結合型酸素と，血漿中に溶解して運搬される溶存型酸素があります．

$SaO_2 = HbO_2 \div (HbO_2 + HHb) \times 100$（％）

HbO_2：酸素化ヘモグロビン，HHb：還元型ヘモグロビン

（p.128：図3-7-3参照）

3）DOPE

人工呼吸中の患者の呼吸異常はDOPEの順に考えよ！

- Displacement 位置異常
- Obstruction 閉塞
- Pneumothorax 気胸
- Equipment failure 機器異常

気管チューブの位置異常とは，片肺挿管，食道挿管，事故抜管など入っていないか，異常な位置にあることが原因です．閉塞とは，気道の閉塞（舌根沈下だけでなく痰などによる気管支や肺胞の閉塞），気管チューブの閉塞，蛇管の閉塞などのあらゆる閉塞を考えます．圧外傷などによる気胸のほか，最後に人工呼吸器や麻酔器の異常，モニターの異常などを想起します．想起する順番を間違えないようにしましょう．

2 循環管理の基本

1）血液循環とは

血液は重要臓器や各組織（細胞）へ酸素・栄養を供給し不要物（生成物）を除く役目をしています．心臓（ポンプ），血液（水），血管（ホース）から構成されています．手術中（麻酔中）は，重要臓器への酸素供給を絶え間なく維持するために，**循環の維持［ポンプで水をホースの行き着くところ（組織の隅々）まで送ること］**が重要です．

2）循環の指標

各臓器血流を維持するために，平均動脈圧＞65を組織血流維持の目標とします．**高血圧患者では，循環の維持にさらに高い血圧**

を必要とすることは言うまでもありません（p.214：図3-14-1参照：重要）．

3）循環の構成要素

血圧（BP）＝心拍出量（CO）×体血管抵抗（SVR）

血圧は，1分間に心臓から拍出される血液量（CO）と体血管抵抗（SVR）の積である．一般に，血圧を上昇させるには，心拍出量を増加させるか，血管を収縮させればよいことがわかる．しかし，体血管抵抗ばかりをむやみに上昇させると心臓からの拍出量が減少してしまう病態となることに注意する．

心拍出量（CO）＝一回拍出量（SV）×心拍数（HR）

心拍出量とは，1回に心臓から拍出される血液量と心拍数の積である（<u>1分間に心臓から拍出される血液量</u>）．

一回拍出量（SV）：**前負荷，後負荷，心収縮力**により構成される

前負荷 ≒ 左室拡張末期容量（LVEDV）≒ 静脈還流量（VR）
後負荷 ≒ 体血管抵抗（SVR）

前負荷とは，心臓の前にある静脈側の容量血管の満たされぐあい，後負荷とは心臓の後ろにある動脈側の抵抗血管のしまりぐあいを考えればよく，一回拍出量は，後負荷が一定であれば心臓内に血液を満たして（前負荷を上げて），心収縮力を保てばよい．前負荷が一定であれば，後負荷を軽減（動脈を拡張）して心収縮力を保てばよい．前負荷，後負荷が一定であれば，心収縮力を上げれば一回拍出量は増加する．

平均動脈圧（MAP）：各臓器の還流圧を反映する
MAP＝拡張期血圧（BPd）＋［収縮期血圧（BPs）－拡張期血圧（BPd）］×1/3
MAP＝1/3×収縮期圧（BPs）＋2/3×拡張期圧（BPd）

いずれの式も同じ意味である．

冠動脈圧＝拡張期血圧（BPd）－左室拡張末期圧（LVEDP）

冠動脈では拡張期に血液が流れるため，拡張期圧に大きく依存する．

4）管理目標（研修医レベル）

手術中のおおよその管理目標は下記のとおりです．

平均動脈圧（MAP）＞65 mmHg（最低でも60は切らない）

収縮期圧でなく，MAPで考える．年齢，合併症，手術内容により調整が必要．

心拍数（HR）＝60～100　リズムは整

AfなどではHRコントロールが重要．リズム不整は命取り．

5）麻酔中の循環維持を妨げるものとその対応

①出血，脱水，心疾患の存在
- 出血，脱水（術前からの脱水，術中の輸液不足による脱水）では，循環血液量の減少により前負荷の減少がある
- 心疾患では，心収縮力が低下しているものがある（老人など活動性の低下している患者は，心収縮力低下を念頭に置く）
- 出血や血液希釈によるHbや血中アルブミンの低下は，血漿中のオピオイドや静脈麻酔薬を増加させるため血管拡張や心収縮力低下を容易に引き起こす

②麻酔による循環抑制
- 吸入麻酔薬（セボフルラン，デスフルラン）には，血管拡張作用，心収縮力抑制作用がある
- オピオイド（特にレミフェンタニル，フェンタニル）には，強い徐脈作用や血管拡張作用がある
- プロポフォールには血管拡張作用があり血圧は低下する
- 脊髄くも膜下麻酔，硬膜外麻酔は交感神経遮断作用により血管拡張を起こして血圧低下作用がある．いずれも，高位（交感神経心臓枝レベル）まで拡がれば，徐脈と心収縮力を抑制し著明な血圧低下となることがある

③低血圧，徐脈への対応
危険な低血圧（緊急治療が必要）（表3-10-1）を避けます．

表3-10-1 危険な低血圧（緊急治療が必要）

高度の低血圧	平均血圧50 mmHg未満
急速な低血圧	出血，ショック，アナフィラキシーなど
高度徐脈，高度頻脈	40回/分未満，120回/分以上
高度不整脈	Af，VT，VF，多原性PVCなど
伝導障害	房室ブロック（Ⅱ，Ⅲ度）
ST変化	心筋虚血によるST変化
EtCO₂の異常低下	循環虚脱を意味
低酸素を伴う	

> ・低血圧：
> MAP＜60 mmHg
> 脈圧＜1/4×収縮期圧（sBP＝80 mmHgでは脈圧20未満）
> ・徐脈： HR＜50

1. 低血圧への対応
①麻酔薬や麻酔法，出血，脱水，心疾患が**循環の構成要素（前負荷，後負荷，心収縮力）に及ぼす影響により対応を変える**
②麻酔薬の減量や麻酔法の変更（麻酔方針の変更）
③輸液（輸血）→前負荷
④循環作動薬（昇圧薬）→心収縮力の増加（β作用），後負荷（α作用）

【循環作動薬（昇圧薬）での対応】
①エフェドリン，フェニレフリン（希釈して単回注入）
②ドパミン（α，β），ドブタミン（β）
③ノルアドレナリン（α＞＞β），アドレナリン（β＞α）

②，③は希釈して中心静脈から精密持続投与する（シリンジポンプ）．

①，②，③の順に使用するが，①で対応できない異常低血圧（高度低血圧）では，**ノルアドレナリン**を選択することが多い．
（p.407-412：「第6章-3-❶昇圧薬」参照）

2. 徐脈への対応
上から順に実施（p.412-413：「第6章-3-❷脈拍をコントロールする薬剤」参照）
①アトロピン（2Aまで）
②プロタノールL（アトロピン無効）
③一時ペースメーカー

第3章 術中管理

11. 輸液

> **Point**
> ❶術中輸液では，術前欠乏量，術中維持量，血管内液代償，術中不感蒸泄，サードスペースと術中喪失量を考慮して行います
> ❷輸血の適応には出血量の把握が必要で，出血量と患者リスクを統合的に判断して決定します

1 輸液（p.177：表3-11-2参照）

術中輸液の目標は以下の2つです．

1. 適正な酸素供給（心拍出量と酸素化の保持）
2. 正常な血清電解質・血糖の維持

そのため，**術中輸液には，細胞外液補充剤（酢酸リンゲル液あるいは乳酸リンゲル液）の投与を基本**に行います．1のためには「血管内ボリューム」あるいは「ボリューム」の保持が大切です．**細胞外液補充剤は，血管内に1/4しか残らず，血管外に3/4が移行することを知っている必要があります．また，代用血漿は，大半が血管内に残るので血管内容量を保持するには有利です．**

術中輸液は以下の5つを考える必要があります．

なお，（耐糖能が正常例では）**手術中に代謝できる糖はブドウ糖は2％未満**です．

1. 術前の欠乏量（絶飲食による脱水）と術中維持量
2. 血管内液代償
3. 術中不感蒸泄
4. サードスペース※
5. 術中喪失量（出血，腹水など）

※）サードスペース
細胞内液を第一，細胞外液を第二としたときに術中に生じる非機能的細胞外液のこと．機能的には組織の浮腫が考えられます．この浮腫は血管内容量増加には術中には関与しません．術後1〜数日で血管内に戻ってきます．

memo 輸液の分布

手術中に使用する輸液は，細胞外液補充剤や代用血漿剤［ヒドロキシエチルデンプン（ボルベン）など］がメインである．細胞外液補充剤は血管内に1/4，血管外（間質）に3/4が分布し，代用血漿剤は血管内に100％近くとどまる．すなわち，代用血漿剤は血管内に入れる輸液，細胞外液補充剤は間質と血管内に入れる輸液である．5％ブドウ糖や維持輸液剤（いわゆる3号輸液）は血管内，間質，細胞内に分布する．水分の分布割合としては，体重の60％が水分で，細胞内に40％，細胞外（血管内＋間質）に20％である．血管内に残りやすい順に代用血漿剤，細胞外液補充剤，維持輸液剤，5％ブドウ糖である．

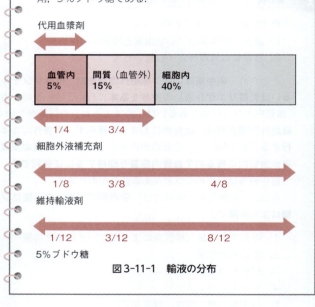

図3-11-1 輸液の分布

1）術前の欠乏量（絶飲食による脱水）と術中維持量

4-2-1ルールで計算します（1時間あたりの維持輸液量）（図3-11-2）．

体重10 kgまで　　　4 mL/kg/時間
体重10～20 kg　　　2 mL/kg/時間
体重20 kg以上　　　1 mL/kg/時間

・15 kgの場合
　10 × 4 + 5 × 2 = 50 mL/時間
・45 kgの場合
　10 × 4 + 10 × 2 + 25 × 1 = 85 mL/時間
　絶飲時間が12時間とすれば45 kgでは，85 × 12 = 1,020 mLの欠乏．
　術前の欠乏量は手術開始早期に補う必要があります．

2）血管内液代償

全身麻酔や局所麻酔は血管を拡張し血管容量を増加させるため，相対的な低血管容量状態になります．この状態を代償するため輸液が必要になります．**麻酔導入時の血管内液代償は5～7 mL/kg**

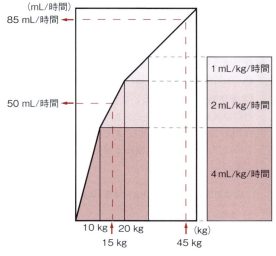

図3-11-2　4-2-1ルール

程度必要ですが,術後には麻酔の影響がなくなるので,過剰輸液が問題となります.**麻酔導入時には急激に血管が拡がりますので,比較的大量に必要ですが,いつまでも同じ速度で投与しないこと**です.

3) 術中不感蒸泄

0.5〜2 mL/kg/時間で細胞外液補充剤を投与します.

4) サードスペース

手術侵襲により異なります.小手術で1〜2 mL/kg,開胸,開腹術で4〜6 mL/kgとされています.

それに,以下の5)〜6)を加えます.

> **memo 制限的輸液戦略(restricted fluid therapy)**
>
> 最近では,輸液量のインオーバーを嫌う傾向があり,制限的輸液戦略として,出血がなくても膠質輸液(ボルベン)を6 mL/kg/時間程度で開始し,血管内ボリュームの維持を優先する輸液が好まれる.ボルベンは1日あたり50 mL/kgまで使用可能である.

5) 術中喪失量(出血,腹水など)

出血を細胞外液で補う場合には出血量の3倍を目安にします.輸血で補う場合には等量を,代用血漿剤では1.5倍を目安にしますが,数時間で排泄されるため注意が必要です.

【基本方針(合併症のない症例)】
循環血液量の10%以内の出血では,細胞外液補充剤を出血量の3倍,20%以内の出血には代用血漿剤を1.5倍加え,それ以上には出血量と等量の輸血と等量の細胞外液補充剤を投与します.

循環血液量=70 mL /kg×体重(kg)※

※)循環血液量
1. 成人　　:70 mL/kg×体重(kg)
2. 新生児:85 mL/kg×体重(kg)
3. 乳児　　:80 mL/kg×体重(kg)
4. 幼児　　:75 mL/kg×体重(kg)

6）その他

1）〜5）以外に発熱，熱傷，イレウス，嘔吐，下痢，術前からの出血などの場合，麻酔導入時までに補正を行わなければ，異常低血圧を引き起こします．

以上を考えて，**尿量が0.5〜1 mL/kg/時間を維持するように輸液**を行います．心機能や腎機能が正常な症例で，利尿薬が投与されていない状態では**尿量は輸液量の簡便なモニター**です．

利尿薬の安易な投与は，モニターを捨てることになります．

7）輸液量の評価

①インアウトバランス

術中のイン（輸液，輸血）とアウト（尿量，出血，腹水など）を合計しバランスを計算します．手術手技や手術時間，患者状態などにより，インアウトバランスが異なりますが，過去に合併症なく管理できている症例を参考にしてバランスを決めるのも一法です．術前の脱水や患者状態，手術術式を考慮することが大切です．

②中心静脈圧（CVP）

- **正常値：4〜8 mmHg**
- 中心静脈圧は，呼気終末で測定し，PEEP値は差し引く

CVP上昇：右心不全，輸液過剰
CVP低下：出血や脱水による循環血液量不足
であるが，血管内が満たされれば急激に上昇［直線的に変化しない！（図3-11-3）］

- **影響因子**：心拍出量と静脈還流量．心拍出量が増加すればCVPは小さく，静脈還流量が増えればCVPは大きくなります．また，胸腔内圧，循環血液量，麻酔薬，循環作動薬などの影響を受けます

③末梢動脈圧波形の人工呼吸中の呼吸性変動（動的指標）

SVV（stroke volume variance），**PPV**（pulse pressure variance），**SPV**（systolic pressure variance）で推定（人工呼吸時にのみ使用）できます．

輸液負荷により，SVV，PPV，SPVが低下すれば「輸液反応性がある」と表現します．

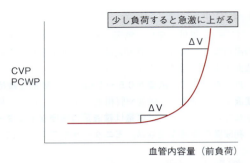

図3-11-3 静的指標の問題点

CVPでは血管内容量が多いのはわかるが,少ないのはわかりにくいためSV(一回拍出量),PP(脈圧),SP(収縮期圧)の呼吸性変動が血管内容量過少時の評価に使われます.動的指標値であるSPV,PPV,SVVが,それぞれ10 mmHg,15%,13%を超える場合には,静脈還流低下(血管内容量の不足)を示唆します(図3-11-4).前負荷が少なければ動的指標値は大きく,前負荷がある程度行われていれば動的指標値は小さい.動的指標の限界として,①人工呼吸(一回換気量8 mg/kg以上の陽圧呼吸)に限られる(自発呼吸は不可),②不整脈,低心機能,右心不全では使用不能の2つがあげられます.

④下大静脈径と呼吸性変動からの右房圧(中心静脈圧)推定

エコーで下大静脈を評価し,下大静脈径と呼吸性変動を観察します(表3-11-1).

> ### ■ SVV,PPVの限界とピットフォール
> ・陽圧換気時にかぎる(自発呼吸では難しい)
> ・一回換気量8mg/kg以上の一定の人工呼吸が必要
> ・不整脈では使用できない
> ・低心機能患者では使用できない
> ・右心不全では使用できない

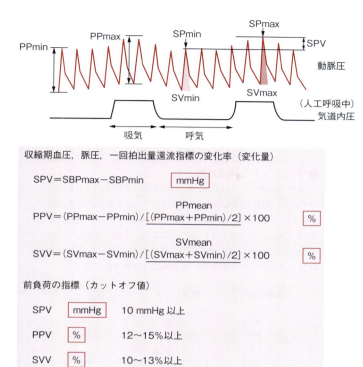

図 3-11-4　人工呼吸管理下（陽圧呼吸）での呼吸性変動（SPV, PPV, SVV）
巻末の文献56より作成

表3-11-1　下大静脈径と呼吸性変動からの右房圧推定

下大静脈径	呼吸性変動	推定右房圧
小（<15 mm）	虚脱	0〜5 mmHg
正常（15〜25 mm）	>50%	5〜10 mmHg
正常（15〜25 mm）	<50%	10〜15 mmHg
拡大（>25 mm）	<50%	15〜20 mmHg
拡大＋肝静脈拡大	不変	>20 mmHg

「肺高血圧症治療ガイドライン（2012年改訂版）」より引用

> **memo** ボルベン,ヘスパンダー,サリンヘスと
> 低分子デキストラン
>
> ヒドロキシエチルデンプン（ボルベン,ヘスパンダーやサリンヘス）は血漿増量剤として使用できる.
>
> 低分子デキストランは,抗スラッジング作用があり出血傾向が出るので,末梢血管循環改善目的に用いる（血漿増量剤ではない）.半減期は2〜3時間である.

■ 点滴セットと輸液速度

通常の輸液セットは15滴＝1 mLあるいは20滴＝1 mLがほとんどである.微量点滴セットでは60滴＝1 mLである.微量点滴セットを使用して1秒に1滴の速度で落ちているとすれば,60秒で1 mL,60分で60 mL投与されていることになる.15滴＝1 mLの場合はその4倍で,20滴＝1 mLであれば3倍である.「あいうえお」と声に出して速く言ってみると言い終わったときが1秒である.

微量点滴セット　　輸液セット　　フィルターつき輸血セット

点滴筒

60滴＝1 mL　　20滴＝1 mL　　15滴＝1 mL

図3-11-5　点滴セットと輸液速度
微量点滴セットは輸液が落ちるところが針のように細くなっている.

8）麻酔中に使用する輸液剤（表3-11-2）

表3-11-2 電解質補液剤の組成（mEq/L）500 mL輸液剤

	浸透圧	Na	K	Cl	Lac	Ca	Mg	P	糖（%）	Cal
細胞外液補充剤										
生理食塩水	1	154	0	154	0	0	0	0	0	0
リンゲル液	1	147	4	156	0	5	0	0	0	0
ラクテック ハルトマン	1	130	4	109	28	3	0	0	0	0
ヴィーンF	1	130	4	109	A28	3	0	0	0	0
フィジオ140	1.1	140	4	115	A25	3	2	0	5（1%）	20
ビカーボン	1	135	4	113	B25	2	1	0	0	0
ポタコールR	1.5	130	4	109	28	3	0	0	M25（5%）	100
ハルトマンD ラクテックD ソルラクトD	2	130	4	109	28	3	0	0	G25（5%）	100
ラクテックG	2	130	4	109	28	3	0	0	S25（5%）	100
ヴィーンD	2	130	4	109	A28	3	0	0	G25（5%）	100
細胞外液増量剤（代用血漿）										
ボルベン サリンヘス	1	154	0	154	0	0	0	0	H30	0
ヘスパンダー	1	105	4	92	20	0	0	0	G5(1%),H30	20
維持液（3号液）										
ソリタ-T3号 ソルデム3A	1	35	20	35	20	0	0	0	G21.5（4.3%）	86
アクチット	1	45	17	37	A20	0	5	10	M25（5%）	100
EL-3号	2	40	35	40	20	0	0	15	G25（5%）	100
ヴィーン3G	1.5	45	17	37	A20	0	5	10	G25（5%）	100
フィジオ35	2〜3	35	20	28	A20	5	3	10	G50（10%）	200
フィジオゾール3号	2〜3	35	20	38	20	0	3	10	G50（10%）	200
開始液（1号液）										
ソリタ-T1号	1	90	0	70	20	0	0	0	G13（2.6%）	52
フィジオ70	1	70	4	52	A25	4	0	0	G12.5（2.5%）	50

G：グルコース（ブドウ糖），M：マルトース，S：ソルビトール，A：acetate（酢酸），B：重炭酸，Lac：乳酸，浸透圧：生理食塩水を1としたときの浸透圧比，H：ヒドロキシエチルスターチ．
糖は500 mLあたりのグラム数．
ボルベンは130,000 Da，サリンヘスとヘスパンダーは70,000 Daの分子量．

9）電解質・血糖・pHの補正

①術中のKの補正

1．低K血症（3 mEq/L以下）の補正

- 目標4 mEq/Lとする
- K.C.L.は必ず希釈してできるだけ中心静脈から投与
- 20 mEq/時間以下で投与

※必ず指導医に希釈と投与法を確認

アスパラカリウム　　　　　　　**L-アスパラギン酸カリウム**
ASPARA potassium（10 mL）　　*L-asparate potassium*

- 1 mEq/mL（10 mEq）カリウムとして
- 末梢静脈から投与可能であるが，太い血管から1 A（10 mEq）を100 mL以上に希釈して30分以上かけて

KCL　　　　　　　　　　　　　**塩化カリウム**
（20 mL）　　　　　　　　　　　*potassium chloride*

- 2 mEq/mL（40 mEq）カリウムとして
- 1 Aを500 mLで希釈して，1〜2時間以上かけて中心静脈から点滴静注

> カリウムは
> 速度 0.4 mEq/kg/時間以下
> 濃度 40 mEq/L以下
> 1日4 mEq/kg/日以下

2．高カリウム血症（5.5 mEq/L以上）の補正

①カリウムを含まない輸液（生食，ソリタ-T1号）に交換
②塩化カルシウム＋メイロン＋利尿薬
- $CaCl_2$（塩化カルシウム10％）20 mLを10〜20分かけて静注
- メイロン（7％）60 mLを10〜20分かけて静注

【注　意】メイロンと塩化カルシウムは同一経路から投与しない

- ラシックス1/2A静注

③GI療法
50％ブドウ糖50 mLにインスリン10単位（0.1 mL）入れ約1時間（シリンジポンプで）投与

②血糖の管理

高血糖は脳や脊髄の虚血時には,虚血を助長するので厳密な管理が必要になります.

80～180 mg/dLの範囲内で管理できることを目標とします (80～150 mg/dLという意見もあります).高血糖であれば,積極的にインスリンとブドウ糖を使用して管理します.

③メイロンによる代謝性アシドーシスの補正

代謝性アシドーシスの時には,炭酸水素ナトリウム(メイロン)で重炭酸塩を静注して補正をすることがあります.基本はBEの半分を補正します.BE＜－10で開始するのが通常です.

メイロン7％では,17 mEq/20 mL,メイロン8.4％では20 mEq/20 mLです.

補正式

[HCO_3^-](mEq)不足分＝0.25 × BE ×体重(kg)

この**半分**のメイロン(mEq)を静注します.

CO_2 が産生されるので,CO_2 の上昇に注意(分時換気量を一時的に変化させる必要あり).

メイロンによる補正は,血液ガス分析のBEを見ながら[HCO_3^-]の不足分の半補正をくり返す.

第3章 術中管理

12. 出血と輸血

> **Point**
> ❶出血量と全身状態の評価をする
> ❷各成分輸血製剤の開始の根拠を理解する

1 出血（特に大出血），ショック

　　出血は日本麻酔科学会麻酔関連偶発症調査によると「手術が原因」と回答された死亡の50％以上をしめており，大きな問題です．
　　危機的出血への対応ガイドライン（**裏表紙：後面⑤参照**）が出ていますので，日頃からチェックしておきます．

1）出血性ショックの所見とその根拠（表3-12-1）

表3-12-1　出血性ショックの所見とその根拠

①	頻脈	心臓へのカテコラミン作用による
②	脈の脆弱	低容量，末梢血管収縮のため
③	蒼白	皮膚の血管収縮と赤血球不足のため
④	冷汗	汗腺へのカテコラミン作用による
⑤	頻呼吸	低容量，低酸素，カテコラミン作用のため
⑥	口渇	低容量による枯渇中枢刺激のため
⑦	筋力の低下	筋組織の低酸素とアシドーシスのため
⑧	意識の異常（不穏，攻撃的，非協力的）	カテコラミン作用のため
⑨	意識の異常（元気がない，昏迷，意識低下）	脳の低酸素のため
⑩	尿量低下	低容量，腎血流低下のため
⑪	低血圧	代償作用の限界を超えた低容量状態
⑫	心停止	主として，冠血流の低下

巻末の文献60をもとに著者がまとめたものである．詳細は文献60を参照．

2) ショック治療の原則

①ショックの原因を断つ
出血なら止血,感染なら抗生物質投与,ドレナージを行います.
②VIP療法(表3-12-2)
これはアナフィラキシーショックにもあてはまります.

表3-12-2 VIP療法

Ventilation	→気道を確保 必要なら酸素投与,人工呼吸
Infusion	→輸血・輸液(細胞外液補充剤)を十分に
Pump	→心機能を保つ カテコールアミンなど適宜使用

3) ショックインデックス(表3-12-3)

表3-12-3 ショック・インデックス

shock index (S.I.) = 心拍数/収縮期血圧

S.I.	重症度	出血量
0.5〜1.0	軽症	約1,000 mLまで
1.5前後	中等度	約1,500 mL
2.0以上	重症	約2,000 mL以上

【例】
・脈拍数120,血圧60/40 mmHgのとき,
  shock index = 120回/60 mmHg = 2 → 2,000 mL
・脈拍数150,血圧50/30 mmHgのとき,
  shock index = 150回/50 mmHg = 3 → 3,000 mLの出血

4) 出血性ショックの症状(表3-12-4)

表3-12-4 出血の症状

【症状】			
喪失血液量	700 mL以下	1,000〜2,000 mL	2,000〜3,000 mL
症状	著変なし	蒼白,冷汗,口渇	体温低下,失見当識
脈拍(回/分)	70〜80	90〜100	130以上
血圧(mmHg)	100〜120	90〜100	70以下
CVP (cm)	5〜10	0〜5	−5〜5
【処置】			
①大血管の確保(上肢や頸部に!下肢は不可)が最も大切 ②輸液,輸血 ③昇圧薬(ドパミンなど) ④できれば,中心静脈圧測定			

5）急性出血後の血圧と輸血必要量（表3-12-5）

表3-12-5 急性出血後の血圧と輸血必要量
（急速輸液や昇圧薬に反応しにくいとき，以下を目安に輸血する）

血圧（mmHg）	輸血必要量（mL）
90 以下	1時間以内に500
80 以下	1,000
60 以下	1,500
40 以下	30分以内に1,500
血圧測定不能	2,000

［注］血圧が90 mmHg以上になったら輸血はゆっくりにする．
110 mmHg以上になったら輸血中止し，輸液に切り替える．

Htは31％，Hbで10.0 g/dLあたりがいちばんO_2運搬能に優れている．

6）サージカルアプガースコア（表3-12-6）

表3-12-6 サージカルアプガースコア（Surgical Apger Score：SAS）
術中の出血量，最低の平均血圧，最低のHRで手術患者の予後がわかる．

	0	1	2	3	4
出血量（mL）	>1,000	601〜1,000	101〜600	≦100	−
最低mBP（mmHg）	<40	40〜54	55〜69	≧70	−
最低HR(bpm)	>85	76〜85	66〜75	56〜65	≦55

点数	重篤な合併症	死亡
0〜2	75%	44%
3〜4	58%	16%
5〜6	28%	5%
7〜8	13%	2%
9〜10	5%	0.1%

［例］
出血量　　1,200 mL　→ 0点
最低mBP　45 mmHg　→ 1点
最低HR　　90 bpm　 → 0点
合計点　　SAS　　　= 1点

巻末の文献31より．

> **memo** 動脈血酸素含有量（CaO_2）
>
> すべてが輸液で代償できるわけではない．
> 常に，酸素運搬量＝心拍出量×酸素含有量を念頭におく．
> **動脈血酸素含有量（CaO_2）＝ Hb × 1.34 × SaO_2/100 ＋ 0.003 × PaO_2**
> HbとSaO_2が酸素含有量には大切である．PaO_2の影響は大きくなく，CaO_2はHbとSaO_2の積で決定される．

2 輸血

周術期の輸血は以下の指針を参考にします．[**血液製剤の使用指針**（平成31年3月 厚生労働省医薬・生活衛生局：https://www.mhlw.go.jp/content/11127000/000493546.pdf）]

1）術中輸血の指針

①術前投与

10/30ルール [Hb値 10 g/dL，ヘマトクリット（Ht）値 30％以上にすること]はエビデンスがありません．術前投与は，持続する出血がコントロールできない場合や，そのおそれのある場合のみ必要とされます．

②術中投与

・周術期貧血のトリガー値をHb値 7～8 g/dL．
・ただし，冠動脈疾患などの心疾患あるいは肺機能障害や脳循環障害のある患者では，Hb値を10 g/dL程度に維持する．
・心疾患，特に虚血性心疾患を有する患者の手術（非心臓手術）：Hb値を8～10 g/dLに維持．
・人工心肺使用手術による貧血：Hb値を9～10 g/dLに維持．
なお，**大量輸血（24時間以内に循環血液量の100％以上の輸血を行うこと）を行う場合または100 mL/分以上の急速輸血をするような事態**には，血液希釈による凝固因子や血小板数の低下のため，出血傾向が起こる可能性があるので，凝固系や血小板数の検査値および臨床的な出血傾向を参考にして，新鮮凍結血漿や血小板濃厚液の投与も考慮します．

③術後投与

急激に貧血が進行する術後出血の場合,外科的止血処置とともに赤血球液の投与を早急に行います.

収縮期血圧を 90 mmHg 以上,平均血圧を 60 mmHg 以上に維持し,一定の尿量(0.5〜1 mL/kg/時間)を確保できるように輸液・輸血の管理を行います(表3-12-5参照).

通常はHb値が7〜8 g/dL程度あれば十分な酸素の供給が可能ですが,冠動脈疾患などの心疾患あるいは肺機能障害や脳循環障害のある患者では,Hb値を10 g/dL程度に維持することが推奨されます.

なお,循環血液量に相当する以上の出血量が予想される場合には,可能であればあらかじめ**回収式自己血輸血**を試みるように準備します.

> 予測上昇Hb値(g/dL)=投与Hb量(g)/循環血液量(dL)
> (循環血液量:70 mL/kg)
> RBC 280 mL(400由来)のHb濃度は,約19 g/dL

さらに,循環血液量以上の出血量(24時間以内に100%以上)があった場合には,凝固因子や血小板数の低下による出血傾向(希釈性の凝固障害と血小板減少)が起こる可能性があるので,凝固系や血小板数の検査値および臨床的な**出血傾向を参考にして,新鮮凍結血漿(FFP)や血小板濃厚液の投与も考慮します**.この間,血圧・脈拍数などのバイタルサインや尿量・心電図・血算,さらに血液ガスなどの所見を参考にして必要な血液成分を追加します.

2) 輸血の種類

主な血液製剤は,表3-12-7にまとめました.

表 3-12-7 血液製剤の種類と目的

製品名	略号	容量	由来	適応	保存条件
人全血液-LR「日赤」	WB-LR	200 mL 400 mL	200 mL 400 mL	大量出血時	2～6℃ 採血後21日間
赤血球液-LR「日赤」	RBC-LR	140 mL 280 mL	200 mL 400 mL	Hb低下時	2～6℃ 採血後21日間
洗浄赤血球-LR「日赤」	WRC-LR	140 mL 280 mL	200 mL 400 mL	血漿成分，補体成分を投与したくないとき	2～6℃ 製造後48時間
解凍赤血球-LR「日赤」	FTRC-LR	実際の容量により算定	200 mL 400 mL	貧血または赤血球の機能低下	2～6℃ 製造後4日間
合成血液-LR「日赤」	BET-LR	150 mL 300 mL	200 mL 400 mL	新生児の輸血（ABO式血液型不適合）	2～6℃ 製造後48時間
新鮮凍結血漿-LR「日赤」	FFP-LR	120 mL 240 mL 480 mL	200 mL 400 mL 480 mL	血液凝固因子の補給，循環血漿量減少時，DIC，肝炎，熱傷など	-20℃以下 採血後1年間 解凍後3時間以内
濃厚血小板「日赤」	PC-LR	20 mL 40 mL 100 mL 200 mL 250 mL 250 mL	1単位 2単位 5単位 10単位 15単位 20単位	血小板減少時	20～24℃振盪保存 採血後4日間
濃厚血小板HLA「日赤」	PC-HLA	200 mL 250 mL 250 mL	10単位 15単位 20単位	通常の血小板製剤では効果が見られない血小板減少症	20～24℃振盪保存 採血後4日間

＊RBC：ヘマトクリット70～80％．
＊PC：1単位に$2×10^{10}$以上の血小板を含む．
＊新鮮凍結血漿-LR以外は照射済製剤もある．

■ 新鮮凍結血漿と血小板濃厚液

1．新鮮凍結血漿

【目的】

凝固因子の補充による治療的投与が目的．

【適応】

1）PTおよび/またはAPTTが延長している場合

①PTは（ⅰ）INRが2.0以上，（ⅱ）30％以下．

②APTTは（ⅰ）各医療機関における基準上限の2倍以上，（ⅱ）25％以下．

2）低フィブリノゲン血症（100 mg/dL 未満）の場合など
大量輸血時：希釈性凝固障害による止血困難が起こる場合.
外傷などの救急患者：消費性凝固障害が併存している場合.

【投与量】

生理的な止血効果を期待するための凝固因子の最少の血中活性値は，正常値の20〜30％程度.

凝固因子の血中レベルを約20〜30％上昇させるのに必要な新鮮凍結血漿量は，8〜12 mL/kg（循環血漿量を40 mL/kgとしたときの20〜30％）.

2. 血小板濃厚液

【目的】

血小板数の減少または機能の異常により重篤な出血ないし出血の予測される病態.

【適応】

血小板数が5万/μL未満では，手術の内容により，血小板濃厚液の準備または術直前の血小板輸血を考慮する．機能異常では血小板数だけでは決定できない.

【増加予測】

予測血小板増加数（/μL）＝2/3×輸血血小板総数/〔循環血液量（mL）×10^3〕

（2/3は輸血された血小板が脾臓に捕捉されるための補正係数）

3）輸血の指標

①出血量の測定

出血量は通常ガーゼ出血と吸引出血の合計を算出します．**ガーゼ出血を計測するのは外回り看護師の役目で，測定ごとに麻酔科医に報告します．何もなければ通常は30分おき．出血が多いときには5分おきあるいは数分おきに伝えてくれます．**しかし，ときとしてガーゼ出血のみで吸引出血を足していないことがあるため，注意を要します．ちなみに，吸引出血は（水などを吸引していなければ）吸引瓶にたまった量の目盛りを読みます．

②出血の臨床所見

出血の初期は頻脈になり血圧がやや上昇することがあります．血圧が低下し始めるのは循環血液量の20％を超えてからとされ

ています.しかし全身麻酔下では交感神経活動が抑制されるので10％程度の出血でも血圧低下が起き,頻脈になる(脈圧が小さくなる)ことで気づきます.また,中心静脈圧も低下するのでよい指標です.ヘマトクリットは急性出血ではそれほど変化しません.血管外から血管内への細胞外液の移動が起きないためとされています.

③最大手術血液準備量
(MSBOS：maximum surgical blood order schedule)

最大手術血液準備量とは術中輸血の可能性の高い場合に用いられる方法です.合併症のない定型的な待機的手術症例を対象にして,術式別の平均的な出血量あるいは使用量と交差適合試験申し込み量から算出された血液量(MSBOS)のみを手術前に準備することです.

また,術中に輸血をする可能性の少ない場合は,血液型の判定と不規則抗体のスクリーニングのみを行い,不規則抗体がない場合は交差適合試験を行わず血液型の一致した血液を確保するだけとする **Type and Screen** という方式がとられます.

---

memo エホバの証人

キリスト教の一派である「エホバの証人」の信者は,宗教上の理由で輸血を拒否している.赤血球,白血球,血小板,血漿は受け入れないがグロブリン,アルブミン,凝固因子などの血液製剤は自らの判断による.また貯血式自己血輸血は拒否するが希釈式あるいは回収式はよいとする信者もいる.執刀医,主治医,麻酔科医の承諾が必要で最終的には病院長の判断に委ねられるため,あらかじめ指導医に相談する必要がある.

4）輸血の副作用と合併症

①大量輸血による

1. **低体温**
   冷たい血液の急速輸血による場合，血液加温器を用います[※1]（図3-12-1）．

2. **クエン酸中毒**
   クエン酸とカルシウムが結合して血中のイオン化カルシウムが低下します．カルシウムを静注します[※1]．

3. **過剰輸血**
   循環血液量の20％以上上昇．肺水腫を起こします[※1]．

4. **高カリウム血症**
5. **代謝性アシドーシス**
6. **出血傾向**
   血小板や凝固因子の欠乏．大量出血で生じます．

■ **外傷死の死の3徴（大量出血の死の3徴）**
①低体温
②アシドーシス
③凝固障害

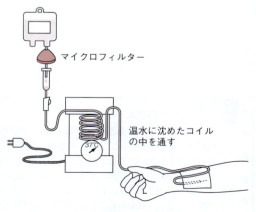

図3-12-1　血液の加温とフィルターの使用

②輸血手技による
1. 空気塞栓
輸血ポンプの空気混入,加圧輸血による空気混入によります[※2].

③輸血血液の性質による
1. 血液型不適合による抗原抗体反応
ABOやRhの型が合っていないときには当然起こりますが,合っていても赤血球,白血球,血小板にはいろいろな抗原があるために抗原抗体反応が起こります.アレルギー反応,蕁麻疹,発赤,発熱などの形で現れます.
2. 細菌汚染や発熱物質(パイロジェン)の混入による反応
3. 血液の微小凝集塊による微小血栓症[※1]

④輸血後かなりの期間後に出現
1. 抗原抗体反応
GVHD(graft-versus-host disease,移植片対宿主病)[※3],遅発性溶血反応.
2. 輸血後感染症
肝炎,梅毒,AIDS,ATL(成人T細胞白血病),サイトメガロウイルス感染症などがあります.

※1)きちんとした対応で防止できるもの
※2)人的ミスによるもの
※3)GVHD予防に15〜50 Gyの放射線照射が行われる

memo 輸血時の電解質変動

1）血清カルシウム

- **イオン化カルシウム正常値　1.13〜1.32 mmol/L**

  酸塩基平衡異常，アルブミン異常，クエン酸加血液の輸血，ヘパリン投与により変動

  大量輸血後には輸血製剤に含まれる凝固防止剤にカルシウムをキレートされるため，急激に血清カルシウムの血中濃度が低下する．**低カルシウム血症では，心収縮力低下を招き，血圧の低下を引き起こすため**，以下の製剤を使用する．重篤な腎不全には使用禁忌である．

カルチコール　　　　　　　　　　**グルコン酸カルシウム**
Calcicol　　　　　　　　　　　　　*calcium gluconate*
(8.5 %，5 mL，10 mL)

【注　意】ECGモニターしながら使用
- カルシウムの含有量 0.39 mEq/mL
- 0.5〜2 mL/kg ゆっくり静注

【禁　忌】高カルシウム血症，ジギタリス投与中，重篤な腎不全

　　　　　アドレナリン（ボスミン）・メイロンとの混注不可

【注　意】一過性に血圧上昇．血管外に漏らすと組織の壊死
- 3 mg/kgのカルシウム投与で1.5〜2.5 mg/dL上昇

2）血清カリウム

　赤血球製剤（照射止・長期保存血）はカリウムが多く含まれているため**大量輸血後にはカリウムは上昇**する．

塩化カルシウム　　　　　　　　　**塩化カルシウム**
(2 %，20 mL)　　　　　　　　　　　*calcium chloride*

(400 mg) =7.2 mEq

【注　意】ECGモニターしながら使用
- カルシウムの含有量 0.36 mEq/mL
- 5〜7 mg/kg ゆっくり静注

第3章 術中管理

13. 手術室内でのトラブルシューティング

> **Point**
> ❶術中合併症には呼吸,循環,意識,体温,体位(変換),出血,アナフィラキシーによるものがあります
> ❷区域麻酔,伝達麻酔による合併症にも対応できるようにします
> ❸薬品の誤投与や歯牙の損傷についても気をつけます

研修中に経験すると考えられる異常事態・緊急事態について考えてみましょう.いずれも,放置すると重篤になりますので,気づきしだい,できることを行いつつ指導医を呼びましょう.

1 呼吸

1)酸素飽和度(SpO_2)の低下

最も危険で最も迅速に対処すべきことです.

2)気道内圧上昇

原因として,気管チューブや麻酔回路の異常によるものと喘息などの患者要因によるものがあります.両方の可能性を考える必要があります.

【対策】
1. 麻酔回路,気管チューブの機械的閉塞の除去
2. 気管支痙攣の治療

3)気道内圧低下

原因としては気管チューブや麻酔回路の異常,人工呼吸器の異常を考える必要があります.

4)バッキング,体動,しゃっくり

浅麻酔でバッキングや体動が起こります.しゃっくりはバッキングに似ていますが,浅麻酔でなくても手術操作による横隔神経刺激によるものがあります.

【バッキングの対策】
1. 麻酔深度を適正に保つ
2. 筋弛緩薬の投与

【しゃっくりの対策】
1. 筋弛緩薬の投与
2. 胃内容の吸引
3. 冷水で胃洗浄
4. 横隔神経ブロック(術野からの)

5) 呼気二酸化炭素分圧($EtCO_2$)の上昇

分時換気量が不足している場合には,適正換気を維持するように努めます.気腹ガス(CO_2)の吸収によっても引き起こされます.
麻酔バッグの硬さ,胸郭の動き,気道内圧,SpO_2,$EtCO_2$,聴診,血液ガス分析などをモニターして呼吸数を8〜12回/分,一回換気量7〜10 mL/kg,最高気道内圧10〜20 cmH_2Oを目安に換気を行います.目標換気量で上昇していく場合には高体温(酸素消費量の上昇)など呼吸以外の原因を必ず考えること!

6) 呼気二酸化炭素分圧($EtCO_2$)の低下

過換気(分時換気量の増加),血圧低下(循環抑制)(p.167:**表3-10-1参照**),低体温(熱産生の減少)などが考えられます.また,急激な低下では肺塞栓症や大量出血,片肺挿管などを疑います.「**表3-7-4 $EtCO_2$増加・減少の原因**」(p.133)**を参照**.

2 循環

1) 血圧低下

手術の経過,患者の術前状態,術中状態を総合的に判断して,低血圧の原因を究明する必要があります.

【対策】
昇圧薬や輸液負荷により一時的に血圧を上げると同時に,著しい低血圧では吸入酸素濃度も上昇させる必要があります.

2）血圧上昇

挿管時や，比較的麻酔が浅い状況で執刀したときには血圧が急上昇します．特に高血圧，動脈硬化の強い患者，老人などで大きく変動します．また，呼吸に関連して起きていることがあります（SpO_2，$EtCO_2$ に注意）．

【対策】
呼吸に関連したものでなければ
1. 麻酔を深くする
2. （硬膜外麻酔があれば）局所麻酔薬の追加投与
3. （必要に応じて）降圧薬の投与

3）徐脈

原因として迷走神経刺激，低酸素血症，深すぎる麻酔，心筋抑制などで生じます．また，低酸素血症や出血により徐脈が生じている場合は，すぐ心停止になるので早めに指導医を呼びます．

【対策】
1. 原因の検索，除去
2. アトロピンの投与（1Aで効果なければ2Aまで）

4）頻脈（洞性）

洞性頻拍，上室性頻拍の原因としては浅麻酔，強い手術刺激，出血，循環血液量減少，高熱，高二酸化炭素血症，低換気の初期症状などがあります．注意しなければならないのは，出血，循環血液量減少であるのに浅麻酔として対処を行うと危険なことになるので，指導医の判断を早めに仰ぎます．心室性頻拍の場合は，心室細動に移行する場合があり緊急に治療が必要で，リドカインの投与，除細動の準備をします．

【対策】
1. 原因検索，できれば除去

［出血，循環血液量減少でなければ］
2. 麻酔を深くする
3. （必要に応じて）短時間作用性βブロッカー

［出血，循環血液量減少］
2. 輸液，輸血
3. （必要に応じて）昇圧薬の投与

5）不整脈

期外収縮の原因として浅麻酔や低酸素血症，電解質異常（低カリウム血症，低マグネシウム血症など），心筋虚血，薬剤起因性などがあります．まず，原因検索と換気をきちんとチェックする必要があり，抗不整脈薬を用いる場合には必ず指導医に判断を仰ぎます．

房室ブロックでは，タイプに応じてアトロピン，イソプロテレノール，ペースメーカー挿入が必要となります．

【対策】
1. 原因検索と除去
2. 適正換気を行う
3. 低血圧，心筋虚血に対する対応
4. （浅麻酔であれば）麻酔を深くする
5. （必要に応じて）抗不整脈薬

6）ST変化

心筋虚血を反映していると考えます．指導医を呼びます．

【対策】
原因検索をしながら原因の除去
1. 麻酔深度を適正に保つ（浅麻酔であれば深くする）
2. （血圧低下，特に拡張期圧の低下があれば）輸液の負荷，昇圧薬の投与
3. 冠拡張薬，ジルチアゼムの投与
   ・ニトロール，ニトログリセリン，ニコランジル
   ・ジルチアゼム

7）心停止

すぐ指導医を呼びます．原因検索をしながら心肺蘇生をします．

【対策】
1. 手術，麻酔を中止し純酸素で換気
2. 指導医，人手を集める
3. 原因検索をしながら心肺蘇生

3 意識

1）術中覚醒

浅麻酔で起こります．特に，プロポフォール（全静脈麻酔）では鎮痛不足や持続注入量の設定ミスにより生じます．

【対策】
1. 浅麻酔にしない
2. 投与量，投与速度の監視
3. BISモニターの装着（BIS値を60以上にしない）
4. 術中覚醒が疑われるときはジアゼパム（健忘作用あり）などを使用

> **memo 浅麻酔の徴候**
> - 血圧上昇
> - 顔をゆがめる
> - しゃっくり
> - 頻脈
> - 開眼
> - 腸の膨隆（開腹時）
> - 散瞳
> - 嚥下
> - バッグ加圧時の抵抗増大
> - 流涙
> - 体動
> - 発汗
> - バッキング

2）覚醒遅延

全身麻酔の覚醒には，肝機能や腎機能をはじめとした患者の全身状態，年齢，術中に使用した麻酔薬，筋弛緩薬，体温などが影響します．可逆性の原因がすべて否定された場合は，脳出血，脳梗塞も疑う必要があります．

【覚醒遅延のときのチェック項目と順番】
1. 筋弛緩薬の残存（筋弛緩モニターでテタヌス刺激確認，筋弛緩のリバース）
2. 吸入麻酔薬，笑気の残存（吸入麻酔薬濃度測定，100％酸素で換気）
3. 麻酔や前投薬にベンゾジアゼピンを使用（フルマゼニル静注）
4. 麻酔中の麻薬の過剰効果（ナロキソン静注）
5. 体温低下（加温）
6. 高二酸化炭素血症（適正換気）
7. 低血糖，高血糖（低血糖なら50％ブドウ糖投与，高血糖

第3章　術中管理 ● 195

ならインスリン投与）
[これだけやっても覚醒しないときは時間をおくが，数時間経っても覚醒しない場合]
8. 脳出血，脳梗塞を疑う（CT撮影）

3）覚醒時せん妄

- 麻酔薬からの覚醒が不十分な状態で起きるのが，覚醒時せん妄です．手術からの覚醒が十分になれば，10数分程度で急激に解除される一時的なせん妄です．病棟などで術後数日後からおきる，いわゆる「術後せん妄」とは病態が異なります．術後せん妄は，高齢者や手術侵襲が過大な手術後に起きます
- 覚醒時せん妄は，小児（2～4歳）ではよく起きますが，年齢を問わず起きることが知られています．覚醒が不十分な状態での刺激，例えば疼痛，アルコール依存や認知症，多剤の向精神薬使用，術前の不安が強い患者では注意が必要です．揮発性吸入麻酔薬の方がプロポフォールより起きやすいとされています
- 覚醒時せん妄が持続する場合は，低酸素血症，高二酸化炭素血症，低血糖，疼痛などの原因を取り除く必要があります

4 体温

一般に，全身麻酔中では体温上昇より体温低下（低体温）が起こります．体温保持を行わなければ最初の1時間には1℃以上低下します（図3-13-1）．麻酔薬による体温調節中枢の抑制，末梢血管拡張，ふるえの抑制（熱産生不可能），手術室の空調による環境に加えて，手術のために露出部分が大きいことが原因です．積極的な加温と15分ごとの体温モニターが必須です．麻酔科医が測定しているのは中枢温（膀胱温，直腸温，食道温，咽頭温など）で，ほとんど血液温に等しいので **37.0℃±0.2℃** が正常値と考えます．

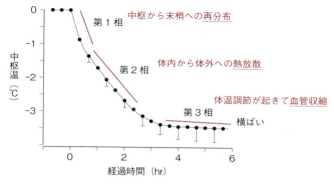

図 3-13-1　全身麻酔導入後の体温低下
はじめの1時間で1℃以上低下(再分布性低体温).文献65より作成.

1）体温低下

【対策】
1. 室温を上げる
2. 加温した輸液を投与（加温コイルなどを使用）
3. 温風式ブランケット（ウォームタッチ™，ベアーハガー™など）
4. 加温ブランケット（水循環式マット）

> **memo　温風式ブランケット**
>
> 　温風式ブランケットを手足の末梢にかけているのを見かけることがある．温風式ブランケットは，血流の良い組織を加温して身体を加温するものである．絶対に大動脈遮断の末梢側（血流のない部分）に使用しない．また，閉塞性動脈硬化症などで血流の悪いところに使用すると，熱が局所にとどまり低温熱傷を起こすうえに，その熱傷は治癒しない．また，温風が吹き出すホースを直接，人体に当たるような方向に置かない．また，温風式ブランケットの上に布団や毛布を置いて温風がホースの周りだけに集まるように閉塞させないなどの注意も必要である．ブランケットを掛けた後はきちんと身体に温風がまんべんなく当たっているか，自分で温風の下に手を入れて確認する必要がある．
>
> 　温度設定もきちんと確認しないと，室温の風が当たって冷えていることがある．

2）体温低下による合併症

いずれも術後に判明！
①シバリング（酸素消費量の増大，高二酸化炭素血症，血管収縮／高血圧，心筋虚血）
②覚醒不良（薬物代謝遅延による），筋弛緩薬効果残存
③出血（凝固能の低下）
④術後感染の増加
⑤創傷治癒遅延
⑤心疾患患者の心イベントの増加

3）体温上昇（表3-13-1）

術中の高体温は何らかの異常の警告です．医原性のうつ熱（加温過剰による）以外では，原因検索を進めて対応する必要があります．

表3-13-1　術中高体温の原因

1. 医原性（加温過剰による）
2. 感染症，敗血症
3. 術前からの脱水
4. 中枢性発熱（重症中枢神経障害）
5. 内分泌疾患（甲状腺機能亢進症，クリーゼ，褐色細胞腫）
6. 薬物〔アトロピン，向精神薬（悪性症候群）〕
7. 輸血反応
8. 悪性高熱症

> **memo** **悪性高熱症 (malignant hyperthermia)**
>
> 頻度：小児 1/10,000～1/15,000　成人 1/40,000
> 　　　常染色体優性遺伝？
> 死亡率：10～20％
> 予防：術前の家族歴，既往歴の聴取が大切
> 誘因となる麻酔薬：揮発性吸入麻酔薬
>
> 【症状】
> 　1) 頻脈，不整脈
> 　2) 血圧動揺
> 　3) 筋強直
> 　4) 体温上昇（0.5℃/15分），高体温 40℃以上
> 　5) 赤色尿（ミオグロビン尿）
> 　6) チアノーゼ，頻呼吸（CO_2 蓄積）
>
> 【治療】
> 　麻酔，手術の中止（純酸素で換気，麻酔器，回路の交換）．
> 　低温ブランケット，冷却生食で冷却できる場所はすべて冷やす．冷却輸液も施行．
> 　1) ダントロレン　1～2 mg/kg 静注（10～15分で）
> 　　　症状改善まで追加
> 　　　持続 1 mg/kg/分　総量 10 mg/kg
> 　2) メイロン　2 mEq/kg（アシドーシス補正）
> 　　　動脈血 pH＞7.2 になるまで追加投与
> 　3) 大量冷却輸液（乳酸リンゲル液または酢酸リンゲル液）
> 　　　マンニトール　0.25 g/kg（尿量維持）
> 　　　フロセミド　1 mg/kg
> 　　　尿量 2 mL/kg 以上維持できるまで追加
> 　4) リドカイン（抗不整脈）
> 　5) GI療法（高カリウム血症に対して）
> 　　　ブドウ糖 5 g：インスリン 1 単位
> 　ショック状態に移行している場合には，ショックの治療も合わせて行う．
> ※悪性高熱症患者の管理に関するガイドライン 2016 が出ている
> 　（表紙裏：後面④参照）

5 出血（特に大出血），ショック

3章-12（p.180～）参照．

6 アナフィラキシー

1) アナフィラキシーショック

アナフィラキシーショックは，次のような点で他のショックと異なります．

1. 多くが医療行為（注射など）によって引き起こされる
2. 投与された薬物に対するアレルギー反応により起こる
3. 投与された薬物の種類によらず現われる症状は一定
4. 早期に適切な処置を講ずれば死亡に至ることは稀であるが，処置が遅れて二次性のショックに陥ると死亡する確率が高い

2) 症状

早い例では静脈注射の最中から症状出現もありますが，普通は，注射後15分以内に出現し，2時間以降に出現することは稀です．

①呼吸器症状
胸内苦悶感，呼吸困難，喘息，重症では喘息様呼吸障害，喉頭浮腫による窒息．

②循環器症状
低血圧，頻脈，不整脈．

③皮膚症状
蕁麻疹，皮膚紅潮，皮膚掻痒感．

④消化器症状
腹痛，悪心・嘔吐，便意，下痢，口腔内異味感，異臭感．

⑤その他
気分不良，冷汗，チアノーゼ．

3) 治療

①薬物の投与中止
②仰臥位（下肢挙上）
血圧低下していることが多いので下肢挙上する．

③バイタルサイン（血圧，脈拍）のチェック
④（上記の呼吸器症状，循環器症状が強い場合）
アドレナリン 0.01 mg/kg 筋注（最大量：成人0.5 mg，小児0.3 mg）．必要に応じて5〜15分ごとに再投与．

⑤酸素投与
⑥点滴ルートの確保，輸液

必要に応じて生理食塩水，乳酸リンゲル液（ラクテック）や酢酸リンゲル液（ヴィーンF）の急速大量点滴（5〜10分間に10 mg/kg）を行う．

⑦（必要なら）心肺蘇生

必要に応じて胸骨圧迫法で心肺蘇生．
必要なら，気管挿管，人工呼吸．

⑧低血圧に対して
1. アドレナリンを10 mLに薄めて1 mLずつ静注
2. 長期に昇圧薬が必要ならドパミン，ドブタミン，ノルアドレナリン，バソプレシン持続静注

⑨その他の治療
1. H_1ブロッカー（ポララミン），H_2ブロッカー（ガスター）
2. ステロイド（ソル・メドロール125 mg静注）
3. $\beta 2$刺激薬吸入（サルブタモール）

4）治療後の処置

患者には，原因となった薬物名を正確に教えて，今後治療を受ける際には医師にそのことを告知するように指導します．

7 肺塞栓

術中に肺塞栓症が発症した場合には，迅速な対応が必要になります．

症状：$EtCO_2$の急激な低下（$PaCO_2$との乖離），SPO_2の急激な低下，低血圧（心停止），ECG上の右室・右房負荷所見．
診断：TEEで肺動脈内に血栓子を見つける．
処置：状況判断を行って次の処置を行う．

1）心停止（循環虚脱）の場合

①手術/麻酔を中止し心肺蘇生
②抗凝固療法

ヘパリン5,000単位静注，その後1,500単位/時程度で継続（APTT1.5〜2.5倍程度）．

③心マッサージでEtCO$_2$が上昇すれば肺血流が出てきた証拠
④血栓溶解療法
⑤カテーテルインターベンション
⑥外科的摘出術

2）循環虚脱でない場合

①手術/麻酔を中止
②抗凝固療法
　ヘパリン5,000単位静注，その後1,500単位/時程度で継続（APTT1.5〜2.5倍程度）．
③循環の安定（昇圧薬持続投与，輸液）
④血栓溶解療法
⑤カテーテルインターベンション
⑥（循環が戻らない場合）外科的血栓摘出術

8 区域麻酔中のトラブルシューティング

1）疼痛

麻酔効果が手術範囲より狭い場合や，麻酔効果が薄れてきたなどで疼痛が出る場合があります．

【対応】
指導医に相談のうえ
1. 鎮痛薬の投与
2. 術野での浸潤麻酔
3. 全身麻酔への切り替え

2）興奮，鎮静

通常は，局所麻酔薬中毒を考えます．また，鎮静薬により抑制がとれることで興奮状態になることがあります．

①局所麻酔薬中毒の場合

1. 多弁，2. 興奮，3. 痙攣，4. 意識障害，5. 呼吸停止，6. 心停止という経過をとります．

【対応】
1. ベンゾジアゼピン系薬剤（ジアゼパムやミダゾラム）を痙

攣が止まるまで投与
2. 人工呼吸（酸素投与しつつ）
3. （低血圧では）輸液負荷，昇圧薬投与
4. 20％イントラリポス　1.5 mL/kg静注後，15 mL/kg/時で20分持続静注（効果ないときは5分ごとに，1.5 mL/kgを3回まで静注）
効果ないときは持続静注の継続投与

②鎮静薬による場合

鎮静薬による多弁，興奮では痙攣が起こることはまずありません．
【対応】
1. 鎮痛薬の投与
（同じ鎮静薬を増量するとひどくなることがある）
2. 酸素投与，呼吸抑制があればマスクによる補助呼吸（人工呼吸）
3. 全身麻酔に移行

3）呼吸抑制（呼吸停止）

低血圧による呼吸中枢の低酸素，高位脊椎麻酔および鎮静薬を投与した場合に起きます．また全脊麻でも生じます．
【対応】
1. 100％酸素でマスク換気
（難しい場合はエアウェイ併用や気管挿管）
2. 昇圧薬，輸液負荷
3. 徐脈ならアトロピン投与
4. 自発呼吸が戻るまで人工呼吸を続ける

4）気道閉塞

気道を確保せず鎮静を行った場合には注意が必要です．
シーソー呼吸，舌根沈下に注意し，SpO_2や呼吸数をモニターしましょう．
【対応】（1と2は必須で3，4が必要なこともある）
1. 下顎挙上
2. 酸素吸入
3. 補助呼吸
4. 人工呼吸

> **memo** 局所麻酔薬中毒
> 【原因】血中に吸収された局所麻酔薬の中枢神経への作用により生じる
> 【初期症状】ふるえ,気分不良,不安,おちつきのなさ,吐き気,口周囲のしびれ,金属味,耳鳴りなど
> 【重篤症状】突然の精神変調,意識消失,強直性間代性痙攣,循環虚脱(洞性徐脈,伝導障害,心室性不整脈,心停止)や呼吸停止
> 【治療】①局所麻酔薬の使用中止,②助けを呼ぶ,③100%酸素で気道確保と人工呼吸,④気管挿管,⑤静脈確保,⑥痙攣の治療(ジアゼパム,バルビツレートなど),⑦心挙動の評価(心停止なら心肺蘇生),⑧20%イントラリポス静注(Lipid rescue)
> 【脂肪製剤の使用】20%イントラリポスの静注:<u>初期投与:1.5 mL/kg(1分以上かけて),5分ごとに3回までくり返す</u>.必要なら15 mL/kg/時で20分持続静注.
> 【注意】プロポフォールは1%脂肪製剤になっているが,Lipid rescueとしての使用は不可.脂肪製剤の濃度としては1/20しかないため,30 mL/kgも必要である.体重50 kgでは1,500 mLが必要であるため,現実的ではない.

9 術直後のトラブルシューティング

麻酔の覚醒,抜管などの時期は術直後で麻酔状態から覚醒状態へと大きな変化があることや気管挿管チューブを抜去するため,急変が起きやすい時期です.

術後低酸素(気道狭窄含む),術後低血圧などの急変については「第4章-2 術後回診と術後合併症管理」(p.271~)を参照してください.それ以外に,疼痛,シバリング,悪心嘔吐は術直後に多く発生するため,日常的に注意すべき合併症です.

1)疼痛

麻酔から覚醒すると鎮痛処置が十分でなければ疼痛が顕著になります.痛み刺激による交感神経症状のため血圧上昇,頻拍,頻呼吸,血管収縮を引き起こします.術中から覚醒時の疼痛対策を行って麻酔を覚醒させるべきです.特に,術後の鎮痛を行わない

ままレミフェンタニルをいきなりOFFにするのは慎むべきです．痛みのために覚醒するのは麻酔の役割を考えると本末転倒です（p.271～:「第4章-2 術後回診と術後合併症管理」参照）．

2）シバリング（低体温や末梢-中枢温較差による）

シバリングの原因には体温低下などによるものと，疼痛や不安によるものがあります．低体温や末梢-中枢較差によるものが80％以上です．

麻酔中は末梢血管拡張により中枢から末梢への熱の移動が起きるため体温が低下します．術後低体温は覚醒時のシバリングを引き起こし，高血圧，頻脈から心筋虚血を引き起こしやすくなります．また，低体温により覚醒遅延や術後の創感染に影響を及ぼすことが知られています．手術の開始時あるいはそれ以前から，温風式加温装置（できない場合は加温マット）などで加温を行い，低体温にならないような配慮が必要です．

術中に連続的にモニターしている直腸温，膀胱温，咽頭温，食道温などは中枢温で血液温に近いので正常値は，37 ± 0.2℃です．病棟での熱型表による体温（末梢温）とは大きく異なります．目標値は中枢温であることを念頭に置いてください．また，開腹術などでは炎症性サイトカインによりシバリングを引き起こす温度のセットポイントが引き上げられており，中枢温を38℃以上に上げないとシバリングが止まらないこともあります．

シバリング予防の基本は体温管理ですが，サイトカインの抑制を期待してロピオン50 mgやNSAIDs坐薬を使うことがあります．また，マグネシウム含有輸液（ビカーボン，フィジオ140），アミノ酸輸液500 mL程度の使用やレミフェンタニルをフェンタニル（それ以外のオピオイドも可）に切り替えて覚醒させることも有効です．シバリングの発生が必至の場合には，体温上昇まで覚醒させない（時間がかかる場合は鎮静のままICU管理）ことも考慮します．シバリングの発生に対しては，とにかく全身加温して体温を上昇させることが基本です．その上でペチジン0.5 mg/kgを使用します．また，マグネシウム2 gを分注することもあります．場合によりフェンタニル2～4 mLやドロレプタン0.0625～0.125 mg（0.25～0.5 mL），ケタラール0.5 mg/kgの注意深い使用（呼吸抑制や鎮静に注意）も有効です（指導医に相談します）．これらの薬はシバリングが止まった後の意識レベルに注意が必要です．

> **Column　温風式加温装置の注意点**
>
> ホースが直接人体に接触しないようにすることが大切．基本は血流の良い組織を加温する（大動脈遮断時，血管遮断時は末梢は加温しない．こたつではないので，冷えたところを加温するのではないことに注意）．
>
> 蓄熱であるという意識を持つことが大事（血流の豊富なところを加温して熱を体にためる）．

3）術後悪心・嘔吐：PONV（Postoperative nausea and vomiting）

術後の悪心嘔吐も，術直後によく起きるので，術前から考慮しておく必要があります．

PONVの可能性の危険因子としてApfelらのものが有名です（巻末の文献29参照）．女性，非喫煙者，乗り物酔いやPONVの既往，術後オピオイド使用です．この4つのうち，危険因子がいくつあるかによりPONVの発生が予測できます．4つあれば79％，3つでは61％，2つでは39％，1つの時には21％，全くない場合には10％にPONVが発生するというものです．発生率を考えると危険因子を術前から把握しておくことが大切です．また，PONV発生時にはオンダンセトロン，グラニセトロン（カイトリル）やメトクロプラミド（プリンペラン）20 mg，ドロペリドール1.25 mgなどを使用します．予防には，手術時に1回のみデカドロンを使用することもあります．また，酸素投与を怠ったり過少輸液により助長されることがあるので酸素投与や輸液量にも注意します．

「痛い！　寒い！　気持ち悪い！」は**術後三大苦痛**です．

「痛くない，寒くない，気持ち悪くない」麻酔からの覚醒を提供しましょう．

⑩ その他

1）薬品の誤投与

　麻酔科が使用する麻酔薬，筋弛緩薬，循環作動薬などはいずれも効果が強く，誤投与により患者を危険に陥れる可能性が高いものばかりです．投与薬剤の間違い，投与経路の間違い，投与量（投与速度）の間違いに注意が必要です．

　こればかりは，1にも2にも「**確認**」につきます．

①注射器に引くときには必ず1剤ずつカットして，1注射器に入れる

②注射器に油性ペンで薬品名と濃度を記載する．このときアンプルを必ず**確認**

③投与前には，投与ルートと注射器のラベルを**確認**

　もし誤投与してしまったら，即座に指導医に報告します．隠していると大事にいたることがあります．

2）歯牙の損傷

　喉頭展開，気管挿管の操作により歯牙の損傷が発生します．

①術前に患者の歯牙の状態を確認する〔歯槽膿漏，ぐらつき，差し歯（前歯の差し歯に要注意），歯並びで喉頭鏡が当たりやすいところ〕

②ぐらつきが予見できる場合は，患者に歯牙の損傷の可能性があることを説明し納得していただく

③気管挿管や喉頭展開が難しい場合には無理をせず，指導医の指示を仰ぐ

　しかし，運悪く歯牙の損傷が起きたときには，損傷した歯牙を確認し，口腔内に落とし込まないようにします．指導医に報告し，覚醒後，患者や主治医にも誠実に対応しましょう．

✅ チェックシート

酸素飽和度低下の原因

- [ ] 吸入酸素濃度を上げる
- [ ] SpO_2 プローブに異常はないか
- [ ] SpO_2 以外に酸素濃度をチェックできるもの(唇,術野の血液)
- [ ] 麻酔回路,気管チューブに異常はないか[※1]
- [ ] 人工呼吸器に異常はないか(手動換気とする)
- [ ] 麻酔バッグは重くないか
- [ ] 呼吸音はどうか

※1)麻酔回路,気管チューブの異常
1. 麻酔回路の屈曲,はずれ,接続不良
2. 気管チューブの屈曲,抜管,接続不良,カフ漏れ,片肺挿管

✅ チェックシート

気道内圧上昇の原因

- [ ] 蛇管の屈曲
- [ ] 気管チューブの屈曲
- [ ] 喀痰による閉塞
- [ ] 気管チューブの先端の気管壁あたり
- [ ] 片肺挿管
- [ ] バッキングや自発呼吸,息こらえ
- [ ] 肥満
- [ ] 筋弛緩薬効果の減弱
- [ ] 気管支痙攣

✅ チェックシート

気道内圧低下の原因

- [ ] 蛇管のはずれ,不十分な接続
- [ ] 気管チューブのカフ漏れ
- [ ] 気管チューブの抜管
- [ ] 人工呼吸器の異常

✅ チェックシート

EtCO$_2$上昇の原因

- ☐ 換気量不足(人工呼吸器設定)
- ☐ 喀痰の貯留
- ☐ 肥満(高い気道内圧が必要)
- ☐ 筋弛緩効果の減弱
- ☐ バッキング,息こらえ
- ☐ 呼吸不全
- ☐ 肺水腫
- ☐ 気管支痙攣
- ☐ 気腹ガス(CO_2)の注入
- ☐ 高体温(酸素消費の上昇)

✅ チェックシート

EtCO$_2$低下の原因

- ☐ 換気量過剰
- ☐ 低体温
- ☐ 肺塞栓,片肺換気
- ☐ 循環虚脱(低血圧)

✅ チェックシート

血圧低下の原因

- ☐ 出血
- ☐ ハイポボレミア,輸液不足
- ☐ 脊髄くも膜下麻酔,硬膜外麻酔による血管拡張
- ☐ 吸入麻酔薬,静脈麻酔薬,麻薬,筋弛緩薬の過量投与
- ☐ 特殊な体位,体位変換
- ☐ 降圧薬,血管拡張薬の投与
- ☐ 心臓に起因するもの(心不全,心筋虚血)
- ☐ 腸管牽引,腹腔内・胸腔内操作後[※1]
- ☐ 心臓・大血管の圧迫

- [ ] 気道内圧上昇
- [ ] 副交感神経反射（迷走神経反射）
- [ ] アナフィラキシーショック
- [ ] 異型輸血
- [ ] 局所麻酔薬中毒
- [ ] 過換気後の低血圧[※2]

※1）腸間膜牽引症候群（p.229：「コラム 顔面紅潮」参照）.
※2）高二酸化炭素血症になっているのを発見した後，**急に換気回数や換気量を増加させてCO_2を低下させると著しい低血圧になる**．ゆっくりCO_2を低下させる必要がある．

✓ チェックシート

血圧上昇の原因

- [ ] 浅麻酔での手術操作，気管挿管・抜管操作
- [ ] バッキング，咳，抜管操作
- [ ] 昇圧薬の投与
- [ ] 術野からのアドレナリン投与（p.254：「コラム 術野でのアドレナリン使用と局所麻酔薬使用」参照）
- [ ] 高血圧症，甲状腺機能亢進症，褐色細胞腫など
- [ ] 脳圧亢進
- [ ] 低酸素血症（SpO_2低下）
- [ ] 高二酸化炭素血症（$EtCO_2$上昇）
- [ ] 膀胱充満（膀胱内尿蓄積）

✓ チェックシート

徐脈の原因

- ☐ 低酸素血症（SpO_2 低下）
- ☐ 大量出血後
- ☐ 迷走神経刺激（手術刺激や挿管操作）
- ☐ 麻酔薬
- ☐ 高位脊髄くも膜下麻酔（硬膜外麻酔）による心臓交感神経遮断
- ☐ 脳圧亢進

✓ チェックシート

頻脈の原因

- ☐ 低酸素血症の初期（SpO_2 低下）
- ☐ 高二酸化炭素血症（$EtCO_2$ 上昇）
- ☐ 出血，循環血液量減少
- ☐ 浅麻酔での手術刺激，気管挿管・抜管操作
- ☐ 発熱
- ☐ アトロピン投与
- ☐ 昇圧薬投与
- ☐ 術野からのアドレナリン投与
- ☐ 甲状腺機能亢進症，褐色細胞腫
- ☐ 緊張状態（意識下）

✅ チェックシート

不整脈の原因

- [ ] 低酸素血症（SpO_2低下）
- [ ] 高二酸化炭素血症（$EtCO_2$上昇）
- [ ] 血圧低下，心筋虚血
- [ ] 浅麻酔での手術刺激，気管挿管・抜管操作
- [ ] アシドーシス，アルカローシス
- [ ] 迷走神経反射
- [ ] 電解質異常（特に低カリウム血症）
- [ ] 心筋被刺激性を引き起こす薬物
- [ ] 麻酔薬による洞結節抑制
- [ ] サクシニルコリンの使用
- [ ] 空気塞栓

✅ チェックシート

体温低下の原因

- [ ] 全身麻酔（全身麻酔薬，オピオイド）
- [ ] 区域麻酔（脊髄くも膜下麻酔，硬膜外麻酔，広範囲の末梢神経ブロック）
- [ ] 開腹術，腹腔鏡手術，胸腔鏡手術
- [ ] 手術室の低い室温
- [ ] 加温範囲の少ない温風式ブランケット
- [ ] るいそう，外傷患者，熱傷患者，小児
- [ ] 冷たい輸液，冷たい輸血
- [ ] 冷たい体腔内洗浄液

14. 合併症をもつ患者の術中管理

Point

高血圧，虚血性心疾患，喘息，糖尿病，血液透析，膠原病，凝固異常などの日常的に遭遇する疾患について，術前評価と術中管理を学ぶことにより問題解決能力を身につけましょう

日常的に遭遇する疾患のポイントを整理します．

1 循環器系

1）高血圧

①術前評価

1. **普段の血圧と変動（日内変動）**
   看護記録から情報を得ておきます．
   収縮期圧／拡張期圧の変動と，特に平均血圧に注目（**臓器血流は平均血圧に依存**）します．

2. **常用薬**
   内服薬とコントロールの状態を確認します．

3. **本態性か二次性か**
   二次性（腎性，腎血管性，内分泌性，血管性，薬物誘発性）であれば，疾患に特有な管理を追加する必要があります．

4. **三大臓器障害**
   心臓（左室肥大，左心不全），脳（脳出血），腎（腎硬化症）の存在と管理に注意します．

②術中管理

1. **血圧は上がりやすく下がりやすい**
   血圧変動は平常時の血圧の±30％以内に保ちます．
   麻酔導入，喉頭展開，気管挿管，皮膚切開などの血圧変動に対してレミフェンタニル，フェンタニル，吸入麻酔薬で血圧上昇を抑制します．
   血圧低下が大きいのは，動脈硬化を合併している場合，輸液が不十分（血管内のハイポボレミー），術前の降圧剤の影

響が強く出る場合などがあり，輸液負荷や昇圧剤を必要とします．

【昇圧薬と降圧薬の準備】
- **昇圧薬** ［単回投与］エフェドリン，フェニレフリン
  ［持続］　　ドパミン
- **降圧薬** ［単回投与］ニカルジピン（0.5〜1 mg/回）
  ［持続］ヘルベッサー，ニトログリセリン，PGE_1

【貼布】 ビソノテープ

【禁忌】 ニフェジピン（アダラート）の舌下投与．

2. **高血圧患者では重要臓器の自己調節能が高く設定されているので平均血圧を下げすぎない，上げすぎない（図3-14-1）．**

   平均血圧を±30％以内にとどめます．

   血圧の下げすぎで脳虚血，心筋虚血，腎不全に，上げすぎで脳出血，心筋虚血を招きます．

3. **血圧変動の原因を考えて対処**

   浅麻酔，高二酸化炭素血症，低酸素血症，脳圧亢進，術野でのアドレナリン使用などを考えます．

4. **麻酔覚醒後の高血圧**

   麻酔を覚醒させると異常な高血圧になる可能性があります．特に低体温によるシバリングでは，酸素消費量増大，血管収縮，頻脈をともない高血圧になります．また，術後疼痛にも注意が必要で，麻酔覚醒前から疼痛対策を必要としま

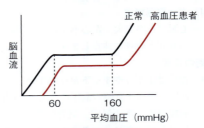

図3-14-1 正常血圧時の平均血圧と脳血流

高血圧患者では，脳血流が一定の領域が右にシフトしているため平均血圧は60 mmHgにならなくても脳血流は減少するが，高血圧患者ではさらに高い平均血圧設定が必要．平均血圧を60 mmHgより高く設定する．

す．高血圧から心筋虚血をきたす場合があり，RPP（Rate Pressure Product）＝ HR（心拍数）× SBP（収縮期血圧）を 12,000 以上にしない管理が求められます．心電図の ST 変化にも注意が必要です．

2）虚血性心疾患

①術前評価

- 運動能力が大切（p.40：NYHA 心機能分類/METs 参照）
- 常用薬
- 発作のタイプ（労作性か異型か，不安定狭心症でないか）
- 心筋梗塞の既往（6 カ月以内の心筋梗塞は危険）
- 発作時の胸痛の持続時間
- 検査所見（心エコー，負荷心電図，心カテーテル，心筋シンチなど）
- アスピリン，ワーファリンはヘパリンにおきかえる

②術中管理

1. 頻脈を避ける
2. 過度の高血圧，低血圧（特に拡張期の低いのは厳禁，冠動脈は拡張期に流れる）を避ける
3. 呼気 CO_2 を下げない（過換気で冠血管収縮）

上記の 3 点を達成するために，

- 浅麻酔を避ける
- $EtCO_2$ をきちんとモニターする
- 輸液管理（心不全がなければボリュームを入れる）
- 循環作動薬の使用
- 冠拡張薬：ニトログリセリン，ニコランジル，ヘルベッサー，フランドルテープ（選択）
- 高血圧，頻拍症例：ビソノテープ（β_1 遮断薬）
- モニター：ECG 上の ST 変化（V_5 誘導追加），観血的動脈圧測定，中心静脈圧測定，スワンガンツカテーテル，経食道心エコーなどを追加します

2 呼吸器系

1）気管支喘息

①術前評価

- 発作（最近2週間の発作）
- 発作の頻度と程度（吸入～集中治療管理）
- 1秒率と1秒量から重症度を推定
- 発作時の治療（吸入薬）
- 通常時の治療（内服薬, 吸入薬）
- ステロイド内服では術中にステロイドカバー（p.68参照）

②術中管理

術前に内服している治療薬は当日朝まで内服.
吸入薬は手術室持参.
術前にツロブテロールテープ（ホクナリンテープ）も使用可です.

1. **麻酔薬について**
   - 麻酔導入：ケタラール, ドルミカム, ディプリバンは可
   - 麻酔維持：吸入麻酔薬, 筋弛緩薬

2. **術中注意点**
   - 挿管は麻酔が十分深くなってから
   - 浅麻酔にしない
   - 気道を加湿する
   - 輸液は多めに

3. **抜管時（以下のいずれかの対応が必要）**
   - 咳で喘息を誘発するので深麻酔で抜管, マスク換気
   - 深麻酔時に2～4％キシロカイン3～5 mLを気管内噴霧

4. **喘息発作時**
   - ネオフィリン：成人250 mg　点滴静注
     　　　　　　　小児3～4 mg/kg　点滴静注
   - ネブライザー：サルブタモール（ベネトリン）0.5～1.5 mg, ブロムヘキシン（ビソルボン）4 mgを生食20 mLに溶解して吸入

【禁忌】（喘息発作時）麻酔終了後の筋弛緩薬のリバース［ネオスチグミン（ワゴスチグミン）］
ブラ（肺嚢胞）が存在する患者では笑気禁忌

2）COPD（慢性閉塞性肺疾患）

①術前評価
- FVC/FEV1.0（1秒量）＜70％
- 肺気腫，慢性気管支炎
- 1秒率から重症度評価（表3-14-1）
- 問診：現在の状態が日常と違わない（運動耐用能），最近の投薬状況，入院や救急外来受診
- 治療：禁煙，ステロイド，気管支拡張（吸入），抗菌薬，重症例（酸素療法）
- 合併症のチェック：赤血球増多症，肺高血圧，右心不全，肺性心
- コントロール不良の場合，呼吸器内科に相談

②術中管理
- 麻酔導入：浅麻酔を避ける，プロポフォール，リドカインで挿管時の気道刺激抑制，気管支拡張作用のあるケタミンもよい
- （可能なら）気管挿管避ける→声門上器具，区域麻酔
- 麻酔管理目標：喘息発作を起こさない（セボフルラン，ステロイド使用）
- 人工呼吸のI：E＝1：3〜1：5（呼気時間を長く）
- ブラがある場合，笑気を使わない
- 気管支拡張薬の使用
- 抜管時：咳き込ませない，深麻酔抜管を考慮する

表3-14-1　COPDの病期分類

病期		定義
Ⅰ期	軽度の気流閉塞	％FEV_1≧80％
Ⅱ期	中等度の気流閉塞	50％≦％FEV_1＜80％
Ⅲ期	高度の気流閉塞	30％≦％FEV_1＜50％
Ⅳ期	きわめて高度の気流閉塞	％FEV_1＜30％

気管支拡張薬投与後の1秒率（FEV_1/FVC）70％未満が必須条件．
巻末の文献59より転載．

3 代謝・内分泌系

1）糖尿病

　手術侵襲によりsurgical diabetes（外科的糖尿病）と呼ばれる高血糖状態が起こります．侵襲ストレスに対する生体反応としてインスリン拮抗性のホルモン（カテコラミン，コルチゾール，グルカゴンなど）の分泌増加や肝でのグリコーゲン分解，糖新生促進，末梢でのインスリン拮抗性が起きるためです．糖尿病ではこの反応が加わって血糖の変動が大きくなります．

①術前管理

1. 血糖管理

- 空腹時血糖＜140 mg/dL
- 食後血糖＜200 mg/dL
- 1日尿糖＜10 g
- ケトアシドーシス（－）
- 低血糖（－）
- 経口血糖降下薬は術当日朝は中止，血糖チェック
- 術当日（術前）にインスリンを使用する場合は低血糖に注意

2. 併存合併症

　血糖の術前管理と，3大合併症：Micro angiopathy〔微小血管障害（腎症，網膜症，神経症）〕の存在を知ることが大切です．神経症には自律神経障害と末梢神経障害があります．糖尿病には虚血性心疾患（無痛性心筋梗塞），内頸動脈狭窄（脳血管障害），下肢動脈閉塞（ASO）などのMacro angiopathy（血管障害）を合併します．これらにより周術期に重大な合併症を引き起こすことがあります．

　糖尿病と言えば血糖管理しか頭にないのは問題です．

②術中管理

血糖管理と併存合併症に対する管理を行います．

1. 血糖管理

- 目標：血糖100〜180 mg/dL，尿ケトン（－），糖尿病性昏睡，低血糖を起こさない
- 検査：血糖（60〜90分ごと），尿糖・尿ケトン，電解質，酸塩基平衡

```
［単回投与］ 250～300 mg/dL → ヒューマリン 5 単位
           300～400 mg/dL → ヒューマリン 10 単位
           400 mg/dL 以上 → 指導医に相談
                          （0.1～0.2 単位/kg/時）
［持続投与］ 150～250 mg/dL → ヒューマリン 1 単位/時間
           250 mg/dL 以上 → ヒューマリン 2 単位/時間
           で開始
           適宜，血糖を 1～2 時間ごとにチェックして変更
［注意］    ヒューマリン 1,000 単位/10 mL（100 単位/mL）
           なので 10 単位は 0.1 mL
           インスリンはカリウムを下げるので電解質も同時
           にチェック（p.178 参照）
```

> ヒューマリン 1 単位で 30 mg/dL の血糖降下
> ブドウ糖 10 g で 30 mg/dL 程度の血糖上昇

［低血糖に対して］50％ブドウ糖液 20 mL（末梢静脈から投与するときは薄めて）

2. 併存合併症に対する管理

- 糖尿病性（神経症，網膜症，腎症）
- 虚血性心疾患 → 心虚血
- 内頸動脈狭窄 → 脳虚血
- 自律神経異常 → 心電図（リズム），血圧低下（突然の）

2）甲状腺機能低下症

①術前管理

- チラーヂンの内服は継続
- 治療が不十分なら予定手術は延期も考慮（術中の循環動態不安定，覚醒の異常遅延の可能性大），粘液水腫，心電図電位平低化に注意
- 緊急手術では，T4 製剤，ステロイドの静注を考慮
- 巨舌，胃内容貯留に注意

②術中管理

- 麻酔薬やオピオイド感受性が大（覚醒遅延，呼吸抑制が強い）
- 導入時の低血圧（回復が延長，低血圧の持続）
- 体温低下

- 低ナトリウム血症，低血糖

③術後
- 低体温，薬物代謝遅延（覚醒遅延，呼吸抑制のため抜管ができない）
  → 十分な覚醒，正常体温としてから抜管を行う

3）甲状腺機能亢進症

①術前管理
- 甲状腺機能正常（Euthyroid）がよい
- 甲状腺クリーゼの可能性
- β遮断薬は術当日まで内服
- 巨大甲状腺腫では，気管偏位，気道圧迫に注意（術前の胸部X線を確認）
  →（ファイバー挿管や気管切開の必要性確認）

②術中管理
- 麻酔導入：気管挿管困難に注意
- 浅麻酔を避ける
- 甲状腺クリーゼに注意（体温上昇，頻脈，血圧変動）

③術後管理
- 手術で甲状腺を切除した場合：
  反回神経麻痺，術後気道狭窄，頸部腫脹や血腫，副甲状腺機能低下（低Ca血症）に注意
- 甲状腺クリーゼは術後24時間以内に出現
  （T3，T4の大量遊離による）

4 透析患者

①術前評価
- 透析となった原疾患
- 併存合併症
  貧血，血小板減少，高カリウム血症，高血圧，心機能低下（虚血性心疾患）など
- 透析日程（通常は手術前日に透析を行っている，術後の透析日程）と回数／週
- 透析前後の体重

- 尿量（無尿か少しは出るか）
- 術前の最新血液検査（血算, 電解質, 腎機能）

②術中管理

併存疾患があれば, そちらの対策も忘れずに行います.

1. **輸液**
   - カリウムを含まないもの（ソリタ-T1号, 半生食, 生食, 5％ブドウ糖液など）を使用する
2. **麻酔薬**
   - カリウムが上昇しやすいスキサメトニウムは避ける
   - 筋弛緩薬はモニターしながら使用する
   - 麻酔作用が遷延しやすいので反応を見ながら導入時は少量ずつ追加投与する
3. **シャント開存の維持**

   シャント側に静脈路を確保しない. 血圧測定のマンシェットを巻かない. Aラインモニターする場合, シャント造設についても考慮する.

※）**透析するほどではない腎機能低下**に対しては, 透析の場合とは異なるので, 輸液計画や麻酔計画について指導医に相談する.

5 肝障害と肝硬変

1）肝障害

肝機能障害は急性障害と慢性障害に分けられます.

①急性障害

急性障害は通常, 生命の危機に関する以外は予定手術の延期を考える必要があります.

急性肝障害での手術の可否のポイントとして, ①AST, ALTが正常上限値の3倍以下, ②ウイルス性でない, ③肝機能再検査で安定していることが大切で, これらが満たされるなら手術延期を考えなくてよいとされています.

②慢性障害

慢性障害では肝機能（**合成能, 代謝機能**）低下を念頭に手術麻酔に望む必要があります.

肝臓は肝動脈と門脈から血流を受け, その合計が肝血流量となります. 総肝血流量は100 mL/100 g/分で心拍出量の25％を

占めています．肝動脈は肝血流の25％，酸素必要量の50％を供給し，門脈は肝血流の75％，酸素必要量の50％を供給しています．肝臓はタンパク質（アルブミン，凝固因子，血漿ChE，補体など），脂質，糖質の合成能と，薬物，ヘモグロビン（ビリルビン），グルクロン酸抱合，アミノ酸，アンモニアやステロイドホルモンの代謝機能をもっています．慢性肝障害の代表的な病態である肝硬変の場合は，上記のすべての機能低下について考える必要があります．

2）肝硬変

①術前評価

1. 一般肝機能検査

AST，ALT，ALP，LDHの上昇，合成能の指標（ChE，Albの低下，PTやヘパプラスチンテストの延長），排泄能の指標であるビリルビンの上昇を把握しておきます．

2. ICG試験

ICG R^{15}（正常10％以下），ICG K（正常0.168〜0.202％），ICG R_{max}（正常：3.18 ± 1.62 mg/kg/分），ICG Kが0.04％以下では全身麻酔は避けた方がよく，ICG R_{max}が0.2以下では手術・麻酔は不可能であるとされています．

上記の検査に加えて，症状や検査値をスコア化した，**Child-Pugh分類**（表3-14-2）や**肝障害度（liver damage）**（表3-14-3）の項目（腹水，脳症，血清アルブミン，ビリルビン，PTなど）が指標となります．また，**腎機能低下**や**低酸素血症**を合併することもあるので，Ccrや動脈血液ガス分析も必要です．

②術中管理

1. 凝固因子不足，血小板減少対策

- 外科的な確実な止血
- FFP，濃厚血小板の準備，必要なら赤血球濃厚液も準備

2. 麻酔薬剤の選択

- 凝固異常（p.227：❼参照）のある場合は硬膜外麻酔や脊椎麻酔の選択は避ける
- 全身麻酔では静脈麻酔薬より肝代謝に依存しない吸入麻酔薬がよい．また鎮痛薬としては**レミフェンタニル**を使

表3-14-2 Child-Pugh分類

項目	1点	2点	3点
脳症	ない	軽度	ときどき昏睡
腹水	ない	少量	中等量
血清ビリルビン値 (mg/dL)	2.0未満	2.0〜3.0	3.0超
血清アルブミン値 (g/dL)	3.5超	2.8〜3.5	2.8未満
プロトロンビン活性値 (%)	70超	40〜70	40未満

各項目のポイントを加算しその合計点で分類する.

Child-Pugh分類　A：5〜6点
　　　　　　　　B：7〜9点
　　　　　　　　C：10〜15点

巻末の文献23より作成.

表3-14-3 肝障害度 (liver damage)

臨床所見, 血液生化学所見により3度 (A, B, C) に分類する. 各項目別に重症度を求め, そのうち2項目以上が該当した肝障害度をとる.

項目	A	B	C
腹水	ない	治療効果あり	治療効果少ない
血清ビリルビン値 (mg/dL)	2.0未満	2.0〜3.0	3.0超
血清アルブミン値 (g/dL)	3.5超	3.0〜3.5	3.0未満
ICG R^{15} (%)	15未満	15〜40	40超
プロトロンビン活性値 (%)	80超	50〜80	50未満

注：2項目以上の項目に該当した肝障害度が2カ所に生じる場合には高いほうの肝障害度をとる. 例えば, 肝障害度Bが3項目, 肝障害度Cが2項目の場合には肝障害度Cとする.
巻末の文献23より作成.

用する (**凝固異常がないなら硬膜外麻酔を併用するのがよい**). 筋弛緩薬はモニターしながら使用する

3. 肝血流維持
   - ドパミン2〜5μg/kg/分, プロスタンディン500 0.01〜0.02μg/kg/分を手術開始早期から投与. 単回投与にはエフェドリンやフェニレフリンを選択
   - 肝血流を維持するには血管を収縮させるだけではなく心拍出量の増加が必要. 上腹部手術や腹臥位, 腹腔鏡手術では肝血流の減少が起きやすいので早めに対処する
   - **血圧 (平均血圧) の維持と循環血液量の適正化**に加えて

低酸素血症を避けることが大切．過換気やPEEPも肝血流を減少させるためできるだけ避ける

4. **過剰輸液，輸血の防止**
   - アルドステロンが代謝されにくいため二次性アルドステロン症となりナトリウムと水を体内に蓄積しやすい．
   - 腹水として漏出しやすいので，肝血流の維持を行いながら輸液を行う．
   - T1製剤や半生食で輸液量は4～5 mL/kg/時間を目安に増減させる．細胞外液補充剤を使用するときは重炭酸リンゲル液や酢酸リンゲル液を使用する．血漿成分が失われやすいのでアルブミンやFFPを併用する必要がある．
   - 過剰な輸血はビリルビン代謝に悪影響を及ぼすことからヘマトクリット25ぐらいまでは赤血球濃厚液の使用をひかえることが多い．

5. **尿量の確保**
   上記の理由で尿量の確保を積極的に行う必要がある．

6. **糖負荷による高血糖に注意**

7. **低酸素血症の防止**
   体液貯留傾向は肺内水分量も増加させるため，肺間質に浮腫が発生し胸水の貯留が起きる．大量腹水が貯留すると横隔膜が押し上げられ術前から換気が不十分な場合もある．

8. **抜管**
   覚醒が悪いときには無理に抜管せず，ICUなどで覚醒まで管理した方がよい．

9. **術後鎮痛**
   疼痛刺激により内因性カテコラミンで，血圧が上昇する状態は肝血流低下をもたらす．できれば，PCAなどでオピオイド鎮痛薬を用いるか，可能な場合は持続硬膜外鎮痛を考慮．

6 肥満（病的）

脂肪組織が異常に蓄積し，体重増加をきたした状態です．肥満自体が外科手術の困難，脊椎麻酔や硬膜外麻酔穿刺困難，静脈路確保困難，気道確保（マスク換気，気管挿管）困難，人工呼吸や手術体位の困難を引き起こすために，麻酔を施行することに大き

な問題があります．麻酔からの覚醒も遅延することがあり，もともと睡眠時無呼吸を起こすような肥満患者では術後合併症も生じやすいです．肥満の程度によりますが，以下のようなポイントを見逃さないように管理する必要があります．

①術前評価

- 身長・体重から肥満度の定量的評価．
  BMI（p.39参照）30以上で肥満，35以上で病的肥満．26.4以上で標準体重（BMI 22）の肥満度20％，28.6以上で肥満度30％，30.8以上で肥満度40％と記述することもある．BMI 35では肥満度60％である．
- 上気道閉塞の評価（挿管困難と抜管後気道閉塞），睡眠時無呼吸，呼吸機能の評価（術中の人工呼吸難渋，術中術後の低酸素血症）．
- 併存合併症（糖尿病，高血圧，虚血性心疾患，脂肪肝）の十分な評価と対策．
- 深部静脈血栓 → 血栓予防対策（加圧フットポンプやヘパリン使用）．
- 食道裂孔ヘルニアや逆流性食道炎（胃内圧，腹圧上昇），胃酸分泌亢進→ 前投薬で胃酸分泌抑制薬の投与（胃内容逆流の危険がある）．

②術中管理

1. マスク換気，気管挿管困難

- 麻酔導入時には，十分に自発呼吸があるうちに半坐位で酸素を十分に取り込んでおく必要がある〔FRC（機能的残量）減少があり仰臥位にすると腹部内臓が横隔膜を押し上げて，容易に低酸素血症になる〕．
- 肥満による口腔内の狭小化のため上気道閉塞が起きやすくマスク換気が困難．**指導医2人でマスク換気を行っても困難であることも多い．**
- 口腔内エアウェイや声門上器具の準備が必要．
- マスク換気中に誤嚥性肺炎に注意．
- 口腔内吸引の準備．
- 胃内に空気を送りやすいので胃管の準備も必要（要相談）．
- 挿管困難（指導医でも難渋）も予測されるので，エアウェ

イスコープやファイバー挿管の準備．さらには，意識下挿管を考慮しなければならない症例もある．

2. 人工呼吸困難（低酸素血症）

- 挿管時の人工呼吸中にも胸郭コンプライアンスの減少のため高い陽圧が必要となる．一回換気量はやや多め（10〜15 mL/kgまで）としてPEEPを併用する．気道内圧を30 cmH₂O程度におさえ，それでも低酸素の場合は，吸入酸素濃度を上昇させる必要がある．
- 気道内圧が上昇するために心拍出量が低下して酸素化が保てない場合は，輸液に加え，循環作動薬を使用して循環サポートを行う必要がある．
- 低酸素血症の監視はSpO₂に加えて，比較的頻回に動脈血液ガス分析で確認する必要があり，<u>観血的動脈圧モニター</u>を行うのがよい．気道内圧が高いときには肺の圧外傷（気胸）に注意する．筋弛緩薬をモニターしながらきちんと使用することも大切である．

3. 薬剤の投与量

プロポフォール，フェンタニルは実体重で投与．チオペンタール（ラボナール）は理想体重で，筋弛緩薬は筋弛緩モニターをモニターしながら投与する．

4. 術後管理にむけて

- 抜管は急がず，完全覚醒まで待つ．特に挿管困難で，上気道の腫脹をきたしていると考えられるときは無理をして早急に抜管しない．
- 術中術後には，とにかく低酸素血症に悩まされる．抜管後は，高濃度酸素投与のためにリザーバー付きマスクを使用し，**半坐位**で管理する（仰臥位にしない）．
- 疼痛対策を怠ると痛みのために低酸素血症を助長する可能性がある．

■ 肥満の呼吸器系・循環器系への影響

呼吸器系への影響

1. 胸郭・肺コンプライアンス低下
2. 機能的残気量（FRC）減少，肺活量減少
3. クロージングボリューム（CV）＞FRCによる末梢気道閉塞
4. 換気血流不均等

が起こっているため術中術後は**低酸素血症**との戦いになる．また，代謝亢進による過呼吸や，腹圧上昇による胃液の逆流で誤嚥性肺炎を起こしやすいとされる．

循環器系への影響
1. 代謝亢進，循環血液量の増加と心仕事量増大
2. 心筋肥大
3. 高血圧，動脈硬化，虚血性心疾患合併
4. 静脈炎，静脈瘤の合併

7 凝固異常

①術前評価
- 肝硬変，腎不全，抗凝固薬や抗血小板薬内服（p.34〜：「第2章-2 術前回診と全身状態の評価」参照）患者に注意する
- 術前検査（血小板，PT，APTT，出血時間）

②術中管理
- 麻酔よりも手術が問題になることが多い

- 硬膜外麻酔や脊髄くも膜下麻酔は，**血小板10万以下，PT-INR 1.5以上，APTT 50秒以上（あるいは施設ごとの正常値上限を超えるもの）では行わない**（施設により基準が異なるので確認する）

- 硬膜外麻酔の場合，カテーテルを抜去するときに硬膜外血腫を起こす可能性が高い

8 膠原病（関節リウマチ）

①術前評価
- 重要臓器障害合併（心，肺，腎，貧血など）
- ステロイド投与
- 頸椎病変（開口制限，頸部後屈制限，ブロック時の体位可能か）
- 関節（四肢）の変形（手術体位時の配慮）

②術中管理
- 挿管困難（気道確保困難）が予測される場合は，声門上器具，気管支ファイバー，McGRATH™ MACなどを準備する
- ステロイド投与例ではステロイドカバーを行う

第3章 術中管理

15. 各科手術の麻酔

> **Point**
> ❶各科手術の麻酔管理（術中・術後）を行ううえで，考慮すべきことを整理します
> ❷各科手術の麻酔を勉強することで，医療行為によって引き起こされることに，あらかじめ対応する考え方を身につけましょう

1 開腹術の麻酔（特に消化管手術）

1）術中管理

①術中輸液，電解質バランス（特に低カリウム血症）
②筋弛緩
③腸管牽引や迷走神経反射
④低体温
⑤体位
⑥（緊急手術やイレウス状態では）気道の問題

①術中輸液，電解質バランス（特に低カリウム血症）

術前からの浣腸（腸管洗浄），下痢，嘔吐，脱水，食事制限などで体液の喪失の要素が多く存在します．水分とカリウムの喪失（p.178「術中のKの補正」参照）に注意します．術中輸液ではこれらの補充と維持輸液に加えてサードスペースへの喪失，開腹部からの不感蒸泄，出血（p.169「第3章-11 輸液」，p.180「第3章-12 出血と輸血」参照）などに対する輸液が必要です．開腹術の管理は輸液の勉強になります．

輸液は，多すぎると肺水腫，うっ血性心不全となり，少なすぎると循環動態不安定，臓器血流低下による臓器障害につながります．尿量1 mL/kgを確保します．脈拍，平均血圧，動脈波形，CVP（central venous pressure：中心静脈圧）を参考に輸液を行います．輸液の種類や輸液の速度，輸液をいつどれだけ入れるかを学びましょう．

輸液を行うにあたっては輸液ルートを2本以上あるいは太いルートを確保すべきです．

②筋弛緩

開腹術では十分な筋弛緩が必要です．深部の手術操作中のバッキングは禁物です．また，筋弛緩薬の使用や硬膜外麻酔併用により筋弛緩を得ることができます．

③腸管牽引や迷走神経反射

腸管牽引により迷走神経反射が起こり徐脈となることがあります．アトロピンで対処します．

また，腸管牽引（腸間膜牽引）により，顔面紅潮から血圧低下（頻脈）が起こることがあります．腸間膜の牽引により血管拡張物質が放出されることによります（腸間膜牽引症候群：p.94参照）．輸液と昇圧薬（血管収縮薬）で対処します．アナフィラキシーとの鑑別は全身発赤や発疹がないことです．

> **Column　顔面紅潮**
>
> 腹腔内操作開始時に顔面紅潮がよく観察される．腹膜牽引により血管内皮細胞に，ずり応力が作用して血管拡張物質が放出されるためと言われている．この際には，血圧低下，頻拍とともに顔面紅潮が見られる．対応方法は，血管収縮薬，輸液負荷で，30分程度で顔面紅潮は消失する．この作用（機序）により発生した顔面紅潮で，心停止をきたした症例報告もある（巻末の文献10）．たかが顔面紅潮と思わないことである．

④低体温

全身麻酔でははじめの1時間で1℃体温が低下します．それに加えて開腹による熱の放出があり，放置すると低体温に陥ります．覚醒遅延や覚醒後にシバリングを引き起こし低酸素血症となって重篤な組織虚血にいたります．早期から温風式ブランケットや輸液の加温で対応しましょう．体温が下がってしまってから上げるのは大変です．侵襲の大きい手術では炎症性サイトカインにより体温のセットポイントが37℃より大幅に上昇しているため，セットポイント上昇を考慮して体温を上昇させてから覚醒させる．

⑤体位

離被架やスクリーンに肩や腕が当たって神経麻痺を起こしたり，長時間の砕石位による腓骨神経麻痺（術後の下垂足）に要

注意です．

⑥（緊急手術やイレウス状態では）気道の問題

緊急手術はもちろんのことイレウス状態では，フルストマック（p.258参照）と考えて誤嚥，逆流防止のためRSI（クラッシュインダクション）を考慮します．

> **memo 低カリウム血症の合併症**
> ① 不整脈　　　　　② イレウスを長期化
> ③ 心収縮力低下　　④ 呼吸筋力低下
> ⑤ 非脱分極性筋弛緩薬作用増強

2）術後管理

術後管理については次ページを参照．

2 肝切除術

1）Pringle法と肝切除術

肝切除では肝動脈と門脈を同時にクランプ（肝門部血流遮断）するPringle法が行われます．15分間クランプ，5分間のクランプ解除（血流再開）をくり返します．一般にクランプによって血圧は上昇し，解除により血圧は低下します．

また，Pringle法に加えて術者からCVPを5 cmH₂O以下に保ってほしいという要望が出ることがあります．この場合は，中心静脈圧をモニターします．肝実質切離中の出血増大因子として肝うっ滞があります．血液の肝うっ滞を避けるという意味で，肝静脈圧（実際にはCVP）を下げると肝実質切離の際に出血量が少ないという報告があります．

手術での切除部位や範囲について知っておく必要があります（図3-15-1～図3-15-3）．

2）術後管理

①術後鎮痛
②術後低酸素血症

①術後鎮痛

開胸，開腹術では術後痛が激しいため硬膜外鎮痛（局所麻酔薬を用いた硬膜外鎮痛では組織の血流増加も期待できます），PCA（patient-controlled analgesia：自己調節鎮痛），オピオイドの持続皮下注などによる術後鎮痛を行うことが必要です．術後疼痛は低酸素，無気肺，感染の原因とされています．

②術後低酸素血症

術後の肺内シャント，低換気による低酸素血症が起こりやすいため，術後酸素療法を行う必要があります［酸素濃度は「第3章-4 術後指示」（p.107～）参照］．

3 緊急外科開腹手術

1）虫垂切除術

①急性虫垂炎の場合，超緊急は少ない（必要な検査が揃うまで待つ）
②発熱，炎症所見の強い場合，腹膜炎が疑われる場合には，脱水を念頭におき十分な術前輸液を行って麻酔・手術に臨む（尿量が得られているかどうかがポイント）
③最終飲食時刻，最終飲水時刻を確認
④麻酔は全身麻酔，全身麻酔＋硬膜外麻酔，脊髄くも膜下麻酔，脊髄くも膜下麻酔＋硬膜外麻酔のいずれでも可能であるが，患者の年齢や全身状態，術者の技量などを参考に選択する
⑤脱水がある場合には，麻酔で急激な低血圧をきたすため要注意
⑥**（稀に）虫垂炎ではなく別の疾患である場合には，大開腹術に移行することがある**

2）消化管穿孔

①上部消化管穿孔と下部消化管穿孔で全身状態が異なる（大腸穿孔では敗血症に移行しやすく低血圧を合併しやすい）
②腹膜炎により体液がサードスペースに移行しており血管内脱水がある

A) 肝区域

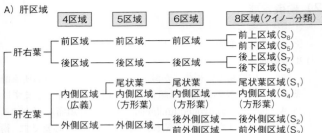

B) 肝の区域分類

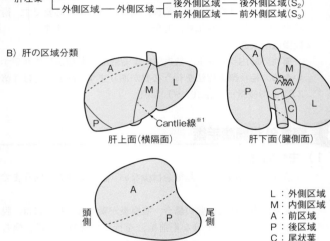

L：外側区域
M：内側区域
A：前区域
P：後区域
C：尾状葉

図3-15-1 肝の区域分類

肝区域（S1-S8）はクイノー（Couinaud）分類，肝葉は肝癌取扱い規約による．

L：lateral segment（外側区域）．肝鎌状間膜よりも左側の区域をいう．従来解剖学的左葉と称された領域である（S2, S3）．

M：medial segment（内側区域）．肝鎌状間膜とCantlie線[※1]の間の区域をいう．方形葉は内側区域に含まれる（S4）．

A：anterior segment（前区域）．Cantlie線と右肝静脈主幹の間の区域をいう（S5, S8）．

P：posterior segment（後区域）．右肝静脈主幹よりも右後側の区域をいう（S6, S7）．

C：caudate lobe（尾状葉）．肝門部背側に位置し，下大静脈に接する付加葉である（S1）．また，尾状葉を除く各区域の上・下領域を亜区域（subsegment）という．

※1）Cantlie線：胆嚢窩と肝上部の下大静脈を結ぶ線．
巻末の文献22，pp.110-111より作成．

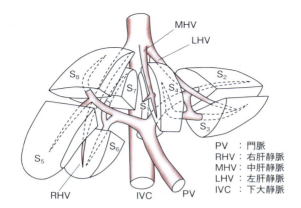

PV ：門脈
RHV：右肝静脈
MHV：中肝静脈
LHV：左肝静脈
IVC ：下大静脈

図 3-15-2　肝の亜区域分類（Couinaud の分類）
　門脈と，肝静脈の走行を中心に区域をさらに分類する．
　巻末の文献 22, p.110 より作成．

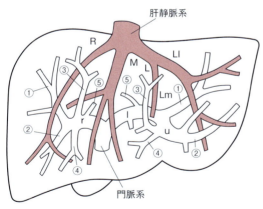

〔門脈系〕
r：右枝
　①後側上枝
　②後側下枝
　③前側上枝
　④前側下枝
　⑤尾状葉右枝
l：左枝
　①外側上枝
　②外側下枝
　③内側上枝
　④内側下枝
　⑤尾状葉左枝
u：臍部

〔肝静脈系〕
R：右肝静脈
M：中肝静脈
L：左肝静脈
　Ll：外側枝
　Lm：内側枝

図 3-15-3　肝内の門脈と肝静脈との相互関係
　肝臓の区域設定は，肝内の門脈，肝動脈，胆管などの Glisson 系脈管の分岐を基本としている．巻末の文献 22, p.112 より作成．

③尿量が確保できるように麻酔導入前(術前)に十分な輸液が必要
④麻酔は全身麻酔を選択.麻酔導入は状態によりRSI(クラッシュインダクション)〔輪状軟骨圧迫法(図3-15-4)を用いる〕または意識下挿管(真のフルストマック)
⑤上部消化管穿孔では,患者の状態に余裕のある場合には,術後鎮痛用に硬膜外カテーテルの挿入を行う
⑥全身状態が悪い場合には,血管透過性亢進があり,血管外に輸液が逃げるため低血圧が続き,尿量が保てないことがある(太い静脈ルート確保と十分な輸液・輸血)
⑦全身状態が悪く大量輸液を必要とする場合には,積極的にアルブミン製剤やドパミンを使用して尿量の確保に努める
⑧肺水腫や腸管浮腫が強く腹部膨満が起こった場合には,抜管せずに術後人工呼吸管理(集中治療管理)を考慮する
⑨低血圧が続き,敗血症が疑われる場合には術後,血液吸着やCHDFを考慮する

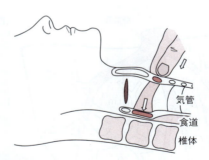

図3-15-4 輪状軟骨圧迫法
(cricoid pressure:クリコイドプレッシャー)

フルストマックの逆流防止のために,輪状軟骨を圧迫する方法.足台に乗り,利き腕の肘を伸ばした状態で母指と示指で少なくても5分間,3 kgの圧が加えられるようにする.覚醒時に行うと嘔吐を誘発する危険性あり.甲状軟骨部の圧迫では食道はつぶれない.巻末の文献19より作成.

4 腹腔鏡手術の麻酔

1）術中管理

①気腹による呼吸循環への影響
②気腹による合併症
③手術体位による呼吸循環への影響

を常に念頭におく．

①気腹による呼吸循環への影響

1. **呼吸器系**
   - 高CO_2血症
   - 気腹圧による気道内圧上昇
   - 機能的残気量（FRC）減少
   - 無気肺
   - 低O_2血症

2. **循環器系**
   - 高CO_2血症による交感神経刺激（血圧上昇，心拍数上昇，心拍出量増加，不整脈）
     →高CO_2に対しては筋弛緩をしっかり行った陽圧換気で分時換気量を増やす（換気回数を増やす）
     →低O_2に対しては，O_2濃度を上げ，PEEPをかける

②気腹による合併症

- 気腹針による血管損傷，臓器損傷
- 低血圧：気腹による静脈灌流の低下
- 気胸
- 低体温
- 不整脈
- 皮下気腫，縦隔気腫
- ガス塞栓
- 血栓塞栓症：気腹，体位により骨盤内静脈のうっ滞が生じ深部静脈血栓が起こる可能性がある
- 術後の悪心嘔吐（post operative nausea and vomiting：PONV）

> **memo** CO_2 ガス
>
> 笑気や空気より液体に溶け込みやすいため気腹にはCO_2ガスが多く用いられる．気腹による腹腔内圧上昇で胸郭が小さくなること以外に，CO_2ガスは，血液中に多く吸収されるため高二酸化炭素血症を生じさせる．また，CO_2塞栓では肺動脈塞栓を起こす．急激な血圧低下，低酸素血症，$EtCO_2$の低下が特徴的である．さらに気腹時間が長引くと低体温が起こるとされている．注入圧は 15 mmHg までが許容範囲で，30 mmHg を超えると合併症の発生に要注意．

【基本方針】
・気管内全身麻酔で調節呼吸
・筋弛緩を十分に行う
・**胃管を挿入し胃内を空にする**
・高CO_2に対して分時換気量を増加させ（一回換気量，呼吸回数），正常CO_2分圧に保つ
・十分な輸液を行う
・モニター（血圧，脈拍，心電図，パルスオキシメータ，カプノメータなど）で十分に状態を監視し，異常があれば指導医に相談する

③手術体位による呼吸循環への影響

1. 頭高位（逆トレンデレンブルグ体位）
    ・上腹部の手術
    静脈還流が減少し，頻脈，血圧低下，心拍出量低下，中心静脈圧上昇，尿量減少
    →昇圧薬，輸液の増量で対応
2. 頭低位（トレンデレンブルグ体位）
    ・婦人科手術や下腹部の手術
    血圧上昇，FRC減少，無気肺の増加，低酸素血症
    →分時換気量を増加させる（換気回数を増やす）
    →低酸素に対しては，O_2濃度を上昇させ，PEEPをかける

2）術後鎮痛

腹腔鏡手術といえども，腹壁をどの程度切るかによります．また，開腹術に移行したときには強力な術後鎮痛が必要です．

5 帝王切開術

①胎児の状態，母体の状態により手術の緊急度が決まる．産科主治医より緊急度を聞く
②超緊急手術では全身麻酔を選択することが多い
③緊急手術でも余裕がある場合には，定時手術に準じて脊椎くも膜下麻酔，硬膜外麻酔が選択される
④手術適応には児頭骨盤不均等，前置胎盤，胎盤早期剥離，子宮切迫破裂，胎児仮死などがある
⑤緊急手術では術前検査が不備なことが多く，妊娠に伴う呼吸循環系の変化を熟知することが大切（表3-15-1）
⑥児に問題がある可能性がある場合には，助産師以外に児を担当する医師が必要（できれば小児科医，麻酔科医）．また，新生児の蘇生道具，酸素，吸引器具，インファントウォーマーの準備
⑦通常の麻酔の記録に加えて，手術開始から分娩までの時間，子宮切開から分娩までの時間，娩出後1分と5分のAPGARスコア（表3-15-2），分娩時刻，児の体重と性別を記録する

表3-15-1 妊娠に伴う変化（妊娠末期）

呼吸器系	機能的残気量の低下，低酸素に陥りやすい
循環器系	子宮の増大により下大静脈を圧迫して低血圧を引き起こす（仰臥位低血圧症候群）血漿量の増加により希釈性の貧血
消化器系	胃内容物貯留時間の延長（フルストマック）
神経系	吸入麻酔薬のMACが減少，脊椎麻酔，硬膜外麻酔が拡がりやすい

表3-15-2 APGARスコア（新生児仮死の診断）

所見	点数		
	0	1	2
Appearance（皮膚色）	全身蒼白または暗紫色	体幹ピンク色，四肢青い	全身ピンク色
Pulse（心拍数）	ない	100/分以下	100/分以上
Grimace（反射）	反応しない	顔をしかめる	泣く
Activity（筋緊張）	だらりとしている	いくらか四肢を曲げる	四肢を活発に動かす
Respiration（呼吸努力）	ない	弱々しい泣き声	強く泣く

生後1分および5分に判定する．
5分後スコアは最終的な神経学的予後と密接に相関する．
8〜10点：正常／4〜7点：青色仮死（第1度仮死）／0〜3点：白色仮死（第2度仮死）．巻末の文献18より作成

6 開頭術の麻酔

1）術前のチェック項目

①意識レベル
②神経症状
③脳圧亢進症状（画像上の頭蓋内圧亢進変化）
④抗痙攣薬の投与

①意識レベル

検査後では鎮静薬を投与されていて意識レベルの判定が難しいことがあります．鎮静薬を使用していないかどうかをチェックしよう．そのうえで，JCSまたはGCSで意識レベルを評価します（**表3-15-4，表3-15-5参照**）．

②神経症状

麻痺やその他の神経症状を把握しておきます．脳虚血の場合には発作誘発因子を把握します．

③脳圧亢進症状

臨床症状として強い頭痛，嘔吐，血圧上昇，徐脈，うっ血乳頭（眼底），意識障害があります．CT画像上のMidlineのシフトがあれば脳圧亢進を示します．

またグリセオール，マンニトールなどの術前投与があれば脳圧亢進に対しての治療をしています．電解質バランスに注意してください．

④抗痙攣薬の投与

当日，朝まで服用を続けます．抗痙攣薬を長期投与されている場合，非脱分極性筋弛緩薬（エスラックス）の筋弛緩作用を減弱する（巻末の文献16より）ため，筋弛緩モニターを行いながら通常より多めの筋弛緩薬を投与する必要があります．

2）術中管理

大きく分けると2種類の管理があります．

①脳内占拠性病変の場合
　脳腫瘍，頭蓋内出血，脳動脈瘤クリッピング術など．
②脳虚血の場合
　内頸動脈内膜剥離術，もやもや病，閉塞性脳動脈障害に対する浅側頭-中大脳動脈吻合術など．

コンセプトは，"「中枢神経のために」がんばる麻酔"です．

①脳内占拠性病変の場合
- 脳圧を上げない，脳血流を障害しないために

  CO_2 を上げない（$PaCO_2$：吸入麻酔では 30 〜 35 mmHg，TIVA では 35 〜 40 mmHg），バッキングをさせない（筋弛緩薬をきちんと効かせる），高濃度の揮発性吸入麻酔薬や血管拡張薬を不用意に使わない，血圧を上げない，輸液を入れすぎない（2 〜 4 mL/kg/時間を目安）などの注意が必要です．

②脳虚血の場合
- 脳虚血を増悪させないために

  CO_2 は高め（$PaCO_2$：40 〜 45 mmHg），血圧を下げない，輸液は多めに，などで①とは全く逆の管理です．また，脳虚血が疑われる症例では高血糖を避ける必要があります．

> **memo 低体温麻酔**
>
> 34 〜 35℃程度の軽度低体温を脳保護の目的で施行することがある．脳温に近い鼓膜温，食道温をモニターする．全身麻酔導入後，血管拡張薬と筋弛緩薬を効かせて体表面を冷却する．35℃まで下がれば冷却を中止する（その後も少し下がる）．手術の主要操作が終われば復温を開始するが，シバリングを防止するために 36℃以上になるまで待ってから，覚醒させる．

3）脳神経外科血管疾患

① ほとんど全身麻酔で行われる（全身麻酔を念頭においた術前検査）

② 対象疾患は血管疾患〔急性硬膜外血腫などの外傷，脳内出血，脳動脈瘤破裂（表 3-15-3）〕

③ 患者は意識障害※のために既往歴の聴取が不可能（患者家族や同僚からの聴取となり不十分な情報しか得られないことが多い）

※）**意識障害**

意識障害の程度を表現するには，JCS（Japan Coma Scale）と GCS（Glasgow Coma Scale）がある（表 3-15-4，表 3-15-5）．

④脳圧亢進のため術前より嘔吐(誤嚥しているものとして呼吸管理)
⑤麻酔導入,気管挿管時の血圧上昇は脳圧上昇を引き起こす(フェンタニルや吸入麻酔薬などで麻酔深度を深めておく必要がある)
⑥脳圧管理,脳血流維持,脳代謝抑制を考える

- **血圧上昇を避ける**
  (気管挿管時,頭蓋固定時,執刀時に注意)
- **急激な脳圧上昇を予防**
  (マンニトール,グリセオール,ステロイドなどの投与,$PaCO_2$を正常下限30〜35 mmHgにする),$PaCO_2$を下げすぎると脳血流低下
- **脳血流維持**(CPPを保つ)下記memo参照
  脳代謝の抑制(軽度低体温やバルビツレートなど)

> CPP(脳灌流圧)
>   = MAP(平均動脈圧)− ICP(頭蓋内圧)

- **高血糖を避ける**

⑦麻酔薬の選択としては,レミフェンタニル,フェンタニル,プロポフォール,チオペンタール,などが推奨される
⑧手術終了時の意識状態によっては抜管せず,人工呼吸管理をしながら術後管理を行う

---

memo CPP (cerebral perfusion pressure:脳灌流圧) の管理

CPP = MAP − ICP

この値を60〜100 mmHgに保つ.要するにICP(頭蓋内圧)が高いときにMAP(平均動脈圧)を下げすぎると脳灌流圧が下がってしまい,血液が頭蓋内を流れず危険である.脳が虚血に陥らないようにCPPを下げないように(上げないように)管理することが大切である.またMAPを維持しようとするあまり急激に輸液を負荷すると脳が腫れるので注意.しかし,輸液がひどく少なすぎるのも問題である.循環作動薬もうまく使って管理すること.また,脳圧降下薬も有効である.

memo 神経モニタリング

脳神経外科や脊椎外科,大血管の手術では神経機能のモニタリングを行いながら手術を行うことがある.

	MEP	SEP	VEP	ABR	顔面神経刺激
避けるべき薬剤	チオペンタール 吸入麻酔薬 筋弛緩薬[※1]	チオペンタール 吸入麻酔薬	チオペンタール 吸入麻酔薬 ケタミン	なし	筋弛緩薬[※1]
推奨される薬剤	プロポフォール[※2] オピオイド ケタミン	プロポフォール 筋弛緩薬 ケタミン	プロポフォール[※3] オピオイド 筋弛緩薬	—	—

MEP:motor evoked potential(運動誘発電位).大脳皮質の運動野を定電流刺激し,刺激が中枢から末梢へ伝わるスピードや反応波の大きさを評価(末梢に電極が置かれた神経の伝導路を評価).
SEP:somatosensory evoked potential(体性感覚誘発電位).上肢または下肢の感覚神経に電気的/機械的刺激をして誘発される電位で,末梢神経から脳幹,大脳皮質に至る長い神経路の機能障害を評価.
VEP:visual evoked potential(視覚誘発電位).網膜に光刺激をしたときに大脳視覚領に生ずる反応を評価.
ABR:auditory brainstem response(聴性脳幹反応).聴覚神経系を興奮させることで生ずる脳幹部の電位を頭皮上で記録.
※1)筋弛緩薬は麻酔導入時のみとする.神経モニタリング時には筋弛緩が回復していることを筋弛緩モニターで確認する(回復していない場合は,スガマデクスでリバースする).
※2)用量依存性に MEP 抑制.
※3)高用量で振幅抑制される.

memo 坐位手術

坐位手術においては,解放された静脈から空気が流入し空気塞栓が起こる可能性が高い.空気塞栓の早期発見に胸壁ドップラー,食道聴診器,経食道心エコーなどのモニター準備とスワンガンツカテーテルの挿入(空気が肺動脈に塞栓)を行い塞栓が生じたときのために備える.

空気塞栓では呼気終末CO_2濃度が急激に低下して循環不全に陥る.起こったときは,手術を中止してもらい頭低位として昇圧薬を投与して空気をスワンガンツカテーテルから吸引する.そして純酸素で換気する.予防としては心臓と頭の高低差を CVP より高くしないことである.

表3-15-3 脳動脈瘤症例の重傷度分類 (Hunt & Kosnik)

Grade 0	未破裂脳動脈瘤
Grade I	無症状か軽度の頭痛,および軽度の項部硬直をみる
Grade II	中等度から高度の頭痛,項部硬直をみるが,脳神経麻痺以外の神経脱落症状がない
Grade III	傾眠状態,錯乱状態,または軽度の巣症状をみる
Grade IV	昏迷状態で中等度から高等度の片麻痺があり,早期除脳硬直および自立神経障害を伴うことがある
Grade V	深昏睡状態で除脳硬直を示す

表3-15-4 Japan Coma Scale (JCS)

GradeI	刺激しないでも覚醒している
1	一見,意識清明のようではあるが,今一つどこかぼんやりしていて,意識清明とは言えない
2	見当識障害(時・場所・人)がある
3	名前・生年月日が言えない
GradeII	刺激で覚醒する
10	普通の呼びかけで容易に開眼する
20	大声または体をゆさぶることにより開眼する
30	痛み刺激を加えつつ,呼びかけをくり返すと,かろうじて開眼する
GradeIII	刺激をしても覚醒しない
100	痛み刺激を払いのけるような動作をする
200	痛み刺激で少し手を動かしたり,顔をしかめたりする
300	痛み刺激に反応しない

R:Restlessness(不穏状態),I:Incontinence(失禁),A:Akineticmutism(無動性無言),Apallic state(失外套症候群)
注:『III-100』のように記載する.また,『I-3A』とした場合には,覚醒しているが失外套症候群があることを示す.

表 3-15-5　Glasgow Coma Scale (GCS)

E. 開眼 (eye-opening)	
4	自発的 (spontaneous)
3	言葉により (to speech)
2	痛み刺激により (to pain)
1	なし (none)

V. 言語性反応 (best verbal response)	
5	見当識あり (orientated)
4	錯乱状態 (confused)
3	不適当 (inappropriate)
2	理解できない (incomprehensible)
1	なし (none)

M. 運動反応 (best motor response)	
6	命令に従う (obeying)
5	払いのける (localizing)
4	逃避的屈曲 (withdrawal flexing)
3	異常屈曲 (abnormal flexing)
2	伸展する (extending)
1	なし (none)

注：EVMscore（反応の合計点）は3～15に分かれる．合計点が3ないし4は昏睡を示す．得られた得点のうち最良のものを記載．
『E1V1M4』などと表記する．

7 開胸術の麻酔

1）術前チェック

①臨床症状（喀痰の量，咳，Hugh-Jones 分類）
②肺機能検査
③血液ガス分析
④胸部X線写真，CT
⑤禁煙（本数と禁煙時期）

2）術中管理

①分離肺換気
②低酸素血症との戦い
③換気のトラブル

①分離肺換気

左右の肺を別々に換気するために，ダブルルーメンチューブ（二腔式の気管挿管チューブ）の左用が用いられます（図3-15-5，図3-15-6）．左用とは左側の主気管支に先端が入り込む構造になっているものです．右用は気管分岐部から上葉枝までの距離が短く上葉枝を閉塞しやすいために，特殊な用途でしか用いられません．**成人男性では37 Fr，成人女性では35 Fr** のチューブを基準に選択します．気管支カフは青色，気管カフは白色（透明）となっています．

気管支ブロッカーと呼ばれるものでは，通常の気管チューブに気管支を閉塞するためのブロッカーを挿入して，目的とする気管支を閉塞させます．挿入時は気管支ファイバーにより確認します．ダブルルーメンチューブとの違いは閉塞させた気管枝側は気道内吸引ができないことです．

②低酸素血症との戦い

手術時の体位は，手術側の肺を上にした側臥位で，手術側の肺は視野を得るために換気しません．片側の肺でしか換気していないために低酸素血症が起こる可能性があります．

片肺換気中は吸入酸素濃度を上げSpO_2を90％以上に維持します．最高気道内圧は30 cmH$_2$O以下，$PaCO_2$は45 cmH$_2$O以下にできるように換気を調節します．

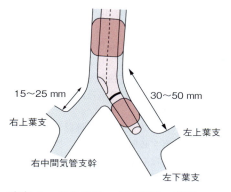

図3-15-5 ダブルルーメン気管チューブ（左用）の構造
巻末の文献17より作成.

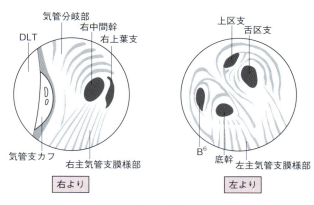

図3-15-6 左用ダブルルーメンチューブ（DLT）のチューブ位置の確認
巻末の文献17より作成.

【対策】
- 笑気や空気の投与を中止し100％酸素で換気
- 下側の肺（換気側）にPEEP（positive end-expiratory pressure：呼気終末陽圧）をかける
- 上側の肺（手術側）にPEEPを3〜5 cmH₂Oかける
  → 内視鏡手術では手術の邪魔になりできないことがある

- 上側の肺（非換気側）にチューブを開放したまま酸素を3 L/分程度流す
- 手術を一時中断してもらい，100％酸素で両側換気を行う

③換気のトラブル

体位変換後や片肺で換気をはじめた後にチューブの位置がずれて，両側換気されたり気道内圧が上昇して換気ができなくなることがあります．

早急に気管支ファイバーで確認してチューブの位置を正しい値に合わせ直す必要があります．放置すると，致命的な合併症を引き起こすため指導医への早めの報告が大切です．

④切除範囲の把握

切除範囲を把握（図3-15-7，図3-15-8）するために，気管支体操（図3-15-9）も役立ちます．

3）術後疼痛管理

開胸術（特に後側方開胸）では傷やドレーンの痛みが強く，強力な術後鎮痛（硬膜外鎮痛など）の必要があります．痛みのために呼吸が制限されると低酸素血症となります．逆に鎮痛を上手く行えば深呼吸や喀痰排泄が促され，術後肺合併症の減少につながります．

> **memo** HPV（hypoxic pulmonary vasoconstriction：低酸素性肺血管収縮）
>
> 低酸素の肺胞では，ガス交換が行われないように肺血管が収縮する（換気/血流比を適正に保つ）生理的反応をもっている．しかし，HPVを抑制するような要因があると低酸素になっている肺胞でもガス交換が起こり低酸素血症を引き起こす原因となる．血管拡張薬（ニトログリセリン，ニトロプルシド，ニカルジピン）やプロタノールL，揮発性吸入麻酔薬，アルカローシスや肺疾患の存在でHPVは抑制される．プロポフォールや硬膜外麻酔ではHPVは抑制されないとされている．

8 TUR (transurethral resection：経尿道的切除術) の麻酔

術中管理

①第一選択は脊髄くも膜下麻酔（硬膜外麻酔）
②TUR-P（transurethral resection of prostate：経尿道的前立腺切除術）ではTUR症候群に注意
③TUR-Bt（transurethral resection of bladder tumor：経尿道的膀胱腫瘍切除術）では膀胱穿孔に注意
④出血量と尿量の把握が難しい
⑤高齢者が多い

①**第一選択は脊髄くも膜下麻酔（硬膜外麻酔）**：TUR症候群や膀胱穿孔の早期発見のために区域麻酔（麻酔高はTh10までで十分）が勧められます．

②**TUR-PではTUR症候群に注意**：TUR症候群は灌流液が静脈叢に吸収されることによって生じます．灌流液のINとOUTが時間ごとに大きくずれていないかチェックすることが必要です．
　大量吸収が疑われればヘマトクリットと血清ナトリウム濃度をチェックします．

③**TUR-Btでは膀胱穿孔に注意**：膀胱壁切除操作中に患者が咳やくしゃみをすると膀胱穿孔が起こることがあります．このときは術者が気づきますが，灌流液の戻りが少なくなります．区域麻酔であれば，患者は腹部膨満感，下腹部痛，気分不良を訴え，高血圧，頻脈に続いて低血圧が起こります．

　また，膀胱腫瘍が膀胱三角にある場合，電気的切除刺激が，膀胱後壁近くを通る閉鎖神経を介して，大腿内転筋群の急激な収縮を誘発し術者の手元が狂い，膀胱穿孔を起こすことがあります（TUR-Pでも稀に起こることがあります）．区域麻酔後に閉鎖神経ブロック（p.372参照）を併用して内転筋の収縮を抑える必要があります．

④**出血量と尿量の把握が難しい**：灌流液の使用により，出血量や尿量の評価が困難です．

⑤**高齢者が多い**：多くの合併症をもっている方がいます．

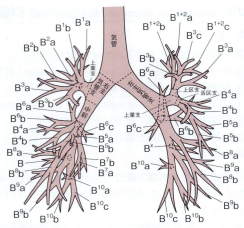

図3-15-7 気管支の分岐

巻末の文献22, p.34より作成.

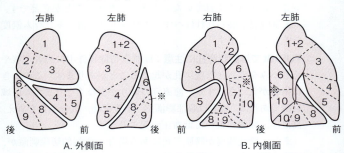

右側		左側	
上葉	1.肺尖区	上葉	1+2.肺尖後区
	2.後上葉区		3. 前上葉区
	3.前上葉区		4. 上舌区
中葉	4.外側中区		5. 下舌区
	5.内側中区		
下葉	6.上下葉区	下葉	6.上下葉区
	6'.(※)上枝下下葉区		6'.(※)上枝下下葉区
	7.内側肺底区		7.前肺底区
	8.前肺底区		9.外側肺底区
	9.外側肺底区		10.後肺底区
	10.後肺底区		

図3-15-8 肺区域

巻末の文献22, p.35より作成.

1 上を向いています

2 後ろを向いています

3 b^2 からまわして前へ向きます

4 b^3 より下で外側に開く

5 b^3 の内側にあります

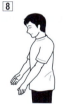

6 両手を後ろに向けます

7 右にしかありません．肘を曲げて心臓のやや後方にあります

8 両手を肩幅より広げて，下にしてやや前方へ

9 b^8 の後方で肩幅より広く

10 b^9 の下にあって両手は伸ばし，手のひらをやや上に向けます

図 3-15-9　気管支体操

1, 2, 3 は上葉（1 上, 2 後ろ, 3 前）．
4, 5 は前（右は中葉，左は舌区）．
6 は後ろ．
7 は右にしかありません．
8 前, 9 横, 10 後ろです．
肺の外側面と気管支の分岐を見比べると位置関係がわかりやすいです．
巻末の文献 32, p.22 より引用．

memo TUR症候群

電解質を全く含まない灌流液（ウロマチック）を流しながら尿管を拡張させ，灌流液中で電気メスを使い内視鏡下に手術を行うため，TUR-Pでは静脈叢からの灌流液の吸収が問題となる．電解質を含まないため血管内に大量に吸収されると低ナトリウム血症（急性水中毒）となる．これをTUR症候群と呼ぶ．早期発見のために区域麻酔（麻酔高はTh10までで十分）がよい．

灌流液の高さが70 cm以下で1時間以内で手術を終えることが推奨される．初期症状として血圧上昇，心拍数増加，中心静脈圧上昇，頭痛，不安，頻呼吸，呼吸困難，湿性ラ音，低酸素血症となり，進行すると昏迷，意識レベル低下，昏睡に陥る．TUR症候群が疑われたら，血清ナトリウム濃度やヘマトクリットを測定する．治療はフロセミドや高張食塩水（3％）を投与する．

memo TURis (TUR in saline)

膀胱灌流液に導電性の生理食塩水が使用できるTUR機器で，TUR症候群が起こりにくい．しかし，血管内に吸収されれば，循環血液量の増加や高Cl性アシドーシスが生じる可能性がある．

memo 色素の注入

尿路の断裂，漏れを調べるために術中に色素を静脈内注射することがある．静脈内注射をすると尿から排泄される．
① インジゴカルミン
　α受容体刺激薬なので高血圧に注意．
② メチレンブルー
　静注すると高血圧を起こす．
　パルスオキシメータの値を低く表示する．

⑨ 整形外科の麻酔

特有な問題点

① ターニケット
② 骨セメント
③ 深部静脈血栓
④ 脂肪塞栓
⑤ 高齢者の大腿骨頚部骨折
⑥ 脊椎手術の問題点

① ターニケット

四肢の手術に用いられる，駆血するための装置です．ターニケット使用中は出血がなく，良好な手術野が得られるため好んで使用されます．使用時間は90分以内が推奨されます．上肢では250〜300 mmHg，下肢では350〜400 mmHgで使用します．ターニケット解除後は，出血と駆血部位から放出された虚血による血管拡張物質のため低血圧に注意します．ターニケット解除前に輸液負荷と昇圧薬を準備します．

② 骨セメント

血圧低下，低酸素素症，ショックに注意が必要です（未重合モノマーが血管内に吸収されることによります）．

「麻酔科医へ骨セメント適用のタイミングを告げること」と添付文書に記載があります．

死亡例も出ているので，要注意です．十分な輸液と昇圧薬の準備が必要です．

③ 深部静脈血栓

下肢の大手術ではヘパリンの予防的投与などが必要となります．日本血栓止血学会他から「肺血栓塞栓症および深部静脈血栓症の診断，治療，予防に関するガイドライン（2017年改訂版）」※が発表されているので参考にしてください．

症状は自発呼吸下では頻呼吸，頻拍，息切れなどがあります．

心電図で頻拍，重症であれば右軸偏位，右脚ブロック，前壁のT波が見られます．

また，$EtCO_2$低下や低酸素血症も見られます．

※）p.46「表2-2-7 肺血栓塞栓症／深部静脈血栓症のリスク分類」を参照

④**脂肪塞栓**

脂肪が肺，脳，腎に詰まるものです．骨盤や長管骨の外傷後や手術後に生じる合併症です．症状は肺静脈塞栓と同じですが，血栓と違い予防は不可能です．脂肪塞栓から脂肪酸が放出され精神状態の悪化，低酸素血症，点状出血，汎発性血管内凝固が生じます．

⑤**高齢者の大腿骨頚部骨折**

超高齢者が多く，通常は心血管系合併症をもっています．

長期臥床による痴呆を防ぐために早期離床を目的として手術を行います．

患側を上にした側臥位で等比重や低比重液での脊髄くも膜下麻酔が好まれます．

⑥**脊椎手術の問題点**

頸椎手術の場合，気道確保に問題（挿管困難）があります．ファイバー挿管の準備をしておきます．

挿管困難では抜管時にも問題（再挿管も困難）があり十分覚醒させて抜管します．

腹臥位が多いため体位による神経障害に注意が必要です［体位について：「第3章-8 手術体位・体位変換」（p.155〜）参照］．

腹臥位では，気管チューブはらせん入りチューブを用います．チューブの固定にも注意します．

⑦**術野でのアドレナリンの使用**（p.254参照）

10 眼科の麻酔

特有な問題点

①眼球心臓反射
②笑気の使用禁忌
③眼圧のコントロール

①眼球心臓反射

眼球圧迫や外眼筋の牽引によって迷走神経反射が引き起こされ徐脈になります．眼球操作を中止するかアトロピンを静注します．

②笑気の使用禁忌

網膜剥離の手術などで硝子体内にガス（SF_6，C_3F_8，空気など）を注入している場合には，笑気ガス投与，航空機搭乗，高地への移動，高気圧酸素治療などが行われると，眼内に注入されたガスが残存している場合，そのガスが膨張して失明する可能性があります．笑気はガス注入後，3カ月間使用禁止です．

③眼圧のコントロール

眼圧に影響を及ぼす因子として，眼への外圧（外眼筋の収縮など），眼内容物，強膜高度，静脈圧（バッキングや咳，嘔吐により眼圧上昇），スキサメトニウムがあります．眼圧を低下させる方法としては，マンニットールやグリセオール，ダイアモックスが使用されます．

11 耳鼻科，口腔外科の麻酔

1）特有な問題点

①導入時，抜管時の気道トラブル（扁桃摘出術，咽頭形成術）
②気道を共有（口腔・咽頭手術）
③術野でのアドレナリン使用
④鼓室形成術における笑気の使用
⑤気道異物摘出術での低酸素，換気困難

①導入時，抜管時の気道トラブル（扁桃摘出術，咽頭形成術）

異常に扁桃が大きく，sleep apnea，舌肥大，口腔内狭小化があり，麻酔導入時に不用意に眠らせると舌根沈下を起こし，マスク換気困難となります．口腔内エアウェイを準備し（p.282参照），マスク換気が可能であることを確認してから，筋弛緩薬を投与します．前投薬は軽めか，行わないようにします．

また，挿管困難である確率も高く，専門医でも一人では対応できないことがあります．再挿管が難しいため，よく覚醒させてから抜管を行います．血圧上昇により出血を助長して，気道閉塞を引き起こさないよう注意します．また，息こらえ，喉頭痙攣により気道閉塞を生じることがあります．

②**気道を共有（口腔・咽頭手術）**

手術野と気管チューブの位置が同じなので，気道閉塞（チューブを術者が閉塞），チューブの事故抜管などに注意します．気道内圧，肺コンプライアンスに注目します．

③**術野でのアドレナリン使用**

出血量減少目的でアドレナリンを使用するので，投与量を確認し許容量を超えないようにします．

> **Column　術野でのアドレナリン使用と局所麻酔薬使用**
>
> 出血量減少の目的でアドレナリン入りリドカインやアドレナリンを術野で使用することがある．E入り，E入りキシロ，ボスキシ，ボスミン生食，ボスミンガーゼなどと呼ばれている．これらの使用を，看護師や術者が「E入り○○ mL 使いました」，「E入り使います」と麻酔医に対して報告する．これに対して，アドレナリン（ボスミン）とリドカイン（キシロカイン）の極量や副作用を知らなければいけない．また，これらを使用した場合には15分後ぐらいまでは特に心電図，血圧などに注意を払う必要がある．
>
> **【アドレナリン】**
> ・通常20万倍希釈で使用されるが，40万倍希釈でも血管収縮効果（止血抑制）は十分ある．
>   アドレナリン（ボスミン）原液は1,000倍（1 mg/1 mL）であるので，200倍希釈すると20万倍となる．生理食塩水200 mLにボスミン原液1 mL．1％アドレナリン入りキシロカイン（10万倍アドレナリン入り）の2倍希釈などで作製する．
>
> ・極量5 μg/kg
>   20万倍希釈には1 mL中に5 μg入っているので，50 kgの人で50 mL，15 kgでは15 mLまで
>
> ・重要：注入前の吸引を行い血液の逆流がなくても，（血管内注入でない）20万倍希釈の使用であっても血管内に吸収された場合には以下の副作用を生じる可能性があり，観察を怠ってはいけない．
>
> **［局所アドレナリン使用］**
> ・禁忌：指趾，陰茎
> ・注意を要する患者：甲状腺機能亢進症，高血圧，虚血性心疾患，心肺機能低下

- 副作用：著しい高血圧，不整脈，心室細動，肺水腫など
- 対処法：降圧薬（ニカルジピン），抗不整脈薬（2％静注用キシロカイン）など

【局所麻酔薬（キシロカインなど）】
- 局所麻酔薬使用（浸潤麻酔）
- キシロカインの極量7 mg/kg

  1％キシロカイン1 mL中には10 mg入っているので，50 kgの人では350 mg（35 mL）．1％キシロカインの極量の方がアドレナリンの極量より厳しいので，倍希釈（0.5％）にする必要がある．

④鼓室形成術における笑気の使用

鼓室形成術では笑気は使用しません．笑気は閉鎖腔に進入して容量を増大させるからです．

抜管時には，バッキングの可否を術者に確認して，深麻抜管（麻酔が深いうちに抜管しマスクで陽圧換気を行い麻酔を覚醒させること）の要請があれば行います．

⑤気道異物摘出術での低酸素，換気困難

最悪の場合は，換気困難となり術中死も起こりえます．気道異物のほとんどは小児の気管支異物（ピーナッツなどの豆類）で，多くの場合緊急手術を必要とします．自発呼吸を残した吸入麻酔薬で行い，十分な麻酔深度に達したらベンチレーションブロンコスコープを気管内に挿入し側孔に麻酔器の呼吸回路を接続して換気を続けます．鉗子で異物除去を行うときは低換気になりますが，鉗子を抜いて穴をふさげば再度換気可能になります．異物が途中で引っかかって低酸素，換気困難になったときには気管支内に押し込みます．少なくとも一側肺は換気可能になります．この手術ではパルスオキシメータは必須です．

また，術後の気道狭窄症状には要注意です．

2）術後の問題点

・気道浮腫，術後出血による気道閉塞

術後の気道浮腫，出血は気道閉塞（窒息）を起こし，即座に対処しないと生命の危険があります．気道浮腫では緊急気管切開や気管穿刺が必要になります．

第3章 術中管理

16. 緊急手術の麻酔

> **Point**
> ❶緊急手術で大切なことは手術内容とその緊急度，患者の状態を短時間で見極めることです
> ❷臨床研修では，救急の現場を経験することが要求されていますので，緊急手術となる患者を見学することは大変有意義な研修になります
> ❸患者の状態によっては，見学のみになる場合があることを認識する

1 術前管理

1）全身状態の改善

術前に脱水が著明な場合，電解質異常がある場合，低血圧が持続する場合，高血圧により状態が悪化する場合には手術を急ぐより状態の改善を優先することが大切です．また，呼吸状態や意識状態が悪ければ手術室に入る前に（誤嚥を防止するため）気管挿管を行うことがあります．

血液ガス分析でアシドーシスも認める場合にも，炭酸水素ナトリウム（メイロン）で補正を行って状態を改善します．

時間をかけて改善するのではなく，緊急手術が控えていることを念頭において改善することが大切です．

> **Column　緊急手術と予定外手術**
>
> ここで言う緊急手術とは，急いで（数時間以内）手術をしなければ状態が悪化するものを言う．施設や主治医によって予定外手術を緊急（急患）と言っていることがあるので，注意しよう．緊急手術は予定外手術ではない．

2）qSOFAスコアとSOFAスコア

ICUではSOFAスコア（表3-16-1）は日常的に評価されるが，一般病棟や外来などではSOFAスコアのかわりにquick SOFA

表3-16-1　SOFAスコア[67, 68]

項目	点数				
	0点	1点	2点	3点	4点
呼吸器 PaO_2/FiO_2 (mmHg)	≧400	<400	<300	<200 +呼吸補助	<100 +呼吸補助
凝固能 血小板数 ($\times 10^3/\mu L$)	≧150	<150	<100	<50	<20
肝機能 ビリルビン (mg/dL)	<1.2	1.2〜1.9	2.0〜5.9	6.0〜11.9	>12.0
循環機能 平均動脈圧 (MAP) (mmHg)	MAP≧70	MAP<70	DOA<5γ あるいは DOB使用	DOA5.1〜 15あるいは Ad≦0.1γ あるいは NOA≦0.1γ	DOA>15γ あるいは Ad>0.1γ あるいは NOA>0.1γ
中枢神経 GCS	15	13〜14	10〜12	6〜9	<6
腎機能 クレアチニン (mg/dL)	<1.2	1.2〜1.9	2.0〜3.4	3.5〜4.9	>5.0
尿量(mL/日)				<500	<200

DOA：ドパミン，DOB：ドブタミン，アドレナリン，NOA：ノルアドレナリン
SOFAスコアのベースラインから2点以上の増加で，感染症が疑われるものは敗血症と診断される

表3-16-2　qSOFA[68, 69]

- 呼吸数≧22/分
- 精神状態の変化
- 収縮期血圧≦100 mmHg

(qSOFA)を使用する(表3-16-2).緊急手術でも敗血症のスクリーニングとしてqSOFAを評価する.

qSOFAにより敗血症を疑う基準は，①呼吸数≧22/分，②精神状態の変化，③収縮期血圧≦100 mmHgのうち，2つ以上を満たす場合です．qSOFAが基準を満たす場合には，SOFAスコアによる評価を行います．

3）麻酔前の準備

定時手術に準じますが，患者の状態により循環作動薬や，大量

輸液や輸血の準備，動脈ライン，中心静脈ルートの準備が必要になります．

また，麻酔薬はショック状態などでは通常量の使用が難しい場合があり，状況に応じた判断が要求されます．ケタラールなどの循環抑制を起こしにくい麻酔薬などを使用することがあります．

4）麻酔法の選択

局所浸潤麻酔で可能な場合を除いて，麻酔を施行すること自体に危険を伴います．

①脊髄くも膜下麻酔，硬膜外麻酔

脱水が著明であったり，予期せぬ出血（外傷，腹腔内出血など）が隠れていることがあり，脊髄くも膜下麻酔や硬膜外麻酔により異常な低血圧をきたす可能性があります．

フルストマックである場合に鎮静を行うと，誤嚥の危険があるため注意を要します．また，麻酔の範囲が上位胸椎以上の領域に及ぶ場合にも同様です．

麻酔により震え（シバリング）が生じて患者が不穏になる可能性があります．

②全身麻酔

フルストマックと考えられる症例では，RSI（クラッシュインダクション）（p.234：**図3-15-4**参照）あるいは意識下挿管を行う必要があります（誤嚥を避けるため）．

脱水が著明であったり，予期せぬ出血（外傷，腹腔内出血など）が隠れていることがあり，全身麻酔の導入薬により異常な低血圧をきたす可能性があります．

Column　最終食事摂取時間

外傷やイベントが起きた時刻より，腸管の動きは止まっていると考える．例えば現在PM8:00で最終食事時刻がPM1:00，イベントが起きた時刻がPM2:00だとすれば，食事から1時間しか経っていないと考えて差し支えない．通常は最低6時間空いていなければフルストマックと考える．フルストマックとは胃内容が残存している状態である．

> **memo** フルストマック
> 1. 6時間以内に経口摂取している場合(小児では3時間以内)
> 2. イレウス(腸閉塞),上部消化管狭窄(食道狭窄,幽門狭窄など),上部消化管出血(胃内貯留),妊婦,高度肥満
> 3. 救急症例(意識障害患者と外傷患者,経口摂取不明症例など)

2 各種緊急手術のポイント

1) 心臓血管外科疾患

通常は,専門医や指導医クラスが担当するため研修の対象にはなりませんが,見学する機会が与えられるかもしれません(表3-16-3).

いずれも,生命に危険があり切迫した状態であるため,麻酔科の担当医はその場で研修医に十分な説明ができない状態であることを知っておきましょう.

また,患者の状態によっては手術室で蘇生術を行うことになる場合があり,ACLSなどの実習が役に立ちます.

表3-16-3 心臓血管外科緊急手術対象疾患

・虚血性心疾患
不安定狭心症
血管内治療ができず,大動脈バルーンパンピング(IABP)などでも発作が抑制できない症例
急性心筋梗塞
①心室自由壁破裂
②心室中隔穿孔
③乳頭筋腱索断裂
・胸部大動脈解離,動脈瘤破裂
・外傷
①心臓外傷
②カテーテル,ペースメーカーリードによる穿孔

2) 外傷

> 受傷機転を理解し，全身の外傷の処置に対する知識と心構えが必要である．

①高エネルギー外傷

高エネルギー外傷と呼ばれる受傷機転のものは，加わった力が大きくすべての身体の部位についての詳細な観察と対処が必要です．

1. 車外に放出された車両事故
2. 同乗者の死亡
3. 救出に20分以上
4. 事故時の速度が65 km/時以上
5. 事故時の速度変化が32 km/時以上
6. 車体変形が50 cm以上
7. コクピット変形が30 cm以上
8. 歩行者や自転車が車に轢かれた，跳ね飛ばされた
9. 二輪車で事故時の速度が32 km/時以上
10. 二輪車と負傷者が離れている
11. 高所（およそ6 m以上の高さ，もしくは身長の3倍以上）からの墜落

(巻末の文献20をもとに著者がまとめたものである．詳細は文献20を参照)

② Primary Survey

重度の外傷をみる系統的診察 ABCDE．

A．Airway maintenance with c-spine protection：気道確保と頸椎保護

- 気道確保の際には常に頸椎損傷の存在を念頭におく
- 気管挿管時には用手的に頸部を正中中間位にして頸椎を保護する（図3-16-1）

B．Breathing：呼吸評価と致命的な胸部外傷の処置

- 気管挿管後の陽圧呼吸では緊張性気胸の存在を常に念頭におき，必要なら胸腔ドレナージ（間に合わなければ血管留置針による胸腔穿刺）

図 3-16-1　用手的頸椎固定法
喉頭展開時に頸椎が動かないように，助手は両手で頭部を固定する．後頭部から乳様突起を包み込むようにし，指を下顎にかけないように注意する．巻末の文献19より作成．

C．Circulation with hemorrage control：循環と止血
- 外傷患者では出血性ショックが90％以上
- 出血のコントロール（止血，出血源の検索）と輸液・輸血（太い静脈ルートの確保）
- 出血で説明のつかないショックでは，心タンポナーデと緊張性気胸（いずれもドレナージ）が重要

D．Disfunction of CNS：中枢神経障害の評価
- JCSが30以上（GCSが8点以上），意識レベルが急激に悪化した場合，または瞳孔不同やcushing現象から脳ヘルニアを疑う場合にはABCの安定をはかりつつ脳外科医に連絡をとる

E．Exposure & Environmental control：脱衣と体温管理
- 患者を脱衣して全身の観察をすばやく行った後は，ブランケットで加温して保温に努める
- 輸液・輸血の加温も必要である

（A～Eは巻末の文献20をもとに著者がまとめたものである．詳細は文献20を参照）

③外傷手術の部位別ポイント

外傷の手術においては，通常の麻酔の準備に加えて
1. **太い静脈ルートの確保**
2. **十分な輸液・輸血準備**
3. **カテコラミン（ドパミンなど）**

は常に忘れない．

Ventilation：換気
Infusion：輸液・輸血
Pump：循環の維持

につきる．これらはショックの治療の原則である．

【頭部・顔面】

①ブラックアイ（パンダの目のよう），鼻出血，耳出血，バトルサイン（耳介後部の溢血斑）は頭蓋底骨折を意味する（経鼻挿管や経鼻胃管挿入は禁忌）

②口腔鼻腔損傷に伴う出血や頭蓋内損傷での舌根沈下や吐物は気道閉塞の原因となるのでPrimary Surveyと蘇生のAを十分に観察し処置を行う

③顔面の変形などで経口気管挿管が不可能な場合
 ・余裕があれば気管支ファイバーを使用した気管挿管を試みる
 ・余裕がなければ外科的気道確保（輪状甲状靭帯穿刺または切開）を行う

④脳ヘルニアの徴候
 JCSが30以上（GCSが8点以上），意識レベルが急激に悪化した場合，瞳孔不同やcushing現象から脳ヘルニアを疑う場合にはABCの安定をはかりつつ脳外科医に連絡をとる

⑤頭蓋内圧亢進症状
 「3章-15-❻-3) 脳神経外科血管疾患」(p.239) 参照

【頸部】

鎖骨より頭側に外傷がある場合には，頸椎外傷を伴っていることが多く，損傷が否定されるまで頸部の固定を続ける．

①頸部外傷では頸椎損傷を常に念頭におき，頸椎を愛護的に保護する（頸椎固定器具を付けていない場合，体位変換，ベッド移動では両手で頭頸部を挟んで体幹をねじらないよ

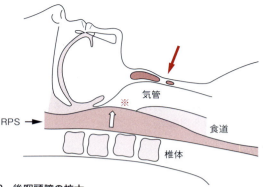

図3-16-2 後咽頭腔の拡大
頸椎損傷時の頸椎側面X線像で後咽頭腔（retro-pharyngeal space：RPS）が10 mm以上に拡大している場合には気道閉塞に注意する（※）．気道閉塞緊急時には輪状-甲状間膜切開が有効（➡）．巻末の文献19より作成．

うに保護する）
② 頸椎前面からの出血で気道閉塞を起こすので気道確保に注意する．頸椎側面X線で頸椎の偏位，後咽頭腔の拡大がないかを確認する（図3-16-2）
③ 気管損傷による気道閉塞，頸髄損傷による呼吸抑制，頸部の血管損傷による気道閉塞，頸動脈や椎骨動脈による虚血性の中枢神経障害に注意する（気管チューブによる気道確保）（図3-16-2）

【胸部】
① 低酸素血症（気道閉塞，開放性気胸，フレイルチェスト），閉塞性ショック（緊張性気胸，心タンポナーデ），出血性ショック（大量血胸）（p.180：表3-12-1参照）を見逃さない
② 気道確保，胸腔ドレナージ，心嚢ドレナージ，分離肺換気が必要な場面が多い（手術でなく，初療での処置が運命を分ける）
③ 気道確保（気管チューブによる）と適切な換気を確認したうえで，ショックの初期症状である頻脈と表在血管の収縮を見極める

【腹部・骨盤】

①ショックを伴う腹腔内出血は,輸液に反応しなければ,緊急開腹術の適応となる(p.180:**表3-12-1**参照)
②管腔臓器損傷(胃,十二指腸,小腸,大腸,胆管,膀胱や尿管の破裂)は診断がついた時点で開腹術
③膵損傷では主膵管損傷があれば開腹術
④骨盤骨折では創外固定や経カテーテル塞栓術でも止血が不可能なら開腹術

【四肢】

四肢の場合は,駆血帯により出血のコントロールを行いやすい.搬送,入院までにどの程度出血があったかを把握して麻酔に臨む.

①駆血帯を解除するときは,循環の急激な変動を伴いショックになる可能性がある(輸液・輸血が急速大量に必要.ショックになる場合には,再度駆血して状態を立て直す)
②骨折の場合には,脂肪塞栓の可能性を念頭におく

第4章 術後管理

1. 術後疼痛管理

Point
1. 術後疼痛は，手術後の急性痛で手術終了直後から翌日までが最も強いため，直後から強力に鎮痛を行います
2. 疼痛の程度を評価して，痛みの強さに見合った鎮痛を提供しましょう

✓ チェックシート

術後鎮痛

- [ ] 予定した鎮痛薬がきちんと投与されているか（機械の動作，ルート，記録）
- [ ] 鎮痛の程度（安静時と体動時）/VAS，鎮痛スコア（Prince Henryペインスケールなど）
- [ ] 副作用（呼吸抑制，傾眠傾向，悪心・嘔吐，かゆみなど）
- [ ] 現在の鎮痛判定
- [ ] 増減，変更および追加，別鎮痛法の考慮

副作用としての鎮静度を評価する必要もあります（表4-1-5）．

1 投与経路と薬剤

強い痛みに対する鎮痛法の主流はPCAあるいは持続鎮痛法です．薬物の投与経路としては，①硬膜外，②静脈内，③皮下から行うことが一般的で，硬膜外投与には局所麻酔薬（あるいは麻薬）もしくは麻薬と局所麻酔薬の混合液を用います．それ以外には，麻薬や麻薬類似の鎮痛薬を用います．レスキュー（鎮痛が足りない場合）として，NSAIDsを④経直腸あるいは静注で用いることがあります．また，⑤筋注，静注，皮下注の単回投与を行うことがあります（表4-1-1，図4-1-1）．

表4-1-1 術後鎮痛に使用する薬剤(単回投与)

薬品名	成人1回投与量 (mg)	消失半減期	副作用	種類
フェンタニル (フェンタニル)	1～2μg/kg 静注	10～30分	呼吸抑制,鎮静,血圧低下,悪心嘔吐	麻薬
塩酸モルヒネ (塩酸モルヒネ)	2～10 mg 静注,筋注	2時間	呼吸抑制,鎮静,血圧低下,悪心嘔吐	麻薬
ブプレノルフィン (レペタン)	2～6μg/kg 静注 2～8μg/kg 筋注	2～3時間	呼吸抑制,鎮静,血圧低下,悪心嘔吐	麻薬拮抗薬
ペンタゾシン (ソセゴン)	0.2～1 mg/kg 静注 7.5～30 mg 筋注	2～3時間	呼吸抑制,鎮静,悪心嘔吐	麻薬拮抗薬
フルルビプロフェン アキセチル (ロピオン)	50 mg ゆっくり静注 (1分間以上かけて)	5.8時間	消化性潰瘍,血小板凝集低下,肝腎障害,気管支喘息	NSAIDs 静注薬
アセトアミノフェン (アセリオ)	1回 300～1,000 mg (上限 15 mg/kg) 15分かけて静注 一日最大 4,000 mg (60 mg/kg)	2.5時間 (4～6時間以上あける)	血圧低下 体温低下	—
ジクロフェナク (ボルタレン坐剤)	成人 12.5～50 mg (極量:1日200 mg) 小児 0.5～1 mg/kg	2時間	血圧低下(高齢者注意),体温低下	NSAIDs 坐剤
ブプレノルフィン (レペタン坐剤)	0.1～0.4 mg	6～9時間 (8～12時間あける)	呼吸抑制,鎮静,せん妄,血圧低下,悪心嘔吐,便秘	麻薬拮抗薬
アセトアミノフェン (アンヒバ坐剤)	1歳未満 50 mg 1歳～2歳 50～100 mg 3歳～5歳 100 mg 6歳～12歳 100～200 mg	2.7時間	血圧低下,体温低下	—

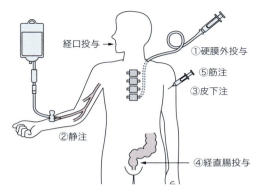

図4-1-1 投与ルート

2 PCA（図4-1-2, 図4-1-3, 図4-1-4）

　PCAとはpatient controlled analgesiaの略で，患者自身が疼痛をコントロールする鎮痛法です．特殊なポンプをセットし，患者自身がボタンを押して痛いときに決められた量の鎮痛薬を注入することができます（表4-1-2）．また①PCAのみ，②持続注入＋PCA，という方法があり，短時間作用性の鎮痛薬フェンタニルなどでは②が，比較的長時間作用の塩酸モルヒネでは①が選択されます．なお，硬膜外に投与する場合はPCEA（patient controlled epidural analgesia）と呼びます．

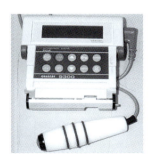

図4-1-2　PCA機器

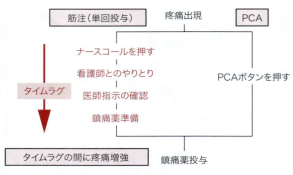

図 4-1-3　PCA 原理

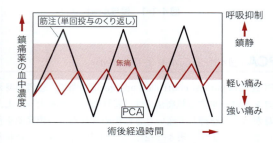

図 4-1-4　PCA の血中濃度

表 4-1-2　術後鎮痛に使用する薬剤（PCA あるいは持続投与）

薬剤	調整濃度	持続注入	一回投与	ロックアウトタイム
塩酸モルヒネ（静注）	1 mg/mL	なし	1 mg	5分
塩酸モルヒネ（硬膜外）	0.1〜0.2％アナペインまたは0.1〜0.15％ポプスカインに0.1〜0.2 mg/mL	2〜6 mL/時間	2〜4 mL	15〜60分
塩酸モルヒネ（持続皮下注）	2.5 mg/mL	1.25〜3.75 mg/時間		
レペタン（静注）	0.03 mg/mL	なし	0.03〜	8〜20分 0.1 mg
フェンタニル（静注）	10 μg/mL 20 μg/mL	0.5〜1 μg/kg/時間	10〜20 μg	10分
フェンタニル（硬膜外）	0.1〜0.2％アナペインまたは0.1〜0.15％ポプスカインに4 μg/mL	2〜6 mL/時間	2〜4 mL	20〜60分

3 疼痛の評価

現在の疼痛（鎮痛程度）を以下のペインスケール等（図4-1-5，図4-1-6，表4-1-3，表4-1-4）を使って客観的に評価して記録する必要があります．

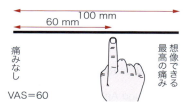

図4-1-5 VAS (visual analog scale)
10 cm（100 mm）の線を描き，左側が「痛みなし」右側が「最高の痛み」とした場合の，今の痛みを指でさしてもらう．左からの距離をはかりmmで記録する．

スコア	痛み
フェース0	痛みが全くなく，とても幸せである
フェース1	わずかな痛みがある
フェース2	軽度の痛みがあり，少し痛い
フェース3	中等度の痛みがあり，辛い
フェース4	かなり痛みがあり，とても辛い
フェース5	耐えられないほど痛みがある

図4-1-6 FRS (face rating scale：フェーススケール)(巻末の文献21より作成)

表4-1-3 Prince Henryペインスケール

スコア	痛み
0	咳嗽時でも疼痛なし
1	咳嗽で疼痛が出現するが，安静時には疼痛なし
2	深呼吸で疼痛が出現するが，安静時には疼痛なし
3	安静時に弱い疼痛がある
4	安静時に強い疼痛がある

表4-1-4 VRS (verbal rating scale)

スコア	痛み
0	痛みがない
1	少し痛い
2	かなり痛い
3	耐えられないほど痛い

4 鎮静度評価

術後の鎮静度評価にはRASSが使われます（表4-1-5）.

表4-1-5 RASS (Richmond Agitation-Sedation Scale) 鎮静スコア

ステップ1
　30秒間，患者を観察する．これ（視診のみ）によりスコア0～+4を判定する．
ステップ2
　①大声で名前を呼ぶか，開眼するように言う．
　②10秒以上アイ・コンタクトができなければくり返す．以上2項目（呼びかけ刺激）によりスコア-1～-3を判定する．
　③動きが見られなければ，肩を揺するか，胸骨を摩擦する．これ（身体刺激）によりスコア-4，-5を判定する．

スコア	用語	説明	刺激の程度
+4	好戦的な	明らかに好戦的な，暴力的な，**スタッフに対する差し迫った危険**	
+3	非常に興奮した	**チューブ類またはカテーテル類を自己抜去**；攻撃的	
+2	興奮した	**頻繁な非意図的な運動，人工呼吸器ファイティング**	
+1	落ち着きのない	**不安に絶えずそわそわしている**，しかし動きは攻撃的でも活発でもない	
0	意識清明な落ち着いている		
-1	傾眠状態	完全に清明ではないが，呼びかけに**10秒以上の開眼およびアイ・コンタクトで応答する**	呼びかけ刺激
-2	軽い鎮静状態	呼びかけに**10秒未満のアイ・コンタクトで応答**	呼びかけ刺激
-3	中等度鎮静	状態呼びかけに動きまたは開眼で応答するが**アイ・コンタクトなし**	呼びかけ刺激
-4	深い鎮静状態	呼びかけに無反応，しかし，**身体刺激で動きまたは開眼**	身体刺激
-5	昏睡	呼びかけにも身体刺激にも**無反応**	身体刺激

第4章 術後管理

2. 術後回診と術後合併症管理

> **Point**
> ❶自分が担当した麻酔症例は術後回診を行い，呼吸，循環，意識，運動，知覚などの状態を把握しましょう
> ❷術後合併症を認めた場合には，指導医に報告するとともに合併症に対処しましょう

　麻酔担当医は術後の状態を把握するために術後回診を行います．主治医や執刀医に任せきりでは，麻酔を施行した医師としての義務が果たせません．麻酔終了後，少なくとも24時間までは麻酔科医の責任です．手術と麻酔は，同じ患者に対して行われる別々の行為ですので，術後回診を行い状態を把握する義務があります．
　麻酔終了後の（呼吸，循環，意識，運動，知覚などの）状態を評価し，麻酔薬や筋弛緩薬，輸液量，術後の鎮痛（鎮静）状態の把握を行います．通常，病棟看護師や主治医との連絡をとりながら行い，気になることがあれば麻酔指導医に報告しましょう．
　術前回診とならんで術後回診は，麻酔科医のコミュニケーション能力を磨く場でもあります．患者や患者家族，病棟看護師や主治医とのコミュニケーションは，医師としての管理能力を形成します．

1　術後回診

　麻酔担当症例の術後回診を，術当日より行います．麻酔薬や麻酔手技による合併症，術後鎮痛による合併症や鎮痛が不十分なことによる合併症，術前からの患者問題点による合併症，術後特有な重篤な合併症（肺塞栓など）に注目して回診を行いましょう．
　麻酔に関連した合併症が発生した場合には，指導医に報告し指示を仰ぎましょう．
　術後回診を行う際には，チェックシート「術後合併症」にあげたチェックポイントをはずさないようにしましょう．また，患者や付き添い家族との対話を大切にし，誠意をもって対応しましょう．そうすることで，責任ある医師という評価を得ることができます．

> ☑ **チェックシート**

術後合併症

- ☐ 術後低酸素血症(原因検索と対処)
- ☐ 術後低血圧(原因検索と対処)
- ☐ 術後無尿(尿量減少)
- ☐ 術後高血圧(疼痛による可能性)
- ☐ 遷延性無呼吸(麻酔薬の残存や鎮痛薬の過剰効果)
- ☐ 疼痛による呼吸抑制
- ☐ 声門下浮腫,気道狭窄
- ☐ 咽喉頭痛や嗄声
- ☐ 喀痰排泄困難,喀痰増加
- ☐ 末梢神経麻痺(術中体位,局所麻酔作用残存)
- ☐ 無気肺(呼吸音減弱)
- ☐ 意識レベル低下
- ☐ せん妄状態
- ☐ 悪心・嘔吐

2 術後合併症管理

1)術後低酸素血症(遷延性無呼吸・呼吸抑制を含む)

原因

1. 麻酔薬や筋弛緩薬の残存(低換気)
2. 前投薬の影響
3. 術後鎮痛薬の過剰
4. 疼痛による低換気
5. 過換気後
6. シバリング(酸素消費量増加)
7. 体温低下,代謝異常
8. 肥満,高齢者(あるいは術前からの低肺機能)
9. 深部静脈血栓症(肺塞栓症)
10. 心拍出量減少,循環不全
11. HPV抑制(血管拡張剤使用中)
12. 誤嚥

13. 無気肺
14. 気胸
15. 拡散性低酸素血症
16. 頭蓋内疾患など

対応

原因の究明と酸素投与（マスクによる補助換気，長時間におよぶものは再挿管），水分過多では利尿薬投与，低体温では加温，循環不全では循環の維持，（麻酔薬や筋弛緩薬の残存なら）リバースなどの対応，疼痛によるものでは鎮痛，深部静脈血栓症や頭蓋内疾患が疑われれば画像診断（専門医相談）．

低酸素を放置しない！！

> **memo 肺血栓塞栓症，深部静脈血栓症**
> 『肺血栓塞栓症および深部静脈血栓症の診断，治療，予防に関するガイドライン（2017年改訂版）』
> https://www.j-circ.or.jp/cms/wp-content/uploads/2017/09/JCS2017_ito_h.pdf

2）術後低血圧

原因

1. 出血
2. 術中の輸液，輸血不足
3. 体温低下
4. 鎮痛薬副作用
5. 心不全
6. 輸血副作用
7. 薬剤のアナフィラキシーなど

対応

原因の究明と輸液（心不全では注意）または昇圧．

3）術後無尿（尿量減少）

原因

1. 輸液不足
2. 術中・術後低血圧

3. 尿道カテーテル閉塞
4. 手術操作による尿管損傷や閉塞など

対応

全身状態の改善,原因の究明(輸液内容再検討,尿道カテーテルチェック),(輸液不足なら)輸液負荷,利尿薬投与.

4) 術後高血圧

原因

1. 疼痛
2. 換気不全
3. 興奮状態など

対応

全身状態の改善,原因の究明,鎮痛,場合により降圧薬.

5) 声門下浮腫,気道狭窄

原因

1. 手技の不適切な気管挿管
2. 不適切な気管チューブ
3. くり返しの気管挿管など

対応

血管収縮薬の声門への噴霧,ステロイドの全身投与(疑問視),(閉塞高度では緊急)気管切開.

6) 咽喉頭痛や嗄声

原因

1. 不適切な気管挿管操作
2. 不適切な気管チューブなど

対応

経過観察,嗄声は反回神経麻痺による可能性があり,続くようであれば専門医相談.

7) 喀痰排泄困難,喀痰増加

原因

1. 術前よりの気管支炎

2. 喫煙者
3. 高齢者などの要因に加えて長時間麻酔，術中の乾燥ガスの吸入

> **対応**

喀痰排泄促進（指導，去痰剤吸入など），鎮痛処置で喀痰排出しやすくなる．術前よりの対策として禁煙，術中は吸入ガスの加湿．

8）末梢神経麻痺

> **原因**

1. 術中の不適切な体位
2. 硬膜外や脊髄くも膜下麻酔作用残存など

> **対応**

麻酔覚醒時に下肢の運動については Bromage スケール（p.106：図3-3-3参照）等で評価する．
経過観察，数日続く場合は指導医に相談（専門医相談）．

9）無気肺（呼吸音減弱）

> **原因**

1. 術後疼痛
2. 呼吸抑制
3. 手術中の換気不十分
4. 胃内容の誤嚥など

上腹部，胸部手術後に多いが，脊椎麻酔でもときに見られる．

> **対応**

痰の喀出不十分が原因であることが多いので，喀痰排泄促進（指導，去痰薬の吸入），体位ドレナージ，必要に応じてタッピング，痛みがあれば疼痛管理．

10）意識レベル低下

> **原因**

1. 麻酔・筋弛緩作用残存
2. 前投薬の影響

3. 術後鎮痛薬の過剰
4. 過換気後
5. 循環不全
6. 体温低下
7. 代謝異常
8. 頭蓋内疾患など

対応

[呼吸抑制を伴う場合]

バッグマスクによる補助換気をしながら原因の究明,前投薬,麻酔・筋弛緩薬残存ではリバース,循環不全では循環サポート,頭蓋内疾患が疑われればCT検査(専門医相談).

11)せん妄状態

原因

1. 低酸素
2. 膀胱内尿蓄積
3. 術後疼痛
4. 不自然な術後体位
5. 電解質異常や低血糖など

対応

状況に応じて以下の処置.
酸素吸入,導尿,鎮痛処置,体位変換,電解質や糖の補正.

12)悪心・嘔吐〔PONV(post operative nausea and vomiting)〕(p.206 も参照)

原因

1. 吸入麻酔薬
2. 術後のオピオイド投与
3. 手術による(腹腔鏡手術,内耳手術,眼球手術,開腹術など)
4. 患者因子(女性,非喫煙者,動揺病,過去のPONVの既往)

対応

制吐剤投与,酸素投与,絶食.

第5章 手技マニュアル

1. バッグマスク換気

Point
❶ バッグとマスクによる人工呼吸は最も大切な手技です．気管挿管より先に身につけるべき基本手技です
❷ 気道確保とマスクの顔面への密着の両方ができなければうまく換気はできません

■ 最重要メッセージ

気管挿管ができなくても，バッグマスク換気がきちんとできれば，呼吸停止でも慌てることはない．

気管挿管に気を取られてバッグマスク換気を怠るのは，最も危険である．

1 バッグマスク換気

無呼吸，低換気があれば直ちに開始します．

全身麻酔導入では，麻酔導入薬投与直後から呼吸が止まるので直ちに開始します（意識のあるうちはマスクを強く密着させると苦しいので，気をつけましょう．麻酔導入前には軽くフィットさせるようにします）．

純酸素（100％酸素）を用いてマスクによる換気を5分以上行うと，PaO_2 は空気呼吸時の5倍となり数分間の無呼吸でも低酸素にはなりません（肺機能がよい場合）．この操作を脱窒素といい，麻酔開始時には大切なことです．

■ 準備するもの
・Ambuバッグまたはジャクソンリース（Jackson-Rees）回路（図5-1-1）
・マスク（酸素投与用のマスクではない）
　※）マスクは透明（息が返ってくると「くもり」が見える）で軟らかい（顔にフィットしやすい）がマスクホールドしたとき形が変形しないもの

A) ジャクソンリース回路

B) Ambuバッグ

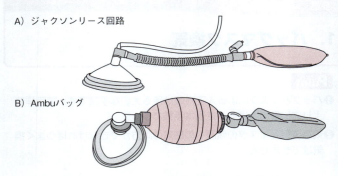

図 5-1-1　ジャクソンリース回路と Ambu バッグ

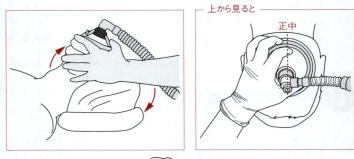

左手の示指の上面が見える

図 5-1-2　下顎挙上とマスクの密着

> ※）ジャクソンリース回路（酸素流量 10 L/分以上）では 100％酸素が投与可能．漏れがあるとバッグは膨らまない
> ※）Ambu バッグ（通常は酸素流量 3〜5 L/分）ではリザーバーバッグがついていても空気を吸い込むので 100％にならない（酸素流量を上げてリザーバーが常に膨らんでいれば 100％近くなるとされている）．漏れがあってもバッグは膨らむ（図 5-1-2）

手順 ▶▶▶

1）片手法

❶ 下顎挙上（左手）（図 5-1-2）

❷ マスクの密着（左手）（図 5-1-2）

❸ マスクの保持（左手）

実際には，下顎を持ち上げたままマスクを密着しつづけることになる．きちんとできるようになるには熟練を要する（しかし，最も基本的な技術であるので，麻酔科研修でマスターすべき必須項目）．

❹ バッグを押す（右手）

胸郭の挙上を目で確認しながらバッグを加圧する．
換気量：7〜10 mL/kg，換気回数：（成人）10〜12回/分，（小児）20〜30回/分．

> **コツ**
> ・両側の鎖骨〜乳頭あたりの胸郭の上昇を目で確認する
> ・換気回数のカウントは心電図の音を目安に行うと楽（心拍数が 80/分なら 7〜8 拍に 1 回押す）

■ 換気のチェックポイント
①入れた量と同程度がバッグに戻ってきている
②腹部が膨らんでいない
③腹部が均一に上下している
以上の 3 点をチェックしながら換気を続ける．

2）両手法

片手でマスク換気ができない場合には，2人でマスク換気を行う．1人が両手で下顎挙上とマスク保持を行い（両手法），もう1人が，バッグを押して換気を行う（図5-1-3）．

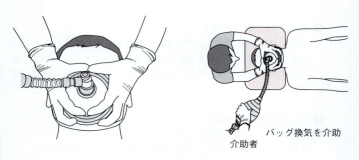

図5-1-3　両手法
介助者にバッグ換気をしてもらう．

2 どうしても上手くできないとき

1) 頬のこけた人, 総入れ歯を外した人

マスクがうまくフィットしません.

① ガーゼを頬の部分に入れて, 頬を膨らませて密着させます (ガーゼの取り忘れに注意) (図5-1-4).
② マスクの下端を唇の下に入れて唇をマスクの上に密着させて換気します (積極的にはお勧めしませんが指導医によっては好む方もいます. この方法は, 歯がある場合でも応用でき, 手が小さくてどうしても下顎とマスクが保持できない方はお試しください. 邪道ですが…) (図5-1-5).

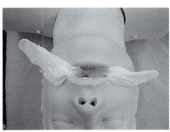
A) ガーゼを丸めて頬につめる

B) 換気の様子

図5-1-4 頬にガーゼを入れる

A) 通常のフィット

B) マスクに下唇をかぶせフィットさせる

図5-1-5 マスクに下唇をかぶせる

2）エアウェイの併用

舌根沈下がひどく，マスクを保持してもうまく気道を通すことができない場合（**舌肥大，口腔内狭小化，睡眠時無呼吸など**），躊躇せずエアウェイを併用します（図5-1-6）．

①口腔内エアウェイ

舌の下にもぐりこませて気道を通す器具．気管挿管チューブを入れるときのように横向きに入れはじめて，舌の下に入ったときに上向きに方向を変えると楽です．

②経鼻エアウェイ

麻酔導入時の第1選択は口腔内エアウェイです．

エアウェイの直径は男性7〜8 mm，女性6〜7 mmです．
ゼリー（K-Yゼリーなど）を外周に塗り鼻孔から下鼻道に向かって挿入します（図5-1-7）．下鼻道は鼻の穴とはほぼ垂直についています（眼球の方にはない）．鼻出血に注意します．

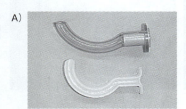

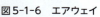
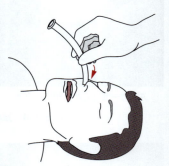

図5-1-6　エアウェイ
　A）口腔内エアウェイ，
　B）経鼻エアウェイ．

図5-1-7　経鼻エアウェイの挿入方向

3）声門上器具の利用 (p.311参照)

手もとに，常にi-gelやラリンジアルマスクを用意しておきます．CV（Cannot Ventilate）のときに使用することがあります．

2. 気管挿管

Point
① 気管挿管は，麻酔科研修では必修手技で，確実に行えるよう毎日トレーニングしましょう
② 挿管困難予測ができるように，術前診察を行うことも大切です

目的	気道を確実に開通させる． 消化管と気道を分離させることができる．
適応	全身麻酔時． 心肺蘇生時． 長期の人工呼吸． 血液，吐物などで気道閉塞． 頸部腫脹により気道閉塞が予測される場合．
欠点	挿管技術を要する． 挿管操作による有害反射（高血圧，徐脈，不整脈，喉頭痙攣，気管支痙攣，嘔吐，誤嚥など）． 挿管による機械的損傷（歯牙損傷，口腔・気管粘膜損傷，喉頭脱臼）．
種類	経口． 経鼻． 意識下．

1 経口挿管 (oral intubation)

■ 準備するもの
- 気管チューブ（男性：8.5 mmI.D., 女性：7.5 mmI.D.を中心に前後3本）（表5-2-1）．カフ漏れチェックとゼリー塗布，スタイレットの挿入（スタイレットはホッケースティック型に曲げる）．
  小児ではカフなし 4＋（年齢/4）mmI.D.
- カフ用注射器
- マスク（患者の顔に見合ったサイズ）

表5-2-1 気管チューブサイズ

【気管内チューブのサイズと門歯からのチューブ長】	
[成人]	
男性	8.0〜9.0 mmI.D.
女性	7.0〜8.0 mmI.D.

門歯から23 cm（男性），21 cm（女性）程度

[小児]（2〜6歳）	
SIZE (mmI.D.)	＝4.0＋（年齢（歳）/4）
門歯からの長さ	＝12＋（年齢（歳）/2）

例：2歳なら 4.0＋2/4＝4.5（mmI.D.）
　　　　　 12＋2/2＝13 cm
5歳以下はカフなしが原則．

【新生児のチューブ】	
体重1,500 g以下	2.5 mmI.D.
体重1,500 g以上	3.0 mmI.D.
口唇からの深さ（Rule of 7-8-9）	
1,000 g	7 cm
2,000 g	8 cm
3,000 g	9 cm

以上の値は参考値であるため，チューブ長は両肺野の聴診により決定する．

- 喉頭鏡（ライトのチェック）
- バイトブロック
- 口腔内エアウェイ
- 絆創膏
- 吸引器，吸引チューブ
- 麻酔器（点検と回路の組立て）

【挿管困難の予測（大切）】

術前診察で挿管困難の予測を行います（p.41：「第2章-2-❷-2）-④ 気道確保に関する診察」参照）．

手順 ▶▶▶

❶ 患者と自分の位置の調節

- ベッドの高さ（マスクを保持したとき自然な形で持てる位置）．
- 頭部に枕（少年マンガ雑誌程度）を置き，においをかぐ姿勢（sniffing position）とする．

❷ マスクの大きさとフィッティング
- マスクを当てて鼻と口が覆えて漏れがないもの.

❸ 酸素吸入
- ポップオフバルブを全開にして100％酸素6〜10 L/分で5分間酸素吸入を行う.
- 起きているうちにマスクを軽く密着させて深呼吸を3回してもらう.
- SpO_2 が上昇するのを確認.

❹ 静脈麻酔薬または吸入麻酔薬投与
- プロポフォール,ラボナールなどの静脈麻酔薬やセボフレンで入眠してもらう.
- **睫毛反射消失を確認**して,普通の声で呼びかける(大きな声で呼びかけない,眠ろうとしているのに起こさない).

❺ マスクによる陽圧換気 (p.277:「第5章-1 バッグマスク換気」手順参照)
- 気道確保(下顎挙上とやさしく頭部後屈)を行い,**マスクを漏れのないように当てる**(これが難しい).
- ポップオフバルブを閉じ,呼吸が小さくなるにつれて補助呼吸から調節呼吸に移行.

❻ 陽圧呼吸が可能なことを確認
- 目視で胸郭が上がることを確認.
- バッグにきちんとガスが戻ってくることを確認.
- (・必要に応じてエアウェイ挿入)

❼ 筋弛緩薬の投与
- 筋弛緩が十分で麻酔の深度がよければ挿管操作に移る.

❽ 開口(大きく)
- 指交差法で右口角部を大きく開く(**奥歯に指を当てる**).
- 右手の親指を下顎歯列,人差し指を上顎歯列に押し当て指をクロスさせる(**クロスフィンガー**)(図5-2-1,図5-2-2).このとき,右手では sniffing position を維持する(最も大切).

図 5-2-1 開口のしかたとクロスフィンガー (指交差法)

右手の人差し指を患者の右上顎の大臼歯にかけ，対立する親指を下顎の小 (大) 臼歯にかけて患者の口を十分に開口する．左から右図のように 2 本の指をクロスして大きく開くことがコツ．親指と人差し指の距離は，中図では 6 cm, 右図では 12 cm. 口の中で練習するのではなく，クロスフィンガーを前もって何度も練習しておく．右図で親指の腹の部分と人差し指の腹の部分で直線の方向になるように押しひろげる．

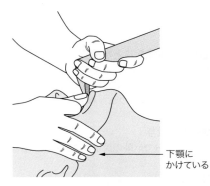

下顎に
かけている

図 5-2-2 クロスフィンガーの右手

クロスフィンガーで口を開けるだけでなく，同じ手で下顎を持ち上げるように持つことが大切．ここで右手で sniffing を保持できるかどうかが，明暗を分ける．

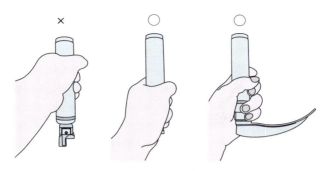

図 5-2-3　喉頭鏡の握り方
　できるだけ根本を握る．左図のように真ん中を握ってはいけない．中図，右図のようにできるだけ根本を握る．柄に対して指がななめになるようにする．

↓

❾ 喉頭鏡ブレード挿入

1. 左手

　左手でマッキントッシュ喉頭鏡を受け取る（持ち方注意）（図5-2-3）．
　喉頭鏡のブレードで舌を左側によける **（喉頭鏡の右側に舌がないようにする）**（図5-2-4）．**このときに上口唇をブレードと前歯で挟まないよう注意する．**
　この状態でブレードを奥まで挿入し，喉頭蓋の上にかける
　喉頭鏡を前上方（長軸方向）に押し出す（ブレード後面が上顎から離れるように操作）（図5-2-5）．

2. 右手

　声門部が確認できれば，右手で気管チューブを受け取る．

❿ 気管チューブ挿入

1. 右手

　気管チューブを右口角から横向きに挿入し，口腔内で先端が前方に向かうように方向を変えて，声帯の間に挿入する．
　先端が声帯を越えたところで，自分でスタイレットを抜く（または，介助者にスタイレットを抜いてもらう）．

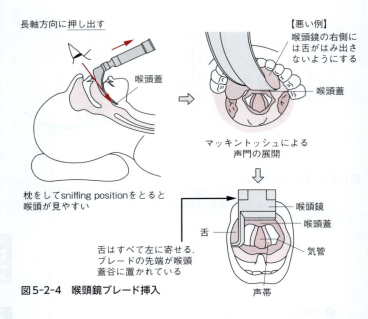

図5-2-4 喉頭鏡ブレード挿入

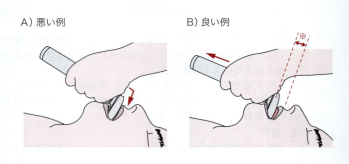

図5-2-5 喉頭展開の方向

A) 悪い例．ハンドルを手前に倒すと歯牙損傷を起こす．ブレードが上歯列（上顎）にくっついている．
B) 良い例．ハンドルに対して長軸方向に押し出す．押し出した後，右手のクロスフィンガーをはずす．ブレードと上歯列（上顎）が離れ，開口が大きくなり喉頭が見えやすくなる．「※」が拡がるようにする．

> **Column** BURP法
>
> 喉頭展開時に，喉頭鏡がいい位置にあるのにもかかわらずうまく展開できない場合，介助者に甲状軟骨部を圧迫してもらう方法（BURP法）が役に立つ．
> BURPとは，患者の
> B：backwards（後方へ）
> U：upwards（上方へ）
> R：rightwards（右方へ）
> P：pressure（圧迫）
> する方法である．

> **Column** Cormack分類（図5-2-6）
>
> 喉頭展開したときの所見（直視による）
> Grade 1：声門全体が見える
> Grade 2：声門の一部が見える
> Grade 3：喉頭蓋は見えるが声門は見えない
> Grade 4：喉頭蓋も見えない

図5-2-6　Cormack分類

2. **目**

   カフが全部，声帯を越えたことを確認（**これが終わるまで目を離してはいけない**）．

3. **左手**

   喉頭鏡を抜き，口角のところを保持するようにチューブを左手に持ちかえる．

4. **助手**

   挿管施行者の指示でカフを注入する．

5. **右手**

   蛇管を気管チューブに接続する．
   左手でチューブを保持しつつ，右で加圧バッグを押して胸郭の動きと呼吸音を聴診する．

6. 助手

左右の上肺野の部分に聴診器を当て，聴診の補助を行う（片肺挿管になっていないこと，食道挿管でないことを確認）．

このとき，目視で両方の胸郭が左右均等に上がっていることを確認しながら，聴診器では呼吸音の左右差と異常音がないかを聞く．最後に，カプノメータを接続してCO_2がきちんと呼出されるのを確認する．

ACLSでは，通常，食道挿管の確認は，胃部の聴診でゴボゴボ音が聞こえないことをまず確認する（5点聴診）．麻酔のときは，通常，肺野の聴診で片肺挿管の確認と食道挿管でないことを同時に確認する（4点聴診または2点聴診）．

【確認】気管挿管後の確認
1. 視診（胸郭の上がり）
2. 聴診（呼吸音）
3. モニター（CO_2モニター）

この順で，すべてをチェックする．

⓫ 気管チューブの固定

気管チューブの深さを確認する．男性では，22～23 cm，女性では20～22 cm程度である（口角あるいは上口唇で）．

1. 口角固定
歯がある場合（図5-2-7）．

2. 上顎正中固定
総入れ歯や上顎に歯がない場合（図5-2-8）．

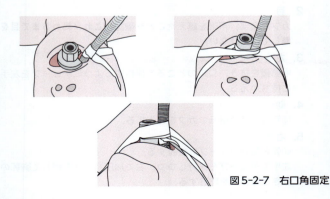

図5-2-7　右口角固定

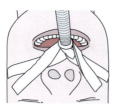
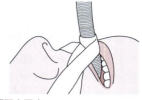

図5-2-8　上顎正中固定

> **Column** マーフィー孔（図5-2-9）
>
> 気管挿管チューブには片肺挿管を防止する目的で，チューブ先端近くに側孔があいているものがある．しかし，この穴を通り過ぎてさらにチューブが深く入ってしまえば，片肺挿管になるので安心は禁物である．必ず聴診で確認する．手術室では，必ずしもX線写真は撮らないが，集中治療室や病棟などで気管挿管を行った後，胸部X線写真を撮って気管チューブの位置を確認することがルーチンに行われている．
>
>
>
> 図5-2-9　マーフィー孔

2 McGRATH™ MAC による気管挿管

適応　マッキントッシュ喉頭鏡で行うことができる気管挿管．
マッキントッシュ喉頭鏡で挿管困難な症例．
口腔内および声門周囲の観察．

■ 準備するもの

(通常のマッキントッシュ気管挿管の準備に以下を追加する)
- McGRATH™ MAC(電池が十分にあるかを確認)
- スタイレット(必須)
- 気管挿管チューブ(ブレードの彎曲にあわせて曲げたスタイレットを通しておく)カフ漏れチェックとゼリー塗布
- カフ用注射器
- キシロカインスプレー
- K-Yゼリー(潤滑ゼリー)
- 絆創膏(チューブ固定)

【McGRATH™ MAC の構造と特徴】(表5-2-2, 図5-2-10)

携帯型ビデオ喉頭鏡で,マッキントッシュ型喉頭鏡に近い操作感です(図5-2-11,図5-2-12).直視に加えて,間接視(ブレード先端のカメラによる映像)ができます.ブレードの彎曲が通常のマッキントッシュ型喉頭鏡に比較すると強く曲がっているため,直視で見えない場合でも,間接視で気管挿管が行える可能性があります.**チューブは,スタイレットを通しておき,あらかじめMcGRATH™ MAC の彎曲にあわせて曲げておきます**.チューブガイドがないので,チューブの形状やサイズに関係なく使用できます.ブレードはディスポーザブルで,比較的安価なので,広く使われるようになってきました.

McGRATH™ MAC はJSA-AMA に登場するビデオ喉頭鏡としての第一選択と考えられます.意識下挿管(p.306参照)では,通常のマッキントッシュより患者の負担が少なくできます.

表5-2-2 McGRATH™のブレードと適応

サイズ	適応	ブレード有効長
MAC1	新生児用	93 mm
MAC2	小児用	102 mm
MAC3	成人用	114 mm
MAC4	大きな成人用	126 mm
X-blade (サイズ3)	気管挿管困難用	

＊MAC1は,McGRATH™ MAC A03 ビデオ喉頭鏡専用(2021年発売)

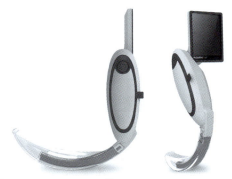

図 5-2-10　McGRATH™ MAC
（画像提供：コヴィディエンジャパン株式会社）

直接視と間接視の視野の違い

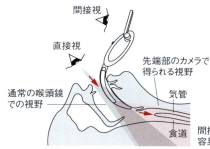

図 5-2-11　McGRATH™ MAC の間接視と直接視
　直接視とは，喉頭鏡を挿入した患者の口の中を，外から自分の目で確認することである．一方，間接視とは，喉頭鏡のブレードの先端についたカメラの映像を，ディスプレイで見ることである．巻末の文献51，p.13より転載．

① スニッフィング位をとる．

② 舌を左によける．

③ McGRATH™MACを挿入する．

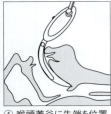
④ 喉頭蓋谷に先端を位置する．

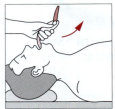
⑤ 前上方に押し出す．

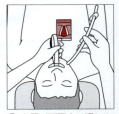
⑥ 声門が画面上に現れるようにする．

⑦ 声門の間に気管チューブ先端を合わせる．

⑧ 気管チューブを挿入する．

図5-2-12 McGRATH™ MACの気管挿管手順
巻末の文献51，p.13より転載．

③ エアウェイスコープによる気管挿管

適応 気管挿管時の喉頭鏡の代用．以下の5Kをのぞく挿管困難症例．

禁忌 5K（小あご，開口制限，気道の解剖学的異常，頸部の可動域制限，経験不足）（巻末の文献35より）．

> ■ **準備するもの**
> （通常のマッキントッシュ気管挿管の道具に加えて）
> ・エアウェイスコープ AWS-S200　本体
> ・単3形アルカリ電池2本
> ・イントロック（ディスポーザブルの喉頭鏡部分）
> ・気管挿管チューブ（表5-2-3）カフ漏れチェックとゼリー塗布
> ・カフ用注射器
> ・K-Yゼリー
> ・キシロカインスプレー
> ・ガムエラスティックブジー

【エアウェイスコープの構造と特徴】

　エアウェイスコープは，撮像用カメラおよびLED照明を先端に取り付けたスコープを備えており，イントロックを装着して使用します（図5-2-13，図5-2-14）．モニタ画面に表示されるターゲットマークを挿管する位置に合わせ，イントロックのガイド溝に沿って，声門を確認しながら気管チューブを押すと挿管できます．

　USBケーブル接続によりPC（Mac）にデジタル画像出力が可能．

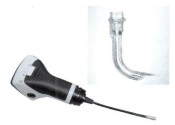

図5-2-13　左下：エアウェイスコープ，右上：イントロック
（画像提供：日本光電工業株式会社）

図5-2-14　イントロックを装着した状態
（画像提供：日本光電工業株式会社）

表5-2-3 イントロックと対応気管チューブサイズ

名称		形式	対応チューブ外径 (OD) mm	対応チューブ内径 (ID) mm
AWSイントロック		M-ITL-LL	10.0〜13.5	35Fr〜37Fr（OLT）
		M-ITL-SL	8.5〜11.0	6.5〜8.0
薄型AWSイントロック		M-ITL-TL	7.5〜10.0	5.5〜7.5
小児用AWS イントロック	幼児用	M-ITL-PL	5.5〜7.6	4.0〜5.5
	新生児用	M-ITL-NL	5.0以下	3.5以下

手順

1）組み立てと準備

エアウェイスコープにイントロックを接続して電源を入れ，電池の有無を確認する．気管チューブの内面にキシロカインスプレーをかけて，外側には滑りやすいようにゼリーを塗り，イントロックのチューブガイドにセットしておく（図5-2-15）．

2）方法：軽い鎮静下／意識下に行う場合

❶ 口腔内の表面麻酔を行う．必要なら上喉頭神経ブロックや経皮気管内麻酔（指導医にまかせる）も行う．

⬇

❷ このとき，マスクで酸素投与を行って十分に酸素化を行う（**軽度鎮静する場合**）．自発呼吸を消さないように適宜，フェンタニル25〜50μgずつ合計100〜200μg（自発呼吸を消さない量）を投与する．自発呼吸がなくなってもすぐに戻せるように，筋弛緩薬を投与するのではなく*プロポフォール*などの短時間作用性の鎮静薬を少しずつ増量して換気を行う．

図5-2-15 気管チューブをセットした状態
（画像提供：日本光電工業株式会社）

3）方法：筋弛緩薬を使用する場合
（頸椎疾患など，挿管時のバッキングにより病態が悪化する場合）

前述の❷で少しずつ鎮痛薬/鎮静薬を増量して自発呼吸を消し，マスク換気（経口や経鼻エアウエイを使用可）ができることを確認した後，筋弛緩薬を投与する．この方法は，筋弛緩薬を投与しないで，マスク換気が容易にできることが確認できたときのみ行える．

❸ 喉頭鏡と口腔内吸引であらかじめ口腔，咽頭内を十分に吸引する．イントロックにも吸引チューブの挿入孔があるが，こちらは喉頭鏡で見えなかった部分のみを吸引すると考えた方が良い．

❹ エアウェイスコープの基本は，1. Insertion（挿入）→ 2. Rotation（回転）→ 3. Elevation（引き上げ）→ 4. Intubation（挿管）→ 5. Confirmation（確認）である．

1. **Insertion（挿入）**（図5-2-16のA）
   口を開けて，イントロックの先端を挿入する．
   ↓
2. **Rotation（回転）**（図5-2-16のB）
   このあと硬口蓋に沿って回転させて，喉頭蓋の下にブレードをかける．
   ↓
3. **Elevation（引き上げ）**（図5-2-16のC）
   上方に引き上げる．
   ↓
4. **Intubation（挿管）**（図5-2-16のD）
   声門をターゲットマークにあわせて（図5-2-17），チューブを押し進め※（図5-2-18）ラインが消えたところで止める．
   ↓
5. **Confirmation（確認）**
   エアウェイスコープを抜く前に，喉頭蓋からエアウェイスコープを外して喉頭蓋が正常な位置に戻っているかどうかを確認する（喉頭蓋がめくり込まれたまま挿管されることがある）．

   ※）なかなか入らないときには，気管チューブからブジーを挿入してブジーを気管内に入れた後，気管チューブを進める．気管内に入ればブジーは抜去する

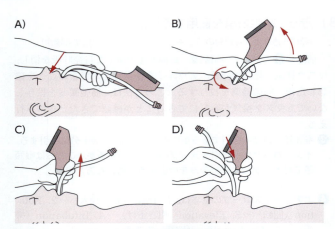

図 5-2-16　エアウェイスコープ気管挿管の 5 ステップ
　　A) Insertion（挿入），B) Rotation（回転），C) Elevation（引き上げ），D) intubation & confirmation（挿管と確認）.
　　巻末の文献 36 より作成.

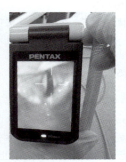

図 5-2-17　声門をターゲットマークにあわせる

図 5-2-18　気管内にチューブを押し進める

❺ 気管チューブが気管内に挿管（換気を確認）されれば気管チューブのカフを入れて，（意識下の場合は）即座に麻酔を導入する．エアウェイスコープを溝から外す．聴診を行ったのち，気管チューブを止める．

4 ファイバーを用いた挿管

■ もっとも大切なこと
挿管操作に夢中になり，低酸素にさせないこと！！

■ 準備するもの
- 気管支ファイバースコープ（挿管用には外形が5.0 mm以上のもの）
- 経口挿管チューブ（通常より1.0 mm外径が細めのチューブ：スパイラルチューブの方がやりやすい）
- 経鼻の場合：経鼻挿管チューブ（通常より1.0 mm外径が細めのチューブ：柔らかくマーフィー孔のないもの，硬い場合は挿管直前までお湯につけて柔らかくする）
- 挿管補助用エアウェイ（図5-2-19）
- 口腔内吸引
- K-Yゼリー
- キシロカインスプレー
- 気管内麻酔用4％キシロカイン（5 mL注射器に詰め23～24 G針をつけておく）
- 喉頭鏡（ライトを確認する）
- 絆創膏

※助手の役割が大切（一人でしないこと）！

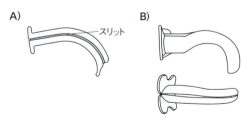

図5-2-19　A) バーマンエアウェイ IP，B) 挿管補助用エアウェイ（サヌキエアウェイ）
巻末の文献37に詳しい解説がある．

手順

1) 組立てと準備

(経口の場合) ファイバースコープに気管内チューブを通して落ちてこないようにテープで仮止めをしておく（図5-2-20）. 気管内チューブの内面には滑りやすいようにキシロカインスプレーをかけておく.

(経鼻の場合) 経鼻用挿管チューブあるはスパイラルチューブ（通常のチューブの場合42℃くらいのお湯につけて挿入前に柔らかくしておく）.

2) 方法：軽い鎮静下 / 意識下に行う場合

❶ **(経口)** 口腔内の表面麻酔を行う. 必要なら上喉頭神経ブロックや経皮気管内麻酔（指導医にまかせる）も行う.

(経鼻) 左右のどちらの鼻腔が通りやすいか患者に確認する. わからない場合は, 鼻腔を片方ずつ押さえて空気の通りやすい方を選択する. 鼻腔内の消毒と血管収縮薬のトラマゾリン点鼻薬を点鼻するか1万倍アドレナリンを綿棒で鼻腔内に丁寧に塗る. ポビドンヨードで消毒する. キシロカインゼリーを綿棒で鼻腔内に塗るとともにチューブにも十分に塗っておく.

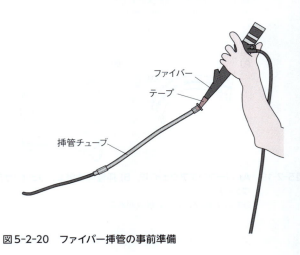

図5-2-20　ファイバー挿管の事前準備

❷ このとき，マスクで酸素投与を行って十分に酸素化を行う（**軽度鎮静する場合**）．自発呼吸を消さないように適宜，フェンタニル25〜50μgずつ合計100〜200μg（自発呼吸を消さない量）を投与する．

3）方法：筋弛緩薬を使用する場合
（頸椎疾患など，挿管時のバッキングにより病態が悪化する場合）

上記の❷で少しずつ鎮痛薬/鎮静薬を増量して自発呼吸を消し，マスク換気（経口や経鼻エアウェイを使用可）ができることを確認した後，筋弛緩薬を投与する．この方法は，筋弛緩薬を投与しないで，マスク換気が容易にできることが確認できたときのみ行える．

❸ **（経口）** 挿管補助用エアウェイを挿入する（図5-2-21）．自発呼吸がなくなってもすぐに戻せるように，筋弛緩薬を投与するのではなくプロポフォールなどの短時間作用性の鎮静薬を増量して換気を行ってみる．

（経鼻） 経鼻用挿管チューブを用いて，出血を起こさないように十分注意して鼻腔から咽頭までチューブを通す．このとき，プロポフォールが過量になり自発呼吸がなくなった場合には，助手とともにチューブが入っていない方の鼻孔と口を閉鎖（気道を用手的に通す必要あり）すれば，挿管チューブに麻酔回路をつないで換気が可能である．

❹ 口腔内吸引で口腔，咽頭内を十分に吸引する（図5-2-22）．経鼻の場合は，鼻腔内も吸引（出血させないように注意）．

❺ **（経口）** 助手に下顎を挙上してもらい（図5-2-23），気管内チューブ（内面にはキシロカインスプレーをかけておく）を通したファイバースコープを挿入する（図5-2-24）．挿入時はupをかけて，補助エアウェイを見るようにファイバーを進め，補助エアウェイを過ぎたところでdownにすれば，喉頭が直下に観察できる．体表面から助手がファイバースコープの光の位置を口頭で伝えれば補助になる．

（経鼻） 気管内チューブ（内面にはキシロカインスプレーをかけておく）に，ファイバーを挿入し声帯を確認する．

❻ ファイバースコープを気管分岐部直前まで進めたのち，気管内チューブを挿入する．喉頭蓋の下や声帯を通過する際に抵抗を感

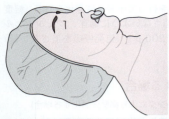

図5-2-21 挿管補助用エアウェイのみ挿入

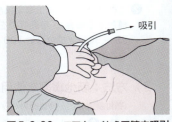

図5-2-22 エアウェイから口腔内吸引

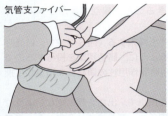

図5-2-23 助手が両手で下顎挙上

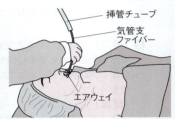

図5-2-24 気管支ファイバー挿入

じる場合には無理をせず，90°チューブを回転させるか，経口の場合はファイバーのシャフトを左右に振ることでも可能なことがある．

❼ 気管チューブが気管内に挿管（換気を確認）されれば気管チューブのカフを入れて，（意識下の場合は）即座に麻酔を導入する．聴診を行ったのち，気管チューブを止める．

(巻末の文献37より引用)

5 経鼻挿管 (nasal intubation)

適応 口腔内操作で経口挿管ができないもの，開口障害，術後に人工呼吸のために経鼻挿管を希望するもの．

■ 準備するもの
- 気管チューブ（男性：8.0 mmI.D., 女性：7.0 mmI.D. を中心に前後3本）．カフ漏れチェックとゼリー塗布（スタイレットは不要）．気管チューブは経鼻用またはらせん入りチューブ
- カフ用注射器
- マギール鉗子（McGRATH™ 使用時は**Suzy 鉗子**）(図5-2-25)
- 経鼻エアウェイ
- マスク（患者の顔に見合ったサイズ）
- 喉頭鏡（ライトのチェック）
- バイトブロック
- 口腔内エアウェイ
- 絆創膏
- 吸引器，吸引チューブ
- 麻酔器（点検と回路の組立て）

手順 ▶▶▶

手順 ❶〜⓫ は，「❶ 経口挿管」(p.283〜参照) と同じです．

❶ 患者と自分の位置の調節．

❷ マスクの大きさとフィッティング．

❸ 酸素吸入．

❹ 静脈麻酔薬または吸入麻酔薬投与．

❺ マスクによる陽圧換気．

❻ 陽圧呼吸が可能なことを確認．

❼ 筋弛緩薬の投与．

❽ **鼻出血の予防,鼻腔内粘膜の麻酔,消毒**(次ページの「コラム 経鼻挿管時の消毒と出血予防」参照).

⬇

❾ **経鼻エアウェイによる鼻腔の拡大**(省略することもある)
本物の気管チューブを鼻腔内に通す前に,経鼻エアウェイで鼻腔拡大を行うことがある.
注意:何度もくり返すと,かえって粘膜が腫れ挿入しにくくなる場合があるので,指導医によく相談します.

⬇

❿ **喉頭鏡ブレード挿入(声門部の確認)**(「❶ 経口挿管」参照)
声門部が確認できれば,再度マスク換気を行う.

⬇

⓫ **気管チューブ挿入**(「❶ 経口挿管」参照)
1. **右手**:気管チューブを鼻腔から挿入(挿入方向はp.282の図5-1-7を参照)し,口腔内で先端が前方に向かうようにマギール鉗子(McGRATH™使用時は**Suzy鉗子**)で方向を変えて,声帯の間に挿入する(**マギール鉗子,Suzy鉗子でカフを掴んではいけません**.カフが破れます).
2. **助手**:マギール鉗子のみの力で入れることが難しいときは,助手にチューブを少しずつ押し進めてもらう.
3. **目**:カフが全部,声帯を越えたことを確認.
4. **左手**:喉頭鏡を抜き,鼻孔のところでチューブを保持する.
5. **助手**:挿管施行者の指示でカフを注入する.
6. **右手**:蛇管を気管チューブに接続する.
  左手でチューブを保持しつつ,右で加圧バッグを押して胸郭の動きと呼吸音を聴診する.
7. **助手**:左右の上肺野の部分に聴診器をあて,聴診の補助を行う(片肺挿管になっていないこと,食道挿管でないことを確認)[「❶ 経口挿管」の確認法と同じ(p.290参照)].

気管チューブのマーカーは鼻孔の位置で経口挿管より3 cm長めが目安(男性:26 cm, 女性:25 cm).あくまでも聴診で左右差のないことを確認することが大切です.

図5-2-25 マギール鉗子(A)とSuzy鉗子(B)

> **Column** 経鼻挿管時の消毒と出血予防
>
> 経鼻挿管の前に，鼻内を消毒した方がよいのではないか？と思われる読者も多いだろう．また，鼻腔内は粘膜組織で血管豊富なため経鼻挿管によって鼻出血を起こし，後で止血に難渋することも多い．そこで，消毒と止血を目的とした前処置を紹介したい．
>
> 消毒薬としては10％ポビドンヨード（イソジン）が最もよく用いられている．0.05％クロルヘキシジン（ヒビテン）も用いられるが，高濃度では嗅覚障害を起こすことがあるので，筆者は用いていない．また，鼻出血を起こしにくくする目的で血管収縮薬を用いることが多い．
>
> 実際には，長めの綿棒にシャーレに入れたイソジンをしみこませて（一度鼻腔内に挿入した綿棒は，イソジンに再度浸したりしない），外鼻孔から垂直に鼻腔内に挿入する．この操作を数回くり返す．その後，4％キシロカイン5mL程度に0.1％外用アドレナリンを0.1mL混入した液をシャーレに作り（鼻粘膜用の血管収縮薬トラマゾリン点鼻薬をそのまま使用してもよい），綿棒で同様に2～3回鼻内に塗布する．
>
> 意識を落としてから上記を行う場合，マスク換気をやめて行うため，長く無呼吸にしないよう最大限の注意を払うこと．実際には，1回消毒してマスク換気をくり返すようにする．

6 盲目的経鼻挿管（blind nasal intubation）

（意識下または軽度鎮静）

適応 関節リウマチなどで開口制限，解剖学的に喉頭展開困難．

手順 ▶▶▶ ▶▶▶

❶患者に必要性を説明しておくことが大切．

❷鼻出血の予防，鼻腔内粘膜の麻酔，消毒．

❸**経気管麻酔**※

仰臥位とする．5mL注射器に2％キシロカイン5mLを吸い，25～27G針で輪状甲状靱帯（輪状軟骨と甲状軟骨の間）か

ら気管に刺入したのち，空気が注射器に逆流することを確かめ，*キシロカイン*を一気に注入する．

※）semi-awake intubation といって，気道の反射を落とさない程度に軽度鎮静を行うことがある．フェンタニル 0.5〜2 mL 程度を静注する

❹ 経鼻用気管チューブを鼻孔よりゆっくり挿入する．15〜18 cm 程度進める．

❺ チューブに耳を当てて，呼吸音を聞きながらチューブを進める．喉頭部にチューブ先端がさしかかると呼吸音最大になる．呼気音が最大のところでチューブを進めると気管挿管ができる．

7 意識下挿管（awake intubation）

適応　胃内容が充満している（フルストマック）．
　　　　全身状態が著しく悪く（重篤なショック状態，全身衰弱など），麻酔薬，筋弛緩薬の投与が危険であると判断される場合．
　　　　あらかじめ気管挿管が困難であると予測される場合．
　　　　筋弛緩薬や静脈麻酔薬を投与することで気道閉塞が生じる可能性のある場合．

手順 ▶▶▶　　　　　　　　　　　　　　　　　　▶▶▶

❶ （可能ならば）患者に必要性を説明し協力を得る．

❷ **経気管麻酔**（前ページ参照）
仰臥位とする．5 mL 注射器に 2％*キシロカイン* 5 mL を吸い，25〜27 G 針で輪状甲状靱帯（輪状軟骨と甲状軟骨の間）から気管に刺入したのち，空気が注射器に逆流することを確かめ，*キシロカイン*を一気に注入する．

❸ 後頭部に薄い枕を挿入し sniffing position とする．

❹ 開口させて，喉頭鏡をそっと挿入し，舌根部，扁桃，咽頭後壁に 4％*キシロカイン*をジャクソンスプレーで噴霧する．飲み込まないよう指示を与え，口腔内の唾液は後で吸引する．喉頭鏡を再度挿入し，喉頭蓋谷にも 4％*キシロカイン*を噴霧する．1 分以上観察する．

❺挿管操作

喉頭鏡をやさしく挿入し，喉頭展開を徐々に行う．

声門部を確認し，声帯の動きを観察する．気管チューブ（**通常より1サイズ小さめ**）にスタイレットを通したものを，吸気にあわせて声門が開いたところで気管に挿入し，スタイレットを抜去する．反射的にバッキングが起こり呼気がチューブより呼出される．カフを注入し，バイトブロックを挟むと同時に，用意してあった静脈麻酔薬と筋弛緩薬をすみやかに投与し全身麻酔に移行する．

意識下挿管では血圧上昇，不整脈などが起こりやすく高血圧や心疾患などでは，特に熟練を要する．**脳動脈瘤破裂，大動脈瘤破裂や協力が得られない場合は禁忌である**．

> **Column** フルストマックとクラッシュインダクション（迅速導入：rapid sequence induction）
>
> フルストマック（食後すぐあるいは胃内容が残っているとき）で，全身麻酔あるいは気管挿管をどうしても行わなければならないとき，マスク（陽圧）換気を行うと，胃内容が逆流して誤嚥性肺炎を引き起こすことがある．胃内容25 mL以上，pH 2.5以下では重篤になる．重篤にならなくても，そういった医原性の肺炎を起こすことは問題である．そこで，意識があるうちに十分酸素を吸入（10分以上100％酸素吸入）してもらった後，麻酔導入薬，筋弛緩薬を投与し**バッグマスク換気を行わずに気管挿管を行う**．
>
> クラッシュインダクションでは，筋弛緩薬投与後すぐにクリコイドプレッシャー（輪状軟骨圧迫，p.234：**図3-15-4**参照）を行うことが重要である．胃内容の逆流を防止しつつ気管挿管を行う手技は，熟練した医師でなければできないので，臨床研修では見学のみになることが多いようである．
>
> ※クラッシュインダクションは通称であり，正式にはRSI（rapid sequence induction）と言う．

8　輪状甲状間膜穿刺

必ず，指導医の元で行うこと

| 活用状況 | 麻酔導入時の日本麻酔科学会気道管理アルゴリズムに組み込まれた手技.
マスク換気不能・気管挿管不能（CVCI）時に行う. |

| 適応 | 緊急時の気道確保.
手術後の痰貯留を回避するための予防的挿管.
肺炎などによる喀痰の喀出困難時の痰吸引. |

| 禁忌 | 12歳以下の小児.
解剖学的ランドマークが確認できない患者.
再使用禁止.
抗凝固療法を行っている患者，出血性の患者.
ノーマンエルボータイプコネクタ（コネクタ内部にガス供給用内筒が患者方向に突出）の使用. |

| 合併症 | 出血，皮下気腫，縦隔気腫. |

■ 準備するもの

① Melker緊急用輪状甲状膜切開用カテーテルセットまたはミニトラックⅡセルジンガーキット（図5-2-26）
② 穴あきドレープ
③ 滅菌手袋
④ 消毒セット
⑤ イソジン
⑥ コネクションチューブ
⑦ キシロカイン1％
⑧ 10 mL注射器＋23 G注射器
⑨ 防水シーツ
⑩ Y字ガーゼ
⑪ 肩枕（バスタオルなど）
⑫ 救急カート

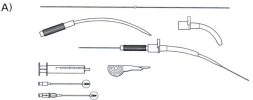

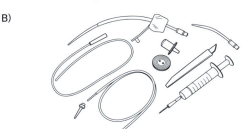

図 5-2-26 A) Melker 緊急用輪状甲状膜切開用カテーテルセット，B) ミニトラックⅡセルジンガーキット

A) Melker 緊急用輪状甲状膜切開用カテーテルセット＝6 mL シリンジ，(一針型) 穿刺針，(二針型) 穿刺針，尖刀 (スカルペル)，ガイドワイヤ，輪状甲状膜切開用カテーテル，ダイレータ．
B) ミニトラックⅡセット＝カニューレ，16 G ツーイ針，ガイドワイヤー，ダイレーター，イントロデューサー，ホルダー付きメス，10 mL 注射器，10 Fr 吸引用チューブ，15 mm 接続用コネクター，固定用テープ．

手順 ▶▶▶

患者を仰臥位にする．

❶ 両肩の真ん中を（枕またはタオルなど）で高くし，首を伸ばす．

❷ 甲状軟骨正中を確認し，上甲状切痕と輪状軟骨との間の陥没を触れる（刺入点の確認）．

❸ 消毒の後，喉頭を左手でつかむ（図 5-2-27）．

❹ メスで，正確に正中で皮膚，皮下組織を切開（縦切開 2～3 cm）．

❺ 輪状甲状間膜※を切開（横切開 1.5 cm）．

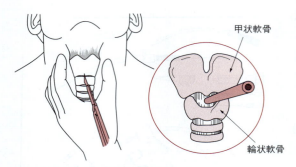

図 5-2-27　輪状甲状間膜穿刺
　　　巻末の文献53より引用.

❻ 16 Gツーイ針に10 mL注射器を接続し，陰圧をかけながら輪状甲状間膜穿刺（空気が引ければ）．

⬇

❼ ガイドワイヤー挿入．

⬇

❽ ガイドワイヤーにダイレーターを挿入．

❽❾：Melkerの場合はダイレーターにカテーテルを通したものをガイドワイヤーにそわせて挿入．

⬇

❾ ミニトラックをイントロデューサーと共に挿入．

⬇

❿ （空気が引ければ）イントロデューサーを抜去し，15 mm接続用コネクター接続．

⬇

⓫ 換気を行う．三方活栓とO_2圧源により酸素化は可能であるが，限られた換気量しか供給できない．

※）輪状甲状間膜：甲状軟骨と輪状軟骨の間に位置する浅いくぼみの部分で，縦径1 cm程度，横径2～3 cm程度の膜組織．

3. 声門上器具（i-gel, LMA）

> **Point**
> ❶ 挿入前には適切に麻酔を行い，咽頭反射を抑えること
> ❷ 咽頭に当たって入らないときには，無理に上から押し込まないこと（先端の方向を変えること）
> ❸ 口腔内に指を入れる必要あり（ラリンジアルマスク）

特徴	喉頭鏡を使用せずに挿入可能．
適応	自発呼吸で管理する全身麻酔． 短時間の全身麻酔． 気管挿管困難患者への応用． 喉頭鏡を挿入しないため循環系への影響が少ない． 救急救命士が心肺停止患者に挿入．
禁忌	フルストマック，誤嚥の可能性のある患者（消化器手術では避けることが望ましい）． 機械的人工呼吸を長時間行う可能性のある患者．

■ 準備するもの
- バッグ/マスク　・気管挿管セット
- K-Yゼリー（キシロカインゼリーは望ましくない）
- カフ用注射器（20〜30 mL）
- i-gel（図5-3-1, 表5-3-1）
  胃管挿入口がありカフのない構造をしている
- ラリンジアルマスク（表5-3-2）
  成人：160 cm以上　No.4/160 cm以下　No.3
  男性No.4/女性No.3と覚えてもよい
  ※ LMA ProSeal™ではおのおの1サイズ大きいものを使用
  （図5-3-2, ProSealはカフの接する面積が広い．気道以外に胃管挿入口がある）

i-gel 背面

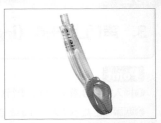

i-gel 前面：サイズ番号の下にある線のところまで挿入する

図5-3-1　i-gel（画像提供：Intersurgical Ltd.）

表5-3-1　i-gelサイズ表

Size (No)	体重 (kg)	適応患者の目安
#1	2～5 kg	新生児
#1.5	5～12 kg	幼児
#2	10～25 kg	小児（小）
#2.5	25～35 kg	小児（大）
#3	30～60 kg	成人（小）
#4	50～90 kg	成人（中）
#5	90＋ kg	成人（大）

表5-3-2　ラリンジアルマスクProSeal, Classicのサイズと空気注入目安

マスクサイズ	患者サイズ	最大空気注入量	ProSeal	Classic
1	新生児/乳幼児～5kg	4mL	—	○
1 1/2	乳幼児 5～10kg	7mL	○	○
2	乳幼児～小児 10～20kg	10mL	○	○
2 1/2	小児 20～30kg	14mL	○	○
3	小児 30～50kg	20mL	○	○
4	成人 50～70kg	30mL	○	○
5	成人 70～100kg	40mL	○	○

注入の目安は最大空気注入量の半分程度かカフ内圧60 cmH₂O以下になるようにする．

図 5-3-2　ラリンジアルマスクの通常型（LMA Classic™，写真 A）と ProSeal™（写真 B）（画像提供：泉工医科工業株式会社）

手順 ▶▶▶

1）挿入前の準備

　ラリンジアルマスクにカフ注射器で空気を入れどのくらいで膨らむか確認する．

　その状態で，マスクの空気が入っている部分のみにゼリーを薄くのばす．気道の出入り口には絶対にゼリーを塗らない．

　開口部を下にしてカフ内の空気を完全に抜く．このとき，均整のとれた形に空気が抜けることを確認する．

　i-gel では，背面，前面，側面にしっかりとゼリーをつける（潤滑剤が大切）．

2）挿入手技

❶ プロポフォールなどで麻酔導入後，十分に喉頭の反射がとれた状態になった後に挿入する．

❷ 手袋を装着する．

❸ 頭位を sniffing position とする．

❹ **両手**
　下顎を前方に持ち上げる（気道確保）．

❺ **右手**
　開口は左手にまかせて，ラリンジアルマスクを保持
　（**i-gel の場合は，シャフトの上部の固い部分のみを保持**）．

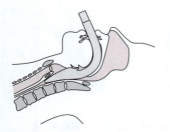

図 5-3-3　i-gel の正しい位置

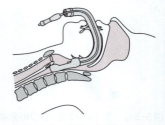

図 5-3-4　ラリンジアルマスクの正しい挿入位置

❻ **右手**
マスクの背面を硬口蓋に押しつけて咽頭後壁に沿って挿入.

※ i-gel では❼～❽は不要

❼ **右手**
マスク先端が舌根を越えたらチューブの先端を握り，（J字をイメージして）押し込む.

❽ **左手**
舌根部で引っかかって入りにくいときには，**左手を口腔内に入れマスクの先端を指で上向きに修正しながら，右手でマスクを押す.**

❾ **右手**
正しい位置（図 5-3-3，図 5-3-4）に挿入されると軽い抵抗を感じる.

❿ （ラリンジアルマスクの場合）注射器で**ゆっくりカフをふくらませる**（急激にふくらませるとしゃっくりの原因になる）.
カフ量：No.3 20 mL あるいは No.4 30 mL であるが，
カフ圧が 35 cmH$_2$O を越えない程度に調節.

⓫ 蛇管に接続し胸郭の動きと呼吸音の聴診を行う.

⓬ 固定

（i-gelの場合）チューブを奥まで入れて，下に押しつける形でテープで上顎から上顎へしっかり固定する（図5-3-5）.
（ラリンジアルマスクの場合）チューブを下顎方向に倒して固定する（図5-3-4）.

3）抜去手技

❶ 自発呼吸，嚥下運動が回復していれば，口腔内の吸引を行い，空気を抜き抜去する.
このとき，患者の協力が得られるほどに麻酔から回復していることが望ましい.
通常は，自分で開口してもらい，空気を抜いて抜去（i-gelはそのまま抜去）する.

■ i-gelの側溝からの胃管挿入

胃管を挿入できる側溝にゼリーを注入しておくと，以下のサイズの胃管が挿入できる.

表5-3-3 i-gel側溝に入る胃管の最大サイズ

Size（No）	胃管の最大サイズ
#1	使用不可
#1.5	10 Fr
#2	12 Fr
#2.5	12 Fr
#3	12 Fr
#4	12 Fr
#5	14 Fr

■ ProSealの側溝からの胃管挿入

表5-3-4 ProSeal側溝に入る胃管の最大サイズ

Size（No）	胃管の最大サイズ
#1	8 Fr
#1.5	10 Fr
#2	10 Fr
#2.5	14 Fr
#3	16 Fr
#4	16 Fr
#5	19 Fr

■ i-gelからの気管挿管

igelを挿入し気道にフィットした後に以下のサイズの気管チューブを挿入できる. この場合, 気管挿管チューブに気管支ファイバーをあらかじめ通しておき気管内に誘導する (p.300:図5-2-20参照) ことを推奨する.

表5-3-5 i-gelに入る気管チューブの最大サイズの目安 (ID)

Size (No)	気管チューブの最大サイズ (ID)
#1	3.0 mm
#1.5	4.0 mm
#2	5.0 mm
#2.5	5.0 mm
#3	6.0 mm
#4	7.0 mm
#5	8.0 mm

> **memo 声門上器具と胃管**
> 胃管の挿入は, 通常型のラリンジアルマスク (胃管挿入口なし) は密着が不十分になるため好ましくない. どうしても胃管を入れたいときには, i-gelやProSeal (いずれも胃管挿入口付き) を入れるのがよい.

> **memo i-gelの固定方法**
> 上顎から上顎へ固定する. 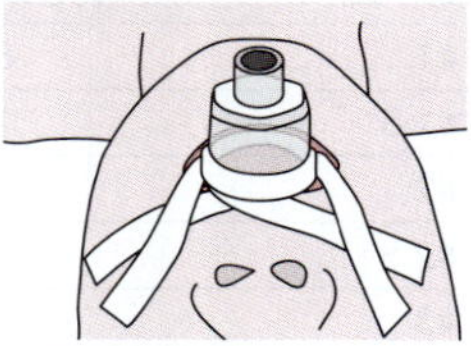
>
> **図5-3-5 i-gelのテープ固定**

第5章 手技マニュアル

4. 動・静脈ルート確保

> **Point**
> ❶ 穿刺できる血管を徹底的に探します
> ❷ 静脈を十分に怒張させます
> ❸ 動脈に十分に触れます
> ❹ 血管穿刺に適した留置針（太さ，長さ）を選択します
> ❺ 穿刺しようとする血管の太さ，走蛇行具合，硬さ，皮膚からの深さをきちんと認識します
> ❻ 穿刺時に「失敗するのではないか」と思わないようにします

1 末梢静脈ルートの確保

　静脈ルートの確保なくして麻酔は始まりません．区域麻酔でさえ，事前の静脈ルートの確保は必要です．また，（漏れたり，抜けたりする）不確実なものでは，いざというときに生命を助けることはできません．末梢静脈の確保は，麻酔科研修の中で最も基本で最も重要な意味をもつものです．静脈ルート確保は麻酔の前には必ず行うべきもので，確実な静脈ルートの確保は麻酔科研修だけでなく，重症患者管理の基本になる技術です．

　静脈ルートは上肢に確保するのが基本です．関節部や神経走行部は避けます．
　また，術後早期離床や静脈内血栓予防のため下肢への穿刺はできるだけ避けます．

手順 ▶▶▶

❶ 上肢に穿刺できそうな血管を探して目安をつける（これが重要）．橈側皮静脈の合流部がねらい目．**正中皮静脈や橈側皮静脈の末梢側では神経損傷の可能性があるため勧められない**．なければ手背の方がましである．

図5-4-1 手を下げて穿刺する静脈を怒張させる

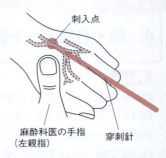

図5-4-2 皮膚を引っ張って血管が逃げるのを防ぐ

❷ 上肢を心臓より低く保つ．

❸ 上肢（穿刺部より中枢側）を駆血帯で駆血し，静脈が怒張するまで待つ（図5-4-1）．
怒張しなければ，グー，パーをくり返してもらってもよい．

❹ アルコール綿で消毒する．
血管上を中枢部から末梢部に向けてこする（このとき血管が見えなければ穿刺しない）．

❺ 穿刺部より手前の皮膚を左手で引っ張る（図5-4-2）．
こうすることで，血管が逃げるのを防ぐ．皮膚を引っ張ることで，血管の蛇行をまっすぐにしたり，皮膚にしわがよらないようにする．

❻ エラスター針で血管を穿刺し，血液の逆流を認めたら（図5-4-3），全体を5mm程度進めて，外筒のみさらに進める（外筒がきちんと入るまでは左手の皮膚の引っ張りをゆるめない！）（図5-4-4）．外筒が血管内に入るまでは，内筒を抜かない！

駆血帯のコツ

・筋肉のある部分を駆血する．手背の穿刺だからといって手首を駆血しても血管はふくれない！

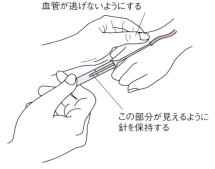

図 5-4-3 穿刺時の針の持ち方

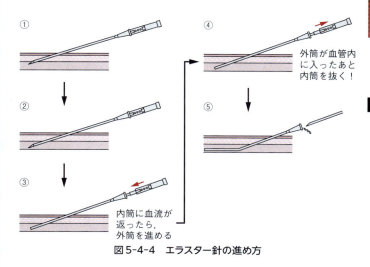

図 5-4-4 エラスター針の進め方

> ■ 達人への道
> 「確実に穿刺できる静脈を探すこと．探せなければむやみやたらに穿刺してはいけない」

1) 穿刺に最適な静脈と穿刺を避けたい場所（図5-4-5）

①肘関節と手関節の間（前腕部）の静脈

穿刺が容易なのは手背の静脈，前腕部の静脈，（下肢）大伏在静脈です．下肢は血栓症を起こしやすく詰まりやすいので長時間留置には適しません．

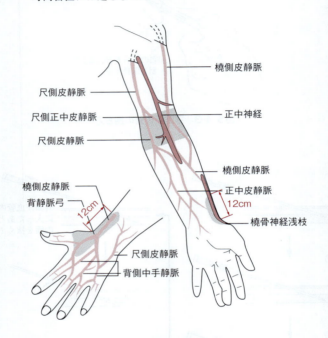

図5-4-5 穿刺に最適な静脈と穿刺を避けたい場所（灰色部分）

橈側皮静脈では橈骨神経浅枝が皮下近くに分布しているので，橈側に血管確保する場合には，茎上突起より12 cm以上中枢（上方）で行うのがよい．また肘関節付近では正中神経が浅く分布しているので，注意が必要である．

2) 静脈留置針の選択

①1本目の輸液ライン

成人では20 Gを標準にします．20 Gは，輸血もできますし，ある程度の急速輸液にも対応可能です．

術前の脱水が著明で，麻酔導入時に血圧低下が予想される場合では，急速大量輸液を必要とする可能性があり，18 Gのラインをとっておくか，麻酔導入前に十分な輸液を行います．

　どうしても，20 G以上で穿刺できそうにない場合には，無理をせず22 Gで確保し，必要なら麻酔導入後に2本目の点滴を20 G以上で確保しなければならないこともあります．

　出血が予想される場合や大量輸液が必要とされる場合は，麻酔導入後にさらに，20 G以上で静脈ラインを確保します．

> **memo　リキャップ**
> 患者に使用した注射針にリキャップしない．
> 使用後の注射器は放置せず，使用者がすぐに捨てる．
> 針を持ったままの状態で，他の動作をしない．

> **memo　感染対策**
> ・手術患者の術後免疫能低下を考慮して，麻酔医は清潔操作を徹底しなければならない
> ・手術室入室時の手洗い，「一処置，一手洗い」の原則を守る
> ・**静脈ルート確保，マスク換気，気管挿管，動脈ライン挿入，胃管挿入，輸血バッグのとり扱い時など分泌物や血液に曝露する可能性のある処置時にはプラスチック手袋を装着**する
> ・それでも手指が汚染された場合は可及的すみやかに手洗いする
> [麻酔業務における感染対策のための勧告]
> ・『Recommendations for Infection Control for the Practice of Anesthesiology (Third Edition)』
> 　http://www.csen.com/reco.pdf

Column 針刺し事故

　針刺し事故とは,「汚染源患者の血液が付着した医療器具(注射針,メスなど)により,医療従事者の皮膚を損傷し,かつその傷が皮下に到達していること」と定義される.つまり受傷部位からの出血が確認できる状態で,単に血液を浴びた程度や,針がかすった程度のものは針刺し事故として扱わない.

　また,針に付着する程度の少量の血液でも,針が深く刺入することにより感染した例もある.汚染血のウイルス量だけでなく針の深度も重要と考えられる.

　針刺し事故発生時にはまず受傷部位から血液を絞り出し,流水で十分に洗い,以下の処置を行うとともに指導医に報告する.

[B型肝炎ウイルス(HBV)による汚染血液の場合]
　0.1％次亜塩素酸ナトリウムで傷口を消毒する.直ちに医療従事者のHBs抗原抗体を検査し,必要なら中和抗体の抗HBsヒト免疫グロブリン(HBIG)をできるだけすみやかに,原則として48時間以内に投与する.HBVがヒトに感染した場合,48時間後には肝細胞に到達する.ただし医療従事者のHBs抗原抗体検査が直ちにできない場合は,とりあえずHBIGをすぐに投与する.

[C型肝炎ウイルス(HCV)による汚染血液の場合]
　HCVの感染率は1.8％とされ,HBVの30％に比べかなり低値である.中和抗体やワクチンはなく,感染予防対策は確立していない.傷が浅く,受傷部位の出血がにじむ程度であれば,肝炎発症の可能性はきわめて低いので,無処置のまま肝機能検査を行う程度でよい.経過観察中に急性肝炎を発症しても,早期にインターフェロン(IFN)を使用すればC型肝炎慢性化の予防が可能である.

[エイズウイルス(HIV)による汚染血液の場合]
　感染率はきわめて低く,0.3％である.グルコン酸クロルヘキシジンアルコール(ヒビテンアルコール),ポビドンヨード(イソジン),消毒用アルコール,または0.1％次亜塩素酸ナトリウムなどで傷口を消毒する.医療従事者のHIV抗体検査を事故直後,1,3,6カ月後および1年後に実施する.
(巻末の文献38,39,40を参考とした)

❷ 動脈ライン確保

通常は末梢の橈骨動脈を穿刺します．穿刺前にはアレンテスト を行っておきます．

> **コツ**
> 動脈ライン穿刺の最大のコツは，走行が確認できるほど動脈に触れること．1カ所の触れのみで穿刺してはいけません．ラインを挿入する前にまず1分間触れてみましょう．穿刺は数秒で完了しますので，あわてないように．あわてて穿刺し挿入に失敗すると動脈が触れなくなり次の穿刺ができなくなります．

1）動脈穿刺，動脈圧モニター

目的 持続的動脈圧の測定と圧波形の観察，BGA（血液ガス分析）やその他の採血を頻回に行う場合．
マンシェットで血圧測定が困難（超肥満，手術体位や術者の位置との関係），循環変動が大きいあるいは術操作で大きく変動，採血が頻回な場合．

合併症
1）回路や刺入部からの出血
2）末梢血管閉塞，壊死
3）血栓，感染
4）動脈瘤

禁忌 アレンテスト陰性

■ **準備するもの**
- トランスデューサー
- フラッシュデバイスが一体になった圧ライン回路
- 生理食塩水バッグ
- ヘパリン
- 加圧バッグ
- モニターケーブル
- 静脈留置針（または動脈穿刺専用針）
- 消毒

手順 ▶▶▶

❶ 回路の組立て
生食バッグ500 mLにヘパリン2,000単位（2 mL）を注入し，針を残したまま注射器をはずし，生食バッグ内の空気を完全に抜く（少しでも残っていれば空気塞栓や動脈波形のナマリを生じる）．加圧バッグで生食バッグの圧を血圧より高く設定する．通常は300 mmHg．

❷ モニター設定
モニターケーブルを接続し，圧トランスデューサーを大気に解放し，ゼロ点を設定する．トランスデューサーの位置を中腋窩線に設定する．

❸ 動脈穿刺

1. **アレンテスト**（p.45：図2-2-7参照）
   橈骨動脈と尺骨動脈を手のひらが蒼白になるまで強く圧迫．尺骨動脈を開放し，6秒以内に手のひらが紅潮すればOK，それ以上かかれば穿刺しない．

2. **肢位**
   手関節の背側に手枕をおき穿刺部が伸展するように手指を絆創膏で軽く固定する．立つ位置は橈骨動脈の走行に垂直（指先側）．

3. **左手**
   人差し指と中指で動脈の走行を確認する．アルコール綿で皮

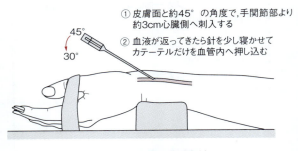

図5-4-6　橈骨動脈穿刺

膚を消毒し，キシロカインで浸潤麻酔を行う．1分以上触れて呼吸を整える．

4. 右手

鉛筆を持つようにあるいは静脈穿刺と同じ持ち方で22Gまたは20Gのエラスター針で，左手指の近くから穿刺する．

❹ カテーテルの挿入（図5-4-7）

A．スライディング法

動脈血が返ってきたらさらに5mm程度進め内筒を少し抜いて，血液が返ってくるようであれば外筒のみを進めてカテーテルを根本まで進める．

B．貫通法

動脈血が返ってきたらさらに5mm～1cm程度進め動脈を貫通させる．内筒を抜いても血液が返ってこないことを確認し，外筒に2.5mLの注射器をつけて吸引しながら少しずつカテーテルを手前に引いてくる．血液が返ってくればカテーテルごと血管内に挿入する．

C．セルジンガー法（インサイト-A™による）

（準備）針カバーを外す前にプランジャーを後方に引いてガイドワイヤーを引っ込める（軽くロックする）．

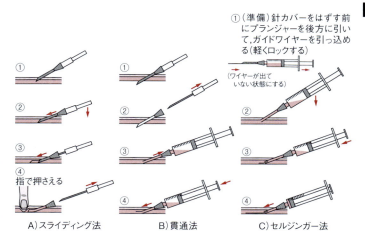

図5-4-7　動脈カテーテル挿入法

穿刺して動脈血が注射器に返ってきたら、少し寝かせる。プランジャーをゆっくり進めて抵抗がなく持続的に血液が返ってくる（ワイヤーは血管内に挿入されている）ようなら、外筒のみ進めてカテーテルを根本まで進める。

※）失敗した場合は、すみやかにガーゼで刺入点を強く圧迫し指導医に交代する。血腫をくり返し作ると指導医でも同側からは確保困難になる。

❺ 圧ラインとの接続

カテーテル先端部を指で強く圧迫し血液が漏れないようにして、内筒あるいは注射器をはずして圧ラインをしっかり接続する。このとき、**モニターに動脈圧波形が出ていることを必ず確認**する。回路内の注射器をつけた三方活栓を開放し血液を注射器に逆流させ、接続部のエアーを完全に除去してから、ヘパリン加生食で血管内に血液を戻す。

トラブルになる前に以下のことに気をつけます。

1）回路内空気の混入を見つけ次第、除去する
2）接続部（回路内の接続部と穿刺針−回路接続部）の不具合（出血に注意）
3）カテーテルの屈曲（波形のナマリ）

橈骨動脈以外に、足背動脈、大腿動脈、浅側頭動脈から穿刺を行うことがあります。

3 中心静脈ルート確保

| 目的 | 内頸静脈，大腿静脈，鎖骨下静脈，外頸静脈，PICC（尺側皮静脈など）．

※）手術直前に確保する中心静脈ルートは鎖骨下静脈より内頸静脈が好まれる．気管挿管やマスク換気で陽圧換気を行うため，気胸を起こしていた場合，重大な合併症（緊張性気胸）となる可能性がある．

1）内頸静脈穿刺（図5-4-8のA）

中心静脈カテーテル挿入，スワンガンツカテーテル挿入に必須の手技です．

通常は右側の内頸静脈が第一選択です（左側には胸管があるため）．

| 禁忌 | 抗凝固療法中，頸部手術や放射線療法後など血管走行に異常が予想されるような患者．

| 合併症 | 頸胸部の皮下血腫（気道閉塞）．

> **memo 内頸静脈，鎖骨下静脈，大腿静脈の確認**
>
> エコーを用いて穿刺前（プレスキャン）に，深さ，太さ，動脈との位置関係を確認する．また，カテーテル刺入後（ポストスキャン）にもカテーテルがきちんと，静脈内に入っていることをエコーで確認するとよい．

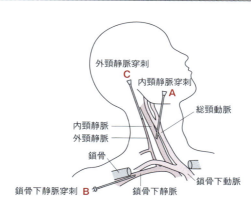

図5-4-8　頸部・鎖骨下からの中心静脈穿刺

手順

❶ 体位
枕をはずし，顔を軽く穿刺と反対側に向ける（向けすぎに注意）．頸部は軽く伸展するが肩枕は入れない．できれば頭低位（図5-4-9）．施行者は頭側に立つ．

❷ 刺入点
胸鎖乳突筋三角の頂点付近で静脈拍動が見える位置（図5-4-10）．
静脈拍動を軽く触れると「プクプク」している．そのすぐ内側を強めに触れると内頸動脈の拍動を触れる．

❸ 消毒
刺入点を中心に広く消毒する（図5-4-9）．穴圧（穴の開いたドレープ．透明がよい．透明でなければ鎖骨と胸骨柄，刺入点が穴に入るように）をかける（図5-4-10）．

❹ 局所浸潤麻酔
24 G針で刺入部に吸引を行いながら皮下に局所浸潤麻酔を行い，効果が出るまで十分に待つ（全身麻酔中でない場合は必ず局所麻酔を行う）．

❺ ためし穿刺
左手は軽く動脈を触れるか，皮膚を軽く引っ張る程度にする（強すぎると隣にある穿刺すべき静脈もつぶしてしまう）． 24 G針に5 mL程度の注射器をつけ，刺入点から注射器を吸引しながら針を進め，暗赤色血液が吸引されるのを確認する（通常の体格では3 cmまでの距離で挿入できる）．赤っぽい血液の場合は動脈の可能性がある．

❻ 本穿刺
カテーテルキットに付属の18 G程度のエラスター針（あるいは金属針）に注射器をつけ，吸引をかけながら，ためし穿刺と同じ刺入点から同じ方向に針を進める．静脈血が吸引できれば3〜5 mm針を進め，エラスター針であれば内筒を抜いて，外筒のみで抵抗なく血液が吸引できることを確認する．

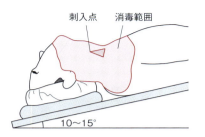

図5-4-9 内頸静脈確保時の消毒範囲

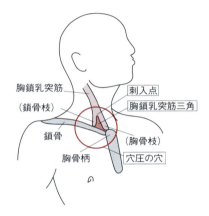

図5-4-10 刺入点と穴圧の穴の位置

❼ カテーテルの挿入

1. セルジンガータイプ（ガイドワイヤーを使うタイプ）

ガイドワイヤーを挿入する．またガイドワイヤーの先端の曲がりが心臓の方に向くように挿入時に方向を確認する．10cm以上入ったら穿刺針を抜き，ダイレーターをガイドワイヤーに挿入し，経路を広げる．ガードワイヤーが抜けないようにダイレーターを抜去し，ガイドワイヤーにカテーテルを15cm（左では10～20cm）のマーカーを目安に通す．この後，必ずガイドワイヤーを抜き，体外にガイドワイヤーが出ていることを確認．カテーテルの距離を調節する（図5-4-11）．

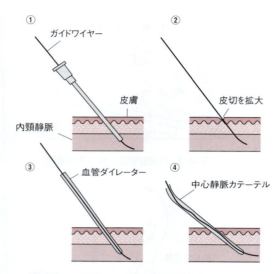

図5-4-11　カテーテルの挿入（セルジンガータイプ）

2. **ピールオフタイプ（エラスターにカテーテルを挿入するタイプ）**

    カテーテルを15 cm（左では18〜20 cm）のマーカーを目安に挿入する．外筒（エラスター）を抜き，刺入部を圧迫する．

    エラスターはピールオフといって，真ん中で裂けるので，取り去ることができる．

    針と糸でカテーテルを皮膚に固定する．

⬇

❽ 胸部X線撮影

カテーテル先端の確認と気胸の確認のために，できれば立位か坐位で胸部X線撮影を行う．

> 1度目の穿刺に失敗した場合には，血腫を作る可能性が高いので指導医に交代する．

■ 超音波ガイド下穿刺について

穿刺方法には解剖学的な位置関係を参考にして穿刺するランドマーク法とエコーを用いて行う超音波ガイド下穿刺法がある．超音波ガイド下穿刺法では，穿刺前にエコーで血管の走行を確認し皮膚上の刺入点を決めるプレスキャンだけを行うものとリアルタイムに超音波ガイド下に行うものがある．

中心静脈穿刺，特に内頸静脈穿刺に関しては，超音波ガイド下のリアルタイム穿刺が推奨されている．しかし，エコーが利用できない状況も考えられるので，ランドマーク法による穿刺も十分に習得する必要がある．

プレスキャン（図5-4-12）

仰臥位で，右頸部（図5-4-8のAの位置）に，リニアプローブを横に置き，総頸動脈，内頸静脈の大きさと位置関係を把握する．静脈はプローブを強く押しつけると内腔がつぶれる（図5-4-12の右図）が，動脈は内腔がつぶれないため識別が可能である．また，カラードップラーを当てると，心電図の音に合わせて拍動している方が動脈である．

リアルタイム穿刺

「超音波ガイド」は，魔法の技術ではない．トレーニングを受けずに行うと，合併症を増やす原因となるため，指導医の元で研鑽を積んでから行うべきである．

図5-4-13の左図は超音波ビームが針先を捉えている（良い例）が，右図は超音波ビームが針先を捉えておらず，針の途中が映っている（悪い例）．右図では，深い穿刺となり超音波ガイドにより動脈穿刺や神経損傷，他の組織損傷を引き起こす．

見え方

図5-4-13の●は穿刺針（点で見える）．静脈の真上に穿刺針があれば，血管は針の位置に凹みができるため，ハート型になる（良い例）．血管の上にへこみができない場合でも（血管から離れているように見えても），針先と思われる●（点）の部分の下に，よく見ると黒い筋（アーチファクト）が観察される（悪い例）．これを見逃してはいけない．

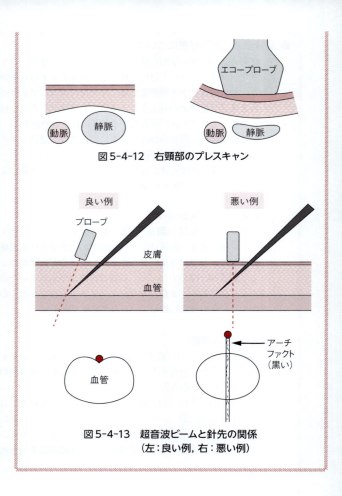

図5-4-12 右頸部のプレスキャン

図5-4-13 超音波ビームと針先の関係
（左：良い例，右：悪い例）

2）鎖骨下静脈穿刺（図5-4-8のB）

右側の鎖骨下静脈が第一選択（左側には胸管がある）です．

> **禁忌** 抗凝固療法中，頸部手術や放射線療法後など血管走行異常が予想されるような患者，すでに反対側の気胸がある患者．
>
> **合併症** 気胸，血胸（動脈穿刺），頸胸部の皮下血腫（動脈穿刺）．

手順 ▶▶▶　　　　　　　　　　　　　　　　　　▶▶▶

❶ 体位
枕をはずし，顔を軽く穿刺と反対側（左側）に向ける．肩枕は入れない．できれば頭低位（図5-4-9）．施行者は患者の頭側（右側）に立つ．

❷ 刺入点
鎖骨の中点で鎖骨より1～2cm下（図5-4-14）．

❸ 消毒
刺入点を中心に広く消毒する．穴圧（穴の開いたドレープ．透明がよい．透明でなければ頸部と胸骨柄，刺入点が穴に入るように）をかける（図5-4-15）．

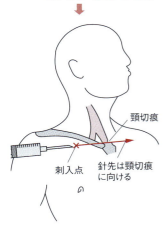

図5-4-14　刺入点と穿刺方向

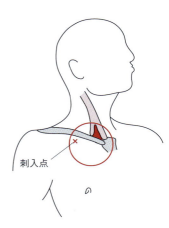

図5-4-15　刺入点と穴圧

❹ 局所浸潤麻酔

24 G針で刺入部に吸引を行いながら局所浸潤麻酔を行う．このとき針は頸切痕に向け鎖骨と第一肋骨の間の皮下を麻酔する（全身麻酔中でない場合は必ず局所浸潤麻酔を行う）．

❺ ためし穿刺

23 Gのカテラン針を刺入点で鎖骨に当て，鎖骨と第一肋骨に入るように鎖骨の下縁に向けて少しずつ針をずらす．鎖骨と第一肋骨の間で針先を頸切痕に向くように，針を水平に（鎖骨の下縁をこすりながら）進める．針が，鎖骨と第一肋骨の間に滑り込んだら，注射器を吸引しながら針を進め，暗赤色血液が吸引されるのを確認する（通常の体格では6 cmまでの距離で挿入できる）．赤っぽい血液の場合は動脈の可能性がある（図5-4-14）．

❻ 本穿刺

カテーテルキットに付属の16 G程度のエラスター針（あるいは金属針）に注射器をつけ，吸引をかけながら，ためし穿刺と同じ刺入点から同じ方向に針を進める．静脈血が吸引できれば3〜5 mm針を進め，エラスター針であれば内筒を抜いて，外筒のみで抵抗なく血液が吸引できることを確認する※．

※）1度目の穿刺に失敗した場合には，気胸や血腫を作る可能性が高いので指導医に交代する．ためし穿刺や本穿刺で空気が引けた場合には，指導医に交代し，かつ気胸対策（胸腔ドレーンの挿入や胸部X線写真の頻回フォロー）を行う．

❼ カテーテルの挿入

頸部は挿入側に倒して頸静脈に上がらないようにする（図5-4-16）．

1．セルジンガータイプ

ガイドワイヤーを挿入する．またガイドワイヤーの先端の曲がりが心臓の方に向くように挿入時に方向を確認する．10 cm以上入ったら穿刺針を抜き，ダイレーターをガイドワイヤーに挿入し，経路を広げる．ガードワイヤーが抜けないようにダイレーターを抜去し，ガイドワイヤーカテーテルを15 cm（左では18 cm）のマーカーを目安に通す．この後，必ずガイドワイヤーを抜き，体外にガイドワイヤーが出ていることを確認．カテーテルの距離を調節する（図5-4-11）．

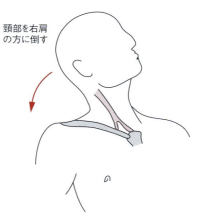

図5-4-16 カテーテル挿入時の頸部の位置

2.ピールオフタイプ

　カテーテルを15 cm（左では18 cm）のマーカーを目安に挿入する．外筒を抜き，刺入部を圧迫する．
　針と糸で，刺入部を固定する．

❽ 注射器を接続してカテーテル内の空気の吸引と血液がスムーズに返ってくるかを確認.

❾ **胸部X線撮影**

　カテーテル先端の確認と気胸の確認のために，できれば立位か坐位で胸部X線撮影を行う．

3）外頸静脈穿刺（図5-4-8のC）

　頭低位として外頸静脈を拡張させ，頸部を軽く穿刺と反対方向に向ける．静脈が逃げないように頸部の皮膚を軽く引っ張り，エラスター針に5 mL注射器をつけ吸引しながら外頸静脈を穿刺する．長いエラスター針を挿入する場合は点滴ルートにそのまま接続し，内頸静脈と同様のカテーテルを挿入する場合には内頸静脈のカテーテル挿入と同様に挿入する．

　胸腔に入るところで引っかかりカテーテルやガイドワイヤーが進みにくい欠点がある．

4) 大腿静脈穿刺

右側がカテーテルを挿入しやすい．鼠径靱帯の下に大腿動脈を触知するのでその内側にある大腿静脈を穿刺する．

大腿静脈は内頸静脈とは逆で動脈の内側に静脈がある（内頸では静脈は動脈の外側にある）．感染の危険や血栓の頻度が高いことから長期留置には向かない．

5) 上腕の尺側皮静脈穿刺（PICCカテーテル）

筆者は高流量と豊富なルーメン数という点から**パワーPICC**（メディコン社）を推奨する．

上腕を駆血して末梢静脈穿刺と同様に尺側皮静脈を穿刺する．以前は，肘窩で肘静脈（正中皮静脈）を穿刺していたが，近年は**超音波診断装置を用いて肘窩より上方（上腕骨の真ん中あたり）で穿刺**し，上腕の**尺側皮静脈**，橈側皮静脈を穿刺する（図5-4-17）．ただし，橈側皮静脈からは，折れ返るためおすすめしない．

手順

❶ 穿刺予定部の上方の上腕を駆血し，超音波で穿刺血管を同定する．

❷ 正中線と90°の角度に腕を開いた体位とする．

❸ 穿刺部から上大静脈（SVC）の下方1/3（カテーテル先端位置）の位置までの距離を測定する（図5-4-18）．

❹ カテーテルを必要な長さに切断する．

❺ 穿刺部を消毒後，超音波ガイド下に血管を穿刺し，逆血を認めればガイドワイヤを予定の長さまで挿入する．

❻ 以下，セルジンガー法でカテーテルを挿入し，静脈からシースを抜去しカテーテルを固定する．

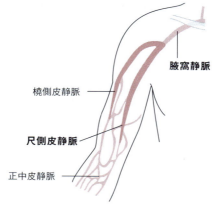

図 5-4-17　推奨される穿刺血管

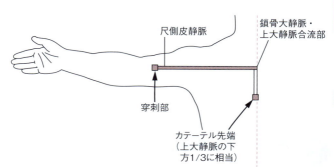

図 5-4-18　患者体位とカテーテルの長さの測定

第5章 手技マニュアル

5. 脊髄くも膜下麻酔・硬膜外麻酔の基本的知識と手技

> **Point**
> ❶脊髄くも膜下麻酔と硬膜外麻酔は，手術に広く応用されている区域麻酔です．違いをしっかり理解しましょう
> ❷区域麻酔で行う手術と必要な麻酔レベルについて理解しましょう
> ❸術後鎮痛について理解しましょう

　麻酔科がかかわる局所麻酔法として脊髄くも膜下麻酔と硬膜外麻酔があります．これらは，区域麻酔と呼ばれ手術では最も多く利用されている局所麻酔法です．全身麻酔との違いは，意識の消失（鎮静作用）がないことです．最も大きな利点の一つであり，意識のある状態での手術が可能になるため，患者が異常を訴えることができます．逆に，手術においては意識があることは不安や緊張を引き起こし手術の進行を妨げ，患者にとっても術者にとっても都合の悪い状態になることがあり，その場合には，麻酔効果判定後に鎮静を行います．

　脊髄くも膜下麻酔と硬膜外麻酔は，背中からの麻酔である点はよく似ていますが，違いを把握することでよりよく理解できると考えられます．まず，違いを見てみましょう．

1 脊髄くも膜下麻酔と硬膜外麻酔の違い
（表5-5-1，図5-5-1）

1）脊髄くも膜下麻酔

　脊髄くも膜下麻酔は，手技が比較的容易であり単純な器具で施行が可能です．また，**くも膜下腔の確認は脳脊髄液の逆流により行えるので，穿刺までは臨床研修でも研修医が行うことを認めている病院が多い**と思います．少ない局所麻酔薬の投与で効果が認められますが，筋弛緩作用や血圧低下は強く，作用も短時間で現れますので，薬液注入直後の管理は切迫しています．欠点としては，穿刺部位が腰椎下部に限定されるため下腹部以下の手術にしか用いられないことや，持続注入を行うことは一般的ではないために短時間の手術しか行えません．

表 5-5-1 脊髄くも膜下麻酔と硬膜外麻酔の違い

	脊髄くも膜下麻酔	硬膜外麻酔
局所麻酔薬注入部位	くも膜下腔	硬膜外腔
穿刺部位	L2/3以下（通常L3/4）	頸椎から仙骨部まで
穿刺，注入部位確認	容易	技術を要する
効果発現	数分以内	10〜15分以上
ブロックの程度	強い	弱い〜強い
筋弛緩	強い	弱い〜強い
血圧低下	速い，強い	遅い，やや強い
麻酔時間	長くても2時間以内	長時間（持続硬膜外）
局所麻酔薬使用量	2 mL前後	数mL〜20 mL程度
局所麻酔薬中毒	稀	起こりうる
持続注入	一般的でない	一般的
全身麻酔との併用	一般的でない	積極的
術後鎮痛への利用	難しい	一般的

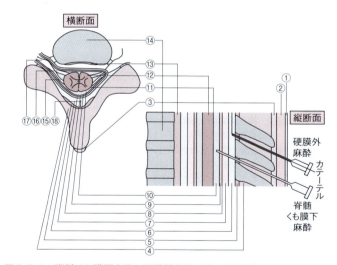

図5-5-1　脊髄くも膜下麻酔と硬膜外麻酔の注入部位がわかる側面図

①皮膚，②皮下組織，③棘上靱帯，④棘間靱帯，⑤黄色靱帯，⑥硬膜外腔，⑦硬膜，⑧硬膜下腔，⑨くも膜，⑩くも膜下腔，⑪軟膜，⑫脊髄，⑬後縦靱帯，⑭椎体，⑮脊髄後根，⑯脊髄前根，⑰脊髄神経節，⑱plica mediana dorsalis

2) 硬膜外麻酔

硬膜外麻酔は，**硬膜外腔の確認や穿刺が難しく研修医がすぐにできる手技ではありません．そのため，臨床研修では見学のみにとどめている施設が多い**と思われます．硬膜外腔にカテーテルを挿入して持続投与を行うのが通例で，長時間の手術にも追加投与を行うことで対応できます．また，術後にもカテーテルからの鎮痛薬の持続投与で対応できます．ブロックの程度は脊髄くも膜下麻酔よりは若干弱いのですが，局所麻酔薬の濃度を調節することにより十分な筋弛緩を得ることができます．ブロックの範囲に関しても，投与容量を増量あるいは追加投与をすることで拡げることができ調節性が高いと言えます．しかし，局所麻酔薬の投与量が多くなれば，局所麻酔薬中毒の危険性も出てきます．

> **memo 分離麻酔と分節麻酔**
>
> 硬膜外麻酔では局所麻酔薬の濃度を調節することで，遮断する神経（運動神経，知覚神経，交感神経）を変えたり，容量を調節することにより遮断する神経レベル（範囲）を変えることができる．遮断する神経（太さ）を変えることを分離麻酔，神経の範囲（分節）を変えることを分節麻酔と言う．
>
> 分離麻酔の考え方は，局所麻酔薬の濃度が高くなれば太い神経が遮断され，低ければ細い神経が遮断されることに基づいている．運動神経＞知覚神経＞交感神経の順に細くなるので，最も太い運動神経を遮断するには高い濃度の局所麻酔薬が必要になる．リドカインやメピバカインでは，0.5％で交感神経，1％で知覚神経，1.5～2％で運動神経遮断効果を狙って使う．運動神経が遮断されれば他の神経はすべて遮断され，また筋弛緩作用が発現する．1.5％は1％と2％を半分ずつ注射器に入れれば作製できる．
>
> 分節麻酔の考え方は，広い範囲の脊椎分節に効果を現したい場合は，容量を多くすればよいということである．1分節 0.5～2 mLと人により効果範囲が異なるので，注意が必要である．

2 適応と禁忌

1）適応

①脊髄くも膜下麻酔
下腹部，下肢，会陰の手術．

②硬膜外麻酔
上肢，体幹，下肢，外陰部の手術（開胸，開腹手術では全身麻酔と併用が一般的）．

2）禁忌

①絶対的禁忌
1. 患者の協力が得られない場合
2. 出血傾向（抗凝固薬効果残存症例）：「第3章-14-❼ 凝固異常」（p.227）参照
3. 穿刺部の感染・炎症
4. ショック状態
5. 脳・脊髄疾患急性期
6. 敗血症・菌血症
7. 心不全

②比較的禁忌
1. 脊髄くも膜下麻酔，硬膜外麻酔の後遺症と混同しやすい症状のある症例
2. 小児（15歳以下）
3. 高度の肥満（特に脊髄くも膜下麻酔）
4. 脊柱が高度に変形している場合

3 手技

実際に麻酔を行う場合に必要な物と手技は，「第5章-6 脊髄くも膜下麻酔」（p.348～），「第5章-7 硬膜外麻酔」（p.357～）を参照．

4 手術に必要な麻酔高

1) 麻酔高（表5-5-2，表5-5-3）

麻酔高とは，どこまで効けば痛くないかを示すものです．

2) 効果範囲の確認（図5-5-2，表5-5-4，表5-5-5）

効果範囲を確認するには，知覚の鈍麻と温覚の鈍麻をテストする方法があります．

また下肢の運動神経遮断効果を見る方法もあります．

表5-5-2 脊髄くも膜下麻酔に必要な麻酔高

術式	麻酔高	術式	麻酔高
[下腹部手術]		[鼠径部以下]	
子宮全摘，卵巣手術	Th7	経尿道的手術（TUR）	Th10
虫垂切除[※1]	Th4	精巣手術	Th10
恥骨後式前立腺摘出術	Th10	下肢手術[※2]	Th10
膀胱部分切除	Th10	外陰部，肛門	S
鼠径ヘルニア	Th10		

※1) 虫垂手術では腸管牽引するためTh4まで必要
※2) 下肢手術では駆血（ターニケット）するのでTh10まで必要

表5-5-3 硬膜外麻酔の穿刺部位と初回投与量

手術部位	穿刺部位	目標麻酔域	年齢と投与量（mL，2％メピバカイン）			
			20～50歳	51～60歳	61～70歳	71歳～
甲状腺	C5-T1	C2-5	10	10	6～8	5
鎖骨	C6-T1	C3-5	10	10	6～8	5
乳房切断（単純）	C6-T3	C4-T6	8～10	8～10	6～8	5
胃部分切除	T8-10	T1-L2	10～15	10～12	8～10	5～8
胃全摘	T8-10	T1-L3	10～15	10～15	10～12	6～8
肝・胆道系の手術	T8-10	T1-12	10～15	10～15	10～12	6～8
腎臓・上部尿管	T8-11	T4-L3	10～15	8～12	8	6
小腸切除	T10-12	T4-S4	15	10～15	10～12	6～8
大腸切除術	T10-L1	T4-S4	15	10～15	10～12	6～8
直腸	T10-L1	T6-S5	15	10～15	10～12	6～8
腹式子宮全摘	T10-L1	T4-S5	10～15			
帝王切開	T10-L1	T6-S5	10～15			
膀胱全摘	T10-L1	T6-S5	10～15	10～15	8～10	5
下肢の手術	L2-3	T10-S5	15	10	8	6

巻末の文献15より作成．

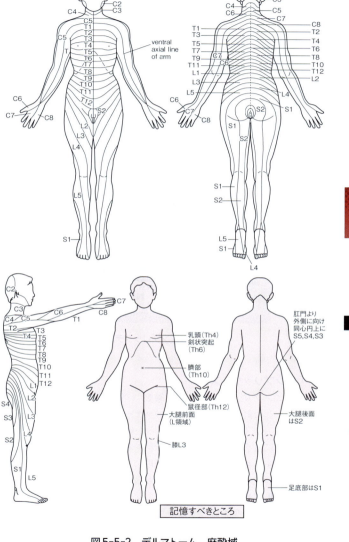

図5-5-2 デルマトーム，麻酔域

表5-5-4　内臓の支配神経

肺・気管	Th1-Th7	腎臓	Th10-L2
心臓	C3-C5, Th1-Th8	尿管	Th11-L2
食道	Th5-Th8	睾丸	Th10
胃	Th6-Th8	膀胱	Th11-L1, S
小腸	Th6-Th11	前立腺	Th10-Th11, S
大腸	Th9-L2, S	子宮頸部	Th11-Th12, S
肝臓	Th8-Th10	子宮体部	Th10-L1
胆嚢	Th5-Th9		

表5-5-5　皮膚分節の目安

中指	C7	膝	L3
腋窩	Th2	ふくらはぎの中点	L4
乳頭	Th4	ふくらはぎ外側	L5
剣状突起下端	Th6	第5趾	S1
臍部	Th10	膝窩部	S2
鼠径靱帯	Th12		

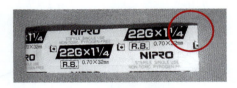

図5-5-3　ピンプリックテスト

①ピンプリックテスト

　ピンプリックテストは先端を（当てても出血しない程度に）鈍くした針または注射針のパッケージの角（図5-5-3）を使います（以下，針という）．明らかに麻酔の効いていない分節の皮膚に針を2～3回当てて「チクチク」した感じを覚えてもらいます．麻酔の効いている範囲に針を2～3回ずつ当て「チクチク」するかどうかを答えてもらいます．

②コールドサインテスト

　温覚の消失を確認するテスト．100 mL程度の輸液ボトルを凍らせたものを用います．明らかに麻酔の効いていない分節の皮膚に凍らせた輸液ボトルを当て，「冷たい」感じを覚えても

らいます.麻酔の効いている範囲にボトルを当て「冷たい」かどうかを答えてもらいます.**当たった感じではなく,「冷たい」かどうかを聞きます.**

③Bromageスケール

脊髄くも膜下麻酔では,下肢の運動神経遮断(筋弛緩)が起きます.運動機能の評価にBromageスケールを用います(p.106:図3-3-3参照).

> ■ 神経遮断の順序
> 交感神経→温覚→痛覚→触覚→圧覚→運動神経

5 合併症

1)術中合併症(表5-5-6)

①合併症に対する準備

① **血圧低下**,② **徐脈**に対しては,起きてから対処するのではなく,起きるものとして以下の準備が必要です.

> ■ 脊髄くも膜下麻酔,硬膜外麻酔に必須の準備
> 1. 施行前の十分な輸液
> 2. 昇圧薬とアトロピンの準備
> 3. 酸素投与

また,硬膜外麻酔の偶発的合併症の確認としてテストドーズと言って,2%リドカイン(または2%メピバカイン)3 mLを

表5-5-6 脊髄くも膜下麻酔と硬膜外麻酔の合併症

脊髄くも膜下麻酔	硬膜外麻酔
①血圧低下	①血圧低下
②徐脈	②徐脈
③呼吸抑制	[偶発的]
④尿閉	③硬膜穿刺
⑤悪心・嘔吐	④局所麻酔薬中毒
	⑤くも膜下腔注入
	⑥血管内注入

尿閉には前もって尿道バルーンを挿入する.
悪心・嘔吐は血圧低下に起因することが多いので,本文中で述べた準備をして血圧を上げることが大切である.また,低酸素も引き金になる.

試しに注入してくも膜下投与でないことを確認します．また，20万倍アドレナリンを添加したものを入れた場合に心拍数が20/分増加すれば血管内投与であることが確認できます（心疾患では禁忌症例もあります）．カテーテルの吸引では血液や髄液が引けないことも多いので，テストドーズの投与が大切です．

2）術後合併症

①頭痛

いわゆる脊麻後頭痛で，正式には硬膜穿刺後頭痛（PDPH：post dural puncture headache）と呼ばれています．
穿刺針が太いほど起こりやすく，術後1〜2日ごろ発症します．坐位で増強し臥位で軽快します．脊髄くも膜下麻酔では太い針を用いるほど起こりやすく，硬膜外麻酔で硬膜の誤穿刺では必発です．若年女性に多く，ひどいときには安静臥床，輸液負荷のほか自己血パッチ［「memo　自己血パッチ」（p.347）参照］が必要になります．Quincke型よりペンシルポイント型（図5-5-4）の方が頭痛が起きにくいとされています．

②馬尾症候群（cauda equina syndrome）

脊髄くも膜下麻酔後の下肢運動麻痺，会陰部の知覚異常，膀胱直腸障害を症状とする下部脊椎神経根障害を馬尾症候群と言います．髄腔内に投与した局所麻酔薬による神経毒性が主たる病因であると考えられています．そのため，神経毒性の強いテトラカインよりマーカインがよく使われるようになってきています．ほかに，感染や消毒液などによるとの説があります．

図5-5-4　脊髄くも膜下麻酔の穿刺針先端

③脳神経麻痺

外転神経（Ⅵ）に多く，複視をきたします．動眼神経（Ⅲ）や滑車神経（Ⅳ）にもあります．頭痛と同じ原因で低髄液圧により起こるとされています．自然治癒することもあります．

④硬膜外血腫，硬膜外膿瘍

硬膜外麻酔効果が切れた後に明らかになります．

⑤神経損傷

硬膜外麻酔効果が切れた後に明らかになります．

⑥髄膜刺激症状，髄膜炎

頭痛，項部硬直が見られます．

⑦尿閉（遷延する）

一過性の無菌性髄膜炎によるとされています．2～3日で軽快します．

> **memo 若年者の脊髄くも膜下麻酔**
>
> 若年者（小児から20歳程度）の脊髄くも膜下麻酔（Spinal）については，麻酔が予想外に高位に上がることがあり，突然重篤な徐脈や血圧低下が生じて心停止に至る可能性も存在する．また，心停止などの重大な麻酔事故が生ずることも多く，若年者に対する脊椎麻酔は特に注意が必要である（ただし，若年者は脊髄くも膜下麻酔の禁忌とはされていないが，避けるべきであるとする文献もある）．

> **memo PDPHの保存的治療法**
>
> 1. 安静臥床
> 2. 輸液の増加（髄液の産生を増やす）
> 3. NSAIDs（非ステロイド性鎮痛薬の投与）
> 4. カフェイン，テオフィリン，内服または点滴静注
> 5. 硬膜外腔への生理食塩水の注入

> **memo 自己血パッチ**
>
> 患者自身の血液を硬膜外腔に注入して硬膜外腔を癒着させて硬膜をふさぐ方法．いわゆる脊麻後頭痛に効果がある．

第5章 手技マニュアル

6. 脊髄くも膜下麻酔

[※脊髄くも膜下麻酔の基本的知識については第5章-5（p.338～）参照]

> **Point**
> ❶ 何かの処置を行う場合には，一つずつの動作に必ず声をかけながら行います．患者は，脊髄くも膜下麻酔など，自分の見えないところで操作を行う行為に対しては非常に不安を感じています
> ❷ 急激な血圧変動や麻酔域の上昇に備えた準備と対応できる手技を身につけます

　脊髄くも膜下麻酔による急激な循環変動や麻酔域の上昇に備えて，太めの（できれば20G以上の）静脈ルートの確保，心電図，血圧計，パルスオキシメータでのモニタリングを行ったうえで施行します．また，麻酔器をいつでも使用できるように始業点検を行っておきます．あわせて吸引器を準備しておきます．

1　脊髄くも膜下麻酔

禁忌　凝固障害，抗凝固薬または抗血小板薬内服中，患者が不穏，循環血液量減少の著しい低下，ショック状態，重篤な心肺機能低下，患者の拒否，穿刺部位の感染，脳圧亢進患者

合併症（術中）

1）**尿閉**
　　膀胱への神経がブロックされ尿流出ができなくなるため．
　　→ 早期に導尿カテーテルを抜去すると問題になることがある．

2）**血圧低下**
　　交感神経遮断による下肢の静脈拡張や筋弛緩による静脈還流の減少に起因する．効果範囲がTh1-Th4に及ぶと心臓交感神経枝のブロックにより血圧低下に徐脈が加わり重篤になる．
　　→ エフェドリン投与，輸液負荷，下肢挙上（片足で輸液400～500 mLの効果）．
　　［予防］麻酔前輸液の負荷

3）**悪心・嘔吐**

低血圧，迷走神経刺激，消化管蠕動亢進や低酸素により誘発される．

→ 血圧低下への対処，酸素吸入，制吐剤投与．

［予防］麻酔前輸液の負荷，酸素投与．

4）**不穏，不安**

呼吸抑制，血圧低下，疼痛が関与している場合には，まず原因を除去する．それらがないにもかかわらず，不穏状態となる場合には鎮静を行う．

→ 鎮静薬（ミダゾラム，ジアゼパムなど），酸素投与．

5）**呼吸抑制**

脊髄くも膜下麻酔の効果範囲の上位脊椎への上昇（呼吸筋麻痺や低血圧による中枢性の低換気）に加えて鎮静薬を投与した場合に多く見られる．無呼吸となり心停止にいたる症例がある．

→ マスクによる気道確保と人工呼吸，酸素投与，エフェドリン投与，輸液負荷．

［予防］酸素投与，エフェドリン投与，輸液負荷，効果範囲の注意深い観察，呼吸数やSpO_2の観察．

6）**全脊椎麻酔**

意識消失，呼吸停止，血圧低下が3徴．血圧低下は必ずしも著明ではない．くも膜下に投与した麻酔薬が脊髄神経すべてに作用したもの．

→ 人工呼吸（気管挿管），酸素吸入，昇圧薬投与，鎮静薬投与しながら意識が回復するまで全身管理を行う．

■ 準備するもの

1. 機器,器具
- 麻酔器(要点検):人工呼吸器として使用
- 吸引器:嘔吐に対して吐物を吸引する
- モニター:心電図,血圧計,パルスオキシメータ
- 聴診器:片耳聴診器でもよい

2. 静注薬
- 昇圧薬:エフェドリン1Aを生理食塩水などで10 mLまたは8 mLに薄めておく
- アトロピン:原液で用いる
- 鎮静薬(必要時)

3. 麻酔用
- 脊髄くも膜下麻酔セット(トレー)
- 局所麻酔薬:皮膚浸潤麻酔用と脊髄くも膜下麻酔用(表5-6-1)
- 脊椎麻酔針

表5-6-1 脊髄くも膜下麻酔に用いられる局所麻酔薬

商品名 (一般名)	比重	使用量	作用時間 (目安)	剤型
マーカイン脊椎麻酔 0.5%高比重(ブピバカイン)	高	2〜2.5 mL	120〜180分	4 mLアンプル
マーカイン脊椎麻酔 0.5%等比重(ブピバカイン)	等	2〜4 mL	120〜180分	4 mLアンプル
テトカイン(テトラカイン) (10%ブドウ糖4 mL)	高	2 mL前後	90〜150分	粉末
テトカイン(テトラカイン) (蒸留水4 mL)	低	2〜4 mL	45〜150分	粉末

- 妊婦では2 mL以下で使用することが多い
- サドルブロックでは,各薬剤とも1 mL前後を使用する
- 血管収縮薬(アドレナリン,フェニレフリンなど)を加えるとテトラカインは作用時間が50%延長するが,一過性の神経症状を発生する可能性がある.マーカイン(ブピバカイン)では血管収縮薬を加えても作用時間延長はない
- マーカイン等比重は,低比重ぎみなので側臥位での麻酔領域に注意

手順 ▶▶▶

❶ 体位

側臥位にする（通常は左側臥位）．
頭部を前方に曲げ，膝を抱きかかえるように背中を丸くさせる（エビのように！！）．
高比重では手術側を下側に，低比重では手術側を上側にした体位．等比重はどちらでも可能．

❷ 手術台の調節（高さ，傾き）

手術台の高さは穿刺部位が施行者の頭部に相当する位置まで上昇させる．手術台の傾きは側臥位になったときの脊椎の傾きを床面と水平になるように調節する．女性では骨盤が大きく肩幅が狭いので頭低位に，男性ではその逆になるので手術台を脊椎の傾きに合わせて調節することもある（図5-6-1）．

❸ 皮膚の消毒

清潔な手袋をつけ消毒は通常はポビドンヨードを用いて穿刺部を中心に十分広範囲に行う．2回以上消毒を行うが，2度目は1度目の消毒範囲をはみださないように行う（図5-6-2）．
消毒が乾く程度まで待つ（待っている間に局所麻酔用注射器，脊髄くも膜下針のチェック，脊髄くも膜下用薬液を予定量のみ引いた注射器の準備を行う）．

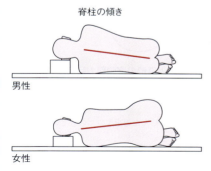

図5-6-1 脊柱の傾きの性差

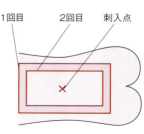

図5-6-2 脊髄くも膜下麻酔時の皮膚の消毒範囲

❹ 穿刺部位

基本的にはL3/4（難しければL4/5またはL5/S）[※1].
穿刺部の目安になる指標としてヤコビの線がある（図5-6-3）.

※1）L2/3でも通常は問題ないが，脊髄円錐が稀にL2まで下がっている人がいるため避けた方がよい. 通常は脊髄円錐はL1/2レベルに存在するとされている.

⬇

❺ 穿刺部位の決定のために棘突起間を左手の人差し指と中指（あるいは人差し指と親指）で挟みながら，棘間を触れていく（図5-6-4）.

⬇

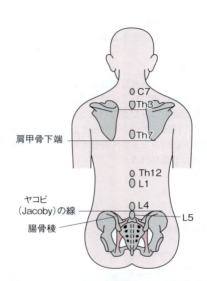

図5-6-3 脊髄くも膜下麻酔，硬膜外麻酔の穿刺部の目安になる指標

C7：頸部で最も突出している.
Th3：肩甲棘を結んだ線.
Th7：肩甲骨下端.
ヤコビの線：両側の腸骨稜を結んだ線をヤコビの線といい，L4棘突起上を通る.
Th12とL1の棘突起の大きさ：Th12とL1では棘突起の長さが違う（Th7＜L1）.

❻ 皮膚の浸潤麻酔

穿刺部位が決定したら，**左手の中指と人差し指で皮膚を引っ張り，局所浸潤麻酔を行い，十分に局所麻酔の効果が出るまで待つ**．待っている間も左手は離さない．

⬇

❼ 脊髄くも膜下麻酔針の刺入

左手で刺入部のまわりの皮膚を押さえながら，右手に持った25Gまたは27Gの脊麻針を棘間まで一気に貫くつもりで2 cmぐらい刺入する．背中と針が垂直に刺入できているかを尾側から確認する．

⬇

❽ 針の進め方

片手または両手で脊椎麻酔針を保持し（図5-6-5）抵抗があるか，プツンという手応えがあるまで徐々に進める．通常は3～5 cmで硬膜に達しこれを破ると髄液が流出してくる．

針がそれ以上進まずしなるようであれば，骨に当たったと判断し

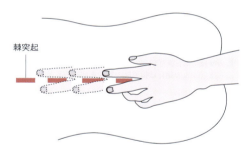

図5-6-4 棘間の触れ方

片手の場合

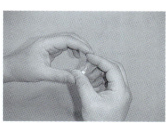

両手の場合

図5-6-5 針の持ち方

て皮下まで引き抜き, 再挿入する. 電撃痛が生じるようなら, それ以上進めてはいけない (必ず引き戻す).

❾ 髄液の観察

針先がくも膜下腔に達したと判断したら, 内筒を抜き髄液の流出を観察する. 髄液がほんのわずか流出してそれ以上出てこない場合には, さらに3 mm程度進める.

髄液は無色透明. もし, 髄液が血性, 黄褐色, 白濁している場合は何らかの脳脊髄疾患を疑い, 指導医に相談する. 血性の場合は血管穿刺という可能性もある.

❿ 薬液の注入

90°ずつ1回転させて4方向いずれからも髄液の流出が良好で, 電撃痛を認めなければ, 薬液の入った注射器をつけ, ほんの少し吸引する. 髄液がスムーズに返れば薬液を0.5 mL/秒程度の速度で注入する[※2].

予定した量を注入後, 髄液の逆流を確認して脊麻針を抜去する. 刺入部はカット絆または滅菌ガーゼを当てる.

> 薬液注入直後からバイタルサインは2〜2.5分間隔でチェックし, 合併症を予防すること.

※2) 臨床研修では脊椎穿刺までが必須で, 薬液注入は研修範囲外となっている. 薬液注入の施行は指導医の判断を仰ぐ必要がある.

⓫ 体位

片効きにしたい場合は, 体位変換を行わず側臥位のまま15分保持する. 両側に効かせたい場合には, 仰臥位とする.

⓬ 効果範囲の確認と調節

効果範囲の確認は, ピンプリックテストで行い無痛域を確かめる (注射針の入っているパッケージの角で「チクチク」を確かめる) (p.344: 図5-5-3参照)

また, 凍らせた100 mL輸液ボトルを使って, コールドサインテストを併用して無知覚域を調査する. 通常, 効果は薬液注入直後から, 「足がポカポカ」する感じを訴え, 数分で目的とする無痛域を得るが, 10分経っても効果範囲が不十分な場合, 再穿刺を要する.

高比重や低比重の場合には手術台を頭低位, 頭高位にすることにより無痛域を調節する (図5-6-6).

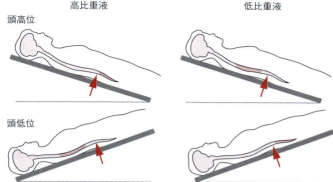

図5-6-6 脊髄くも膜下麻酔時の体位と局所麻酔薬の比重
→ は穿刺部位．■は薬液の拡がりを示す．巻末の文献30より作成．

> **memo　脊椎穿刺中の下肢への放散痛**
>
> 　馬尾神経あるいは神経根に針が接触した可能性が高い．放散痛を認めればそれ以上針を進めず，引き戻す．ひびいた方の足を聞き出し，注入方向を変える．髄液の流出が見られても放散痛がある状態では薬液の注入はできず，再穿刺を行う必要がある．放散痛が2回以上あれば指導医に交代する．

2 サドルブロック（鞍上麻酔）

脊椎麻酔の一種ですが，麻酔域をS3, 4のみに限定するものです．

| 穿刺部位 | L5/S1.
| 適応 | 外陰，肛門周囲，会陰部の手術や無痛分娩の一時期．

手順 ▶▶▶

❶ 坐位（図5-6-7）で穿刺し，高比重の脊椎麻酔用局所麻酔薬を1 mL注入後，15分以上坐位を保つ．

❷ その後，頭高位として麻酔管理．麻酔域がL領域に及ばなければ血圧低下はほとんどない．

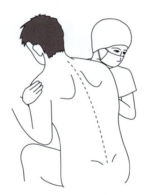

図5-6-7 サドルブロックの体位

> **memo サドルブロックとコーダルブロック（仙骨硬膜外麻酔）**
>
> サドルブロックは坐位で行う脊髄くも膜下麻酔，コーダルブロックは腹臥位または側臥位で行う硬膜外麻酔．いずれも，S領域の麻酔を目的とすることでは，適応は似ている．

第5章 手技マニュアル

7. 硬膜外麻酔

[※硬膜外麻酔の基本的知識については第5章-5（p.338〜）参照]

Point

❶ 硬膜外麻酔は脊髄くも膜下麻酔にくらべると応用が広く術中のみではなく術後にも使用されます

❷ 手技をマスターすることより安全に施行するための対処法を学ぶことが大切です

　一回注入法と持続注入法がありますが，本項では硬膜外カテーテルを挿入する持続注入法について述べます．硬膜外麻酔は研修範囲外なので，各施設の状況に合わせて施行します．

■ 準備するもの

1. 機器，器具
- 麻酔器（要点検）：人工呼吸器として使用
- 吸引器：嘔吐に対して吐物を吸引する
- モニター：心電図，血圧計，パルスオキシメータ
- 聴診器：片耳聴診器でもよい

2. 静注薬
- 昇圧薬：エフェドリン１Ａを生理食塩水などで10 mLまたは8 mLに薄めておく
- アトロピン：原液で用いる
- 鎮静薬（必要時）

3. 麻酔用
- 硬膜外麻酔セット（トレー）
- 局所麻酔薬：皮膚浸潤麻酔用と硬膜外麻酔用（表5-7-1）
- ディスポーザブル注射器5 mL，10 mL
- 局所浸潤麻酔用針24 G
- 生理食塩水（硬膜腔外確認用）を入れたカップ
- ガラス注射器5 mL（またはロスオブレジスタンス用注射器）
- 硬膜外カテーテルセット
  セット内容：カテーテル，翼付き硬膜外針（Tuohy針），カテーテル端接続器具，フィルター，活栓のフタ，ガーゼ付き絆創膏

表5-7-1 硬膜外麻酔に用いられる局所麻酔薬

薬剤名	最大使用量	作用時間(目安)
アナペイン1%, 0.75%	1%換算で20 mL以内	2〜2.5時間
アナペイン0.2%(術後鎮痛)	6 mL/時以内で持続注入	3〜4時間
ポプスカイン0.75%	1回20 mL以内	2〜2.5時間
ポプスカイン0.2%(術後鎮痛)	6 mL/時以内で持続注入	
カルボカイン2%, 1%, 0.5%	2%換算で20 mL以内	1〜1.5時間
キシロカイン2%, 1%, 0.5%	2%換算で20 mL以内	30〜45分

※患者の状態に合わせて濃度を選択し,2〜10 mL程度(1回あたり)使用する.
※患者の状態に合わせて,生理食塩水で希釈して用いる.

表5-7-2 硬膜外麻酔の穿刺部位

手術部位	穿刺部位	目標麻酔域	手術部位	穿刺部位	目標麻酔域
甲状腺	C5-T1	C2-5	小腸切除	T10-12	T4-S4
鎖骨	C6-T1	C3-5	大腸切除術	T10-L1	T4-S4
乳房切断(単純)	C6-T3	C4-T6	直腸	T10-L1	T6-S5
胃部分切除	T8-10	T1-L2	腹式子宮全摘	T10-L1	T4-S5
胃全摘	T8-10	T1-L3	帝王切開	T10-L1	T6-S5
肝・胆道系の手術	T8-10	T1-12	膀胱全摘	T10-L1	T6-S5
腎臓・上部尿管	T8-11	T4-L3	下肢の手術	L2-3	T10-S5

文献15を参考に作成

1 硬膜外麻酔

手順 ▶▶▶

❶ 側臥位で穿刺部位[表5-7-2,図5-6-3(p.352)参照]を決定し皮膚の消毒,刺入部の局所浸潤麻酔は脊髄くも膜下麻酔のときと同様に行う.

❷ Tuohy針で皮膚を穿刺するときのベーベルの向きは頭側にする(図5-7-1).

❸ Tuohy針の翼を両手あるいは片手で持ち,棘間靱帯内まで進める.棘間靱帯内に針先があれば針は固定され,手を離しても動かない.

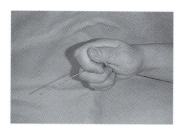

図 5-7-1　皮膚刺入時の Tuohy 針の持ち方

手順 ❹～❻ は，1）抵抗消失法または，2）ハンギングドロップ法を選ぶ．

1）抵抗消失法

❹ Tuohy 針のスタイレットを抜き，生理食塩水約 3 mL を入れた 5 mL ガラス注射器を確実に接続する．このとき，注射器内に空気が入らないように注意する．

❺ 左親指と人差し指で Tuohy 針の翼を支え（図 5-7-2），左手背か小指・薬指を患者背部に接触させて，針先が急に進むことのないようにする．右親指でシリンジの内筒に一定の圧を常にかけながら，左親指・人差し指で針を徐々に進める．

❻ 針先が黄色靱帯内に入ると少し硬い抵抗があり，すぐに急に内筒の抵抗がなくなり（硬膜外腔），生食が抵抗なく注入される．硬膜外腔までの距離は通常 3～5 cm 程度である．

2）ハンギングドロップ法

❹ Tuohy 針のスタイレットを抜き，水滴をハブにつける．

❺ 両手で Tuohy 針の翼を支え，針を徐々に数 mm ずつ進める．抵抗が変化したら，生理食塩水約 3 mL を入れた 5 mL ガラス注射器を確実に接続して注入を試みる．スムーズに注入されれば硬膜外腔である（図 5-7-3）．

❻ 針先が黄色靱帯内に入ると少し硬い抵抗があり，次に水滴が吸引される（必ずしもわからない）．

図 5-7-2 抵抗消失法

図 5-7-3 ハンギングドロップ法

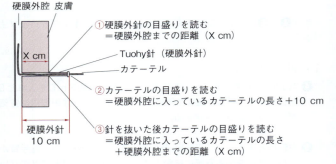
図 5-7-4 皮膚から硬膜外腔までの距離

⬇

手順❼〜⓰は抵抗消失法でもハンギングドロップ法でも同じ.

❼ 軽く吸引し血液や髄液の逆流がないことを確かめる.

❽ 皮膚から硬膜外腔までの距離を計算して記憶しておく(図5-7-4の①).

❾ 硬膜外カテーテルを左手で挿入端と反対側のカテーテルを丸めて握り,薬指と小指にはさむ.左親指と人差し指でTuohy針の翼を支え,右手親指と人差し指でカテーテルを挿入する.

⬇

❿ Tuohy針は10 cmあり,硬膜外腔に留置するチューブの長さは3〜5 cmなのでカテーテルを15 cm以上進めてないと硬膜外腔に入らない(図5-7-4の②).カテーテル先端が硬膜外に出るこ

ろより，軽い挿入抵抗を感じることが多いが，約 5 mm ずつ進めていくと，大きな抵抗なく挿入できることが多い※1．

> ※1）Tuohy針より先にカテーテルが出た状態で，カテーテルだけ引き抜こうとするとカテーテルが切断される危険がある．このような状態で，抵抗や疼痛が生じたときには，カテーテルとTuohy針をそのまま一緒に抜去し，カテーテルが損傷されてないことを確認してから，再度，硬膜外穿刺を行う．

⓫ 硬膜外腔内にカテーテルが 3 〜 5 cm 留置されるようにカテーテルを適当なところまで引き抜く（図5-7-4の③）．

⬇

⓬ 接続器具に生食を入れた注射器で再度，吸引テストを行い，血液，髄液の流出がないのを確認する．

⬇

⓭ 局所麻酔薬のテストドーズ［2％リドカイン（キシロカイン）3 〜 4 mL など］を注入する．このときの抵抗を覚えておく．

⬇

⓮ 注射器をはずし，活栓のフタをする．

⬇

⓯ カテーテルを少したるませた状態で固定し，穿刺部にガーゼ付きの絆創膏を貼付する．カテーテルを背部に固定する場合は，左右どちらかによせ，棘突起上は避ける．

⬇

⓰ テストドーズ投与後，急速な（2 〜 3 分以内の）運動知覚麻痺・低血圧・意識上の問題（多弁，興奮など）などが見られなければ，くも膜下には入っていないとして，**必要量を追加すると 10 〜 20 分程度で**麻酔効果が出現する．効果はピンプリックテストまたはコールドサインテストで確認する（p.344参照）．（全身麻酔使用では，覚醒後に行うこともある）．

2 仙骨硬膜外麻酔（caudal anesthesia）

| 適応 | 肛門，直腸，外陰部の小手術，無痛分娩の一時期，小児の下腹部手術（鼠径ヘルニア，停留睾丸）．
小児の場合は全身麻酔と併用して用いることが多い．

❶ 体位

成人：腹臥位で下腹部に枕を入れ両下肢を開く．
小児：側臥位で成人の腰部硬膜外麻酔と同じ体勢．

❷ 刺入部

仙骨裂孔（仙骨角に挟まれた部分）（図5-7-5）．

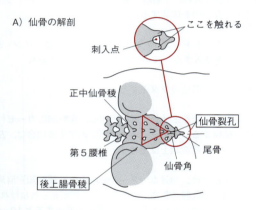

①で仙尾靭帯を貫ぬき②の方向に変えて，
針を仙骨管内へ進める

図5-7-5　仙骨硬膜外麻酔の刺入点

❸ 穿刺

仙骨裂孔付近の皮下に局所浸潤麻酔を行い，成人では 21 G，小児では 23 〜 24 G の針をベーベルを上方に向けて，約 45°で皮膚に刺入する．

仙尾靱帯をすぎると堅い抵抗の後，急に抜け（プツンという感じ）骨に当たる．針をほんのわずか引いて，針を少し寝かせて頭側に進める．成人で 3 cm 程度，小児で 1 cm 前後で挿入できる．

❹ 薬液注入

吸引テストを行い，髄液，血液が逆流しないことを確認して，局所麻酔薬を注入する．成人 1 〜 2 % カルボカイン 10 〜 20 mL．小児 1 % カルボカイン 1 mL/kg が目安（鎮痛薬併用）．

8. 腕神経叢ブロック

> **Point**
> 腕神経叢ブロックは区域麻酔の1つで，腕神経叢と血管を入れた筋膜鞘内に局所麻酔薬を注入して上腕の無痛を得る方法です

最も頻用されるのは腋窩神経ブロックです．他に斜角筋間法，鎖骨上法がありますが，ここでは腋窩法の手技を解説します．

適応	腕や手の手術．
解剖	脊髄神経C4-8およびT1の前枝より構成される．椎間孔を出た後，横突起の前結節および後結節を起始とする前斜角筋と中斜角筋の筋膜からなる鞘に囲まれて下行し腕神経叢を形成する．腋窩部では神経束は正中神経，橈骨神経，尺骨神経，筋皮神経に分かれ腋窩動静脈とともに筋膜鞘内に存在している（**図5-8-1のA，B**）．この筋膜鞘は烏口腕筋，上腕二頭筋，上腕三頭筋および上腕皮下の結合組織で構成されている．
合併症	誤穿刺（動脈の穿刺），出血（動脈の穿刺），局所麻酔薬中毒．
注意	三角筋部や肩（C5領域）がブロックされず，筋皮神経領域（親指側）が抜けやすい（**図5-8-1**）．

■ 準備するもの
- 23 G針
- 1％メピバカイン20〜40 mL

1）ランドマーク法

手順 ▶▶▶

❶ 体位（図5-8-1のC）
仰臥位にする．上肢を90°外転させ，その位置で肘関節を曲げて手背をテーブルにつける．

❷ 刺入点（図5-8-1のD）
大胸筋付着部で腋窩動脈の拍動が触れる箇所（しかし動脈に当ててはいけない）．

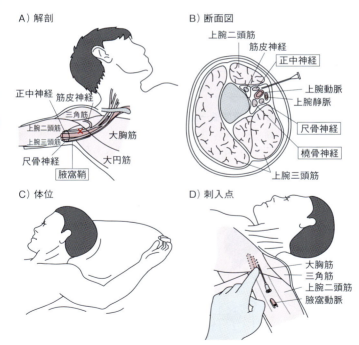

図5-8-1　腋窩神経ブロック

❸ 人差し指で刺入点の拍動に触れ，動脈を上腕骨に押しつけるように固定する．

❹ 人差し指の中枢側に局所浸潤麻酔を行い皮膚に直角に23 G針を刺入する．針先を筋膜鞘を破るまで進める．「プツッ」という軽い抵抗感がある．

❺ 吸引テストを行い1％メピバカイン20～40 mLを注入する．末梢側に流れないように注入前に末梢側を指で押さえるか駆血帯などを巻いて注入する．

❻ 持続法を行う場合にはエラスター針を挿入する．

> **memo　超音波ガイド下末梢神経ブロック**
>
> 　超音波で確認しながら，ブロック針を刺入して薬液の拡がりを確認することができる方法で，よく用いられている．穿刺針の動きと神経周囲に薬液が拡がることを，目で確認できるため，安全性と確実性が確保できる．また，神経刺激装置で収縮を確認する方法を併用することがある．

2）腋窩アプローチ

橈骨動脈との位置関係→後方：橈骨神経，上方：正中神経，下方：尺骨神経．

超音波プローブに対して針を長軸方向に刺入する（**平行法**）（図5-8-2）．

橈骨動脈，静脈に当たらないように，針を近くまで誘導し局所

図5-8-2　患者体位と超音波プローブの位置，針の刺入点

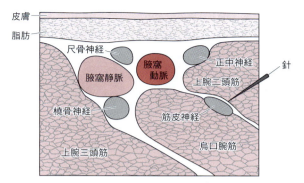

図 5-8-3　超音波画像（腋窩アプローチ）

　麻酔薬を注入すると尺骨神経，橈骨神経，正中神経のブロックが得られる．これとは別に筋皮神経の近くまで針を誘導し，筋皮神経を取り囲むように局所麻酔薬を注入する（図 5-8-3）．

3）その他の腕神経叢ブロック

　腕神経叢ブロックには，腋窩神経アプローチのほか，斜角筋間アプローチ，鎖骨上アプローチなどがあります（図 5-8-4，図 5-8-5）．それぞれの適応と注意点を表 5-8-1 にまとめます．

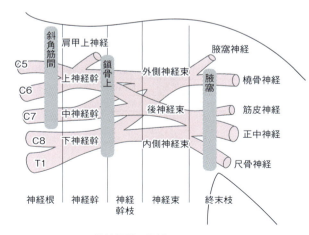

図 5-8-4　腕神経叢の解剖（巻末の文献 61 より転載）

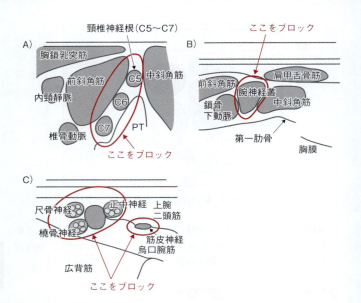

図5-8-5 超音波画像のイメージ
A) 斜角筋間アプローチ，B) 鎖骨上アプローチ，C) 腋窩アプローチ．
巻末の文献61より改変して転載．

表5-8-1 その他の腕神経叢ブロックの適応と注意点

アプローチ	適応	注意点
斜角筋間	肩や鎖骨，上肢の手術	横隔神経がブロックされることがあるので呼吸に注意．両側ブロックは禁忌
鎖骨上	肩以外の上肢の手術	横隔神経ブロックとホルネル徴候に注意
腋窩	肘以下の手術	筋皮神経を別にブロックする必要がある

9. 大腿神経ブロックと閉鎖神経ブロック

Point
1. 下肢の末梢神経ブロックは,大腿神経,外側大腿皮神経,閉鎖神経ブロックがよく行われます
2. 閉鎖神経ブロックは,経尿道的手術時に大腿内転筋の収縮予防のために行われます

1 大腿神経ブロック

適応 大腿前部(浅部および深部)の手術.
- 膝関節手術では,全身麻酔および術後鎮痛に使用される
- 坐骨神経ブロックとの併用で大腿中部以下手術が可能
- 大腿骨頸部骨折手術などの大腿外側が術野の手術では外側大腿皮神経ブロックを併用する

解剖 大腿神経は腰神経叢の分枝でL2-L4より出て鼠径靱帯の下を大腿部に入る.大腿動脈のすぐ外側のやや深くに位置し,鼠径部では容易に触知できる.大腿溝では,**大腿神経は腸骨筋膜**でおおわれ,腰筋と腸骨恥骨靱帯の一部によって大腿動脈および静脈から隔てられているため盲目的に血管周囲に注入した局所麻酔薬は容易には大腿神経には拡がらない!
大腿神経は鼠径靱帯付近で前枝と後枝に分かれ,浅枝(前枝)は主に感覚神経で,大腿部,膝および下腿上部の前側面,前内側面および内側面に分布する.深枝(後枝)は主に運動神経で,股関節および膝関節に枝を出す.

合併症 末梢神経損傷,局所麻酔薬中毒.

体位 仰臥位で下肢をやや外旋.

■ 準備するもの
- 高周波リニアプローブ(7〜13 MHz)
- 消毒済プローブカバー(清潔なゼリー)
- 神経刺激装置と電極
- 長さ50 mmの22 G絶縁刺激針(術後にカテーテルを入れる場合は,持続注入カテーテルと専用穿刺針)

- 20 mL注射器2本と延長チューブ
- 局所麻酔薬（アナペインまたはポプスカイン）

長時間の大腿四頭筋の運動神経遮断により患者が早期歩行する場合に転倒の危険がある．長時間作用型の局所麻酔薬は外来手術には不向き．術後鎮痛にカテーテルを入れて歩行させる場合にも，局所麻酔薬濃度やカテーテルからの持続注入には注意！

手順 ▶▶▶

❶ 鼠径溝で，超音波プローブを拍動する大腿動脈（黒）を中心に大腿神経（白）が外側に大腿静脈（黒）が内側にそれぞれ楕円型の構造物として確認できる位置に平行におく（図5-9-1，図5-9-2）．

❷ 血管と神経は腸骨筋膜によって隔てられていることを確認する．

❸ 外側からプローブと平行に針を進め，腸腰筋膜を貫いて針の先端を大腿神経の下まで移動する．

❹ 吸引後，血液の逆流がないことを確認して，局所麻酔薬を1 mL注入する．

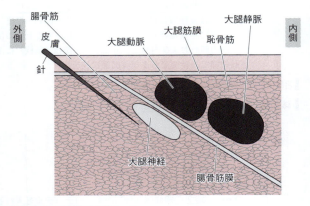

図5-9-1　大腿神経ブロック
　　動脈，静脈は「黒」，筋膜は「白」，神経は「白」に見える．

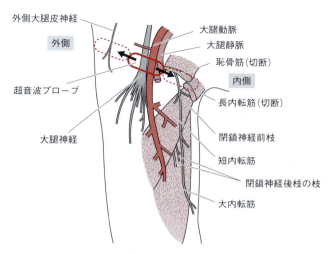

図 5-9-2　超音波プローブの位置
超音波プローブを大腿動脈・大腿静脈が見える位置から外側に動かすと外側大腿皮神経ブロックの画像に，内側に動かすと閉鎖神経ブロックの画像になる．

❺ 腸腰筋膜下に拡がることが確認できたら，局所麻酔薬を 20 mL 程度ゆっくり注入して大腿神経の上下を取り囲むように拡がることを確認して，針を抜去する．

2　外側大腿皮神経ブロック

| 適応 | 大腿骨の骨折手術．皮膚切開部が外側大腿皮神経領域なので外側大腿皮神経ブロックを併用する（図 5-9-3）．

| 解剖 | 外側大腿皮神経は知覚神経のみ．腸骨筋の腹側の表面を外下方に走り上前腸骨棘のやや内側で鼠径靱帯の下に入り大腿外側の表面を走行する．大腿外側で縫工筋を横切り，大腿前面と大腿外側の皮膚に分布する．

手順 ▶▶▶

❶ 大腿外側で鼠径靱帯のあたりに超音波プローブを置く．

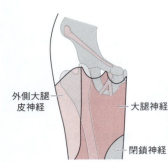

外側大腿皮神経
大腿神経
閉鎖神経

図5-9-3 大腿神経ブロック，外側大腿皮神経ブロック，閉鎖神経ブロックの効果範囲

❷ <u>上前腸骨棘と下前腸骨棘が同一画面内に描出できる位置</u>で大腿筋膜を貫いたところで局所麻酔薬を1 mL注入する．

➡

❸ 全体で局所麻酔薬は5～10 mL程度注入し，縫工筋周囲に薬液が拡がるのが確認できればよい．

3 閉鎖神経ブロック

| 適応 | 経尿道的手術で膀胱内で電気メスを使用すると，閉鎖神経を刺激し大腿内転筋が収縮する．これにより術者の手元がくるって膀胱穿孔をきたす可能性がある．大腿内転筋の収縮を予防するため閉鎖神経ブロックを行う．

| 解剖 | 閉鎖神経は腰筋の内側から出て前下方に膀胱に接して走り，恥骨と坐骨で作られる閉鎖孔の外側上部にある閉鎖管を通過する．前枝と後枝に分かれ，前枝は大腿内側の知覚と浅部内転筋の運動を司る．後枝は膝関節と深部の内転筋の運動を司る（図5-9-4）．

| 合併症 | 誤穿刺（動静脈の穿刺，腹腔内穿刺，精嚢穿刺），局所麻酔薬中毒．

■ 準備するもの
・神経刺激装置
・ポール針
・10 mL注射器
・1％または2％メピバカイン

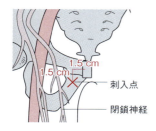
A）閉鎖神経ブロックの刺入点

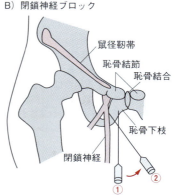
B）閉鎖神経ブロック

ブロック針をまず恥骨下枝に当て，内側へ方向をかえる（①→②）

図5-9-4　閉鎖神経ブロック

1）刺激法＋ランドマーク法

手順 ▶▶▶

　通常はTURの手術のために，脊髄くも膜下麻酔や硬膜外麻酔を施行後に行う．この場合，皮膚への浸潤麻酔は必要ない．

❶ **体位**：下記の2つの方法がある．
　1．仰臥位で両下肢を伸展させ，<u>軽度の外転，外旋位（大切）</u>で行う
　2．砕石位で行う

❷ **刺入点**
　消毒後，恥骨結節の1.5 cm外側，1.5 cm下方から垂直でやや下方に向けて刺入（**図5-9-4のA**）．

❸ 恥骨下枝に当たったら，針先が恥骨下枝の外縁を通り，閉鎖管に入るようにやや外側頭側に向けて再刺入する（**図5-9-4のB**）．

❹ そこで神経刺激装置にポール針を接続し，出力を3〜5（10段階で半分以下），twitch〔frequency（頻度）1 Hz〕として電気刺激を行いながら針を進め，大腿内転筋の最も強い収縮が得られるような部位を探す（6 cm以上刺入しない．合併症のもと）．

❺ 出力を2〜3に下げ，収縮が得られる部位を探す．

❻ 吸引して血液の逆流がないことを確認し，2％メピバカインを5〜10 mL注入する．
（両側にする場合は片方5 mL以内とするか，1％を用いる）

❼ 注入後，針の方向や深さを若干変更し，twitch刺激で収縮が見られれば，メピバカインを2 mL程度追加する．

> コツ
>
> 薬液注入後，すぐに収縮が見られなくなる場合は，針先が薬液注入により，神経より離れたことを意味するので，少し刺入して再度，twitchで単収縮が見られるのを確認して注入を再開する．これを効果と勘違いしない．局所麻酔薬は秒単位では効かない．

2）超音波ガイドブロック

体位は仰臥位で，足を伸ばした体位でもよいが，うまく神経が見えない場合にはカエル足のように大腿部を開脚（外旋）させて行う．

手順 ▶▶▶

❶ はじめに，**鼠径部の大腿動・静脈の見える位置**に超音波プローブを当てる（図5-9-2，図5-9-5）．

❷ そこから鼠径部に沿って長軸方向に超音波プローブを**内側方向**に動かして，以下の**恥骨筋，長内転筋，短内転筋，大内転筋が見える位置**（図5-9-6）に移動する．

❸ 長内転筋と短内転筋の間に閉鎖神経（前枝）が短内転筋と大内転筋の間に閉鎖神経（後枝）が見えるところ（図5-9-6）で，ブロックを行う．超音波プローブに対して針を長軸方向に刺入する（**平行法**）．左右のどちらからアプローチしてもよいが，途中に血管があれば貫かないように注意をして浅枝と深枝のそれぞれの近くまで針を進める．

❹ 1％メピバカインを各 5 mL ずつ神経を取り囲むように注入する．筋膜（筋肉と筋肉の間）にうまく入れば神経が浮島のように見える．

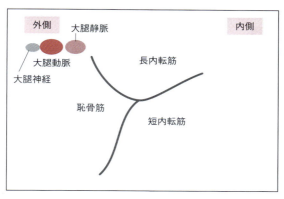

図 5-9-5　大腿神経，大腿動脈・静脈が見える位置（はじめの位置）

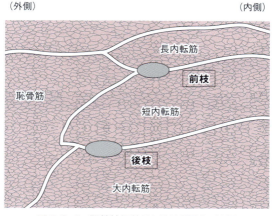

図 5-9-6　閉鎖神経前枝と後枝が見える位置（内側方向に移動した位置）

第5章 手技マニュアル

10. 採血法

> **Point**
> ❶ 穿刺針を刺入して血液が戻ってきたら先端を動かさないように細心の注意を払います
> ❷ 採血後は圧迫し，止血を確認します
> （動脈血採血では，5分以上穿刺者が確実に圧迫します）

静脈採血と動脈採血があり，いずれも第5章-4（p.317参照）の末梢静脈ルート確保，動脈ライン確保の技術と変わりませんが，採血に関する注意点を付け加えます．

> ■ 準備するもの
> ・静脈血採血：駆血帯，消毒用アルコール綿，注射器，21～22 G注射針，採血用試験管
> ・動脈血採血：血液ガス採血キット（または注射器をヘパリンで湿らせたもの），消毒用アルコール綿，23～25 G注射針

1 静脈血採血

手順 ▶▶▶

❶ 上腕を駆血し，肘静脈や前腕の静脈から採血を行う．

⬇

❷ アルコール消毒．

⬇

❸ 血管穿刺を行い血液の戻りが見られたら，採血を行う．

1. 針先を動かさない
2. 急いで血液を引かない（溶血を起こす）

⬇

❹ 駆血帯をはずし，刺入部位から針を除去する．

❺ 刺入部位をアルコール綿を搾って圧迫止血（濡れていると血は止まりにくい）．

※）血液培養のための静脈穿刺の場合は駆血後，ポビドンヨード（イソジン）で消毒し，消毒後刺入部に触れない．

※）静脈留置針が挿入され輸液が投与されている場合は，同側の手から採血しない（検体が輸液で薄まる）．

2 動脈血採血

大腿動脈，橈骨動脈から採血します．

合併症 皮下出血，血腫，仮性動脈瘤，血栓，穿刺部位の感染，神経損傷，反射性交感神経萎縮症．

手順 ▶▶▶

❶ 動脈穿刺は，動脈ライン確保に準ずる．

❷ 採血中は注射器を引かなくても血液が注射器内に自然に入ってくる．

❸ 穿刺部位を少なくとも5分以上圧迫したのち，テープで圧迫固定する．

❹ 採血検体は，空気をそっと追い出し，空気に触れないようにする．

❺ 検体は迅速に血液ガス分析装置に注入する．

3 動脈ラインからの動脈血採血

手順

1. 三方活栓に5 mLまたは10 mLの注射筒（吸引用注射器）を付け，三方活栓から血液を吸引する（強く吸引しない．強く吸引すると溶血を起こす）．

2. 血液が返ってくるまでの注射器の容量を覚えておく（死腔容積）．

3. **死腔容積の2倍以上（凝固系検査では3倍以上）の血液を吸引**した後，三方活栓を途中で止める．

4. 採血用注射器に変え，必要量を吸引したのち三方活栓を戻す．

5. ヘパリン生食を流して（このとき，空気が入らないように注意する），死腔に逆流した血液を血管内に戻す．

6. 三方活栓の血液を拭き取り，キャップを行う．

第5章 手技マニュアル

11. 導尿法

Point

1. 全身麻酔，脊髄くも膜下麻酔，硬膜外麻酔では，麻酔のために自ら尿流出をさせることが不可能になるため，麻酔が残存しているうちは尿道カテーテルを留置するか，導尿が必要になります
2. 尿道狭窄がある場合や，外傷などで尿道損傷がある場合には泌尿器科医に相談します

■ **準備するもの**
- 導尿用カテーテル（フォーリーカテーテル）
- 消毒剤
- 滅菌手袋
- 潤滑剤（K-Yゼリーなど）
- 10 mL注射器
- 鑷子
- 滅菌水

※）尿道狭窄がある場合には，チーマンカテーテルが必要になることがあります．また，**高齢者やTUR手術後などで，どうしても入らない場合には泌尿器科医に連絡が必要になります．内尿道切開が必要になることもあります．**

目的	尿流出路の確保，経時的な尿量測定，安静確保．
禁忌	外傷などで尿道の損傷が疑われる場合．
合併症	尿道損傷，尿路感染，キシロカインゼリーではショック．

手順 ▶▶▶

❶ 体位．

1. **男性**
   両下肢を伸展させて開く．

2. **女性**
   膝を屈曲させて大腿を外転．

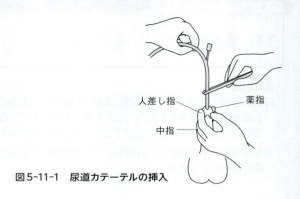

図5-11-1 尿道カテーテルの挿入

❷ 施行者は滅菌手袋を装着し外陰部を消毒.

❸ 潤滑剤を十分に尿道カテーテル先端につける. 尿道カテーテルにはあらかじめ採尿バックを接続しておく.

❹ K-Yゼリーを注射器で尿道より注入する（男性で, 意識下あるいは挿入が難しい場合）.

❺ カテーテルの挿入.
 1. **男性**（図5-11-1）
    陰茎を把持するときには中指と薬指を冠状溝に引っかけて陰茎を引っ張りながら, 親指と人差し指で外尿道口を広げるように持つ. カテーテルを鑷子を使って挿入する.
 2. **女性**
    左手で小陰唇を開いて外尿道口を確認し, カテーテルを挿入する.

 男性, 女性いずれの場合も助手はなるべく直線になるようにカテーテルを保持する.

❻ カテーテルを根本まで挿入し, 尿の自然流出を確認した後, バルーンに規定量の蒸留水をゆっくり注入する. 抵抗を感じれば再挿入.

第5章 手技マニュアル

12. 胃管挿入

Point
① 長時間手術や腹腔内手術では胃管を挿入します
② 全身麻酔導入後に行うことが多い
③ 意識のある場合とない場合（全身麻酔時）では挿入体位と挿入方法が異なります

目的 　長時間の全身麻酔．
　　　　腹腔内手術時の胃の減圧（胃内容除去）．
　　　　意識障害時の胃内容排出および減圧．
　　　　術後の経管栄養．

禁忌 　鼻出血，頭部外傷では鼻腔からの挿入は禁忌．

合併症 　鼻出血や粘膜損傷，気管内への誤挿入（誤嚥性肺炎）．

■ 準備するもの
- 胃管（成人：12〜16 Fr，乳児：8〜10 Fr，新生児：3〜6 Fr）
- *K-Y*ゼリーなど
- ゴム手袋またはプラスチック手袋
- カテーテルチップ注射器
- 聴診器
- 喉頭鏡
- Magill（マギール）鉗子

手順 ▶▶▶

1）挿入前の準備

❶ 胃管先端から挿入する予定の長さのところまで（成人では通常55 cm前後，鼻孔から胃までの距離による）*K-Y*ゼリーを塗る（滑らかに挿入できないと鼻粘膜から出血を起こすため）．

❷ 咽頭や鼻孔にもキシロカインスプレーなどで表面麻酔を行うことがある［意識のある場合］.

2）挿入

❸ ［意識のある場合］

可能なら坐位で行う．鼻孔からゆっくり15 cm程度，胃管を挿入．そこから嚥下をしてもらう（「ゴックンしてください」，「つばを飲んでください」）たびに，少しずつ進める．鼻孔でマーカーが55 cmぐらいで，口腔内で胃管がとぐろを巻いていなければ，以下の確認を行う．

［意識のない場合］

鼻孔からゆっくり15 cm程度，胃管を挿入．喉頭鏡を使い，口腔内に出てきた胃管をマギール鉗子で掴んで，少しずつ食道内に移動させる．鼻孔でマーカーが55 cmぐらいで，口腔内で胃管がとぐろを巻いていなければ，以下の確認を行う．

❹ カテーテルチップ注射器で空気を胃管に10〜15 mL程度急速に注入し，聴診器で胃部の音を聴取する．
胃内容物（胃液，空気）を吸引できれば，胃内への挿入確認[※1]が完了．

※1）上記❹の確認で不安な場合（救急患者などでは），胃管を洗浄に使用する場合や胃管に注入する目的の場合には，X線写真を撮影して，胃管が胃内に存在することを写真で確認する．

■ どうしても入らないときのワザ

① サヌキエアウェイ（p.299：図5-2-19B参照）を用いる．
② ガイドワイヤー入り胃管を用いる．

■ 気管挿管中の胃管誤挿入

全身麻酔で気管挿管を行っていても，胃管が気管内に入ることはよく経験します．**気管挿管をしていれば，気管内には絶対に胃管が入らないなどという，盲信的な考えはもたないように！！**
気管に入ったときには，気管挿管による人工呼吸中であれば，人工呼吸とともに胃管から空気が出てきます．換気量が呼気と吸気で大幅に異なるなどのサインが見られます．

第6章 薬剤ノート

1. 全身麻酔に使用する薬剤

Point
1. その麻酔薬の禁忌や使用しない方がよい患者をまず覚えます
2. 手術の種類や個々の患者に最適な麻酔薬を考えます

1 吸入麻酔薬（表6-1-1, 表6-1-2, 表6-1-3）

肺から吸入し肺から排泄される（排泄は肝・腎機能によらない）．

セボフレン *Sevofrane* **セボフルラン** *sevoflurane*

【用法・用量】
- 笑気・酸素または空気・酸素とともに気化器で0〜4％の吸入濃度として使用
- 導入時の吸入濃度：気化器で0.5〜5％

【できれば使用しない】
- **腎機能障害（禁忌ではない）**
  実験では代謝産物の無機フッ素やソーダライムと反応してできるコンパウンドAが腎機能障害を発生させる可能性があるが、臨床では報告はない．**低流量ではコンパウンドAが発生しやすいので、総流量2L以下で麻酔を行わない（FDA勧告）**．

【特　徴】
① 血液/ガス分配係数が0.69と小さく導入がすみやか．臭いも少なく、導入から使用が容易である．緩徐導入に向いている
② VIMA（volatile induction and maintenance of anesthesia）という麻酔法も行われている
③ 吸入麻酔薬の中ではアドレナリン併用時に最も不整脈を起こしにくい
④ **非脱分極性筋弛緩薬の作用を増強**
⑤ 心筋保護作用としてプレコンディショニングがある

表6-1-1 吸入麻酔薬の特徴

	セボフルラン	デスフルラン	笑気
MAC	1.7	6.0	105
血液/ガス分配係数	0.69	0.42	0.47
体内代謝率	2%	0.02%	
気道刺激性	−	+++	−
非脱分極性筋弛緩増強	+	+	−

表6-1-2 MAC

(%)	純酸素	60～70%笑気併用
笑気	105	−
セボフルラン	1.7	0.8
デスフルラン	6.0	2.83

笑気は100%で105.

表6-1-3 分配係数

	血液/ガス	脂肪/ガス	脳/ガス	肝/ガス
笑気	0.47			
セボフルラン	0.69	48.7	1.24	1.78
デスフルラン	0.42	18.7	0.54	

> **memo　MACとMAC-awake**
>
> MAC (minimum alveolar concentration) 最小肺胞内濃度とは，吸入麻酔薬の強さの指標である．有害刺激（皮膚切開）を加えた時に，50%で体動が認められない1気圧下での肺胞内麻酔薬濃度である．現在の麻酔では吸入麻酔薬は鎮静目的で使用するので，MAC-awakeの方が実用的．MAC-awakeとは，麻酔からの覚醒に際し，50%のヒトが言葉による簡単な指示命令に応答できる時の肺胞内濃度のことで，およそ0.33MACである．通常は，吸入麻酔薬単独ではなく，十分な鎮痛を行ったうえでMAC-awakeの2倍の余裕をみて0.7MAC（表6-1-4）程度で使用する．通常は十分な鎮痛を行ったうえでセボフルランは1%～1.5%程度，スープレンは4%程度で維持する（40歳参考値）．（次ページ：「memo 年齢によるMACの違い」参照）

表6-1-4　0.7MACを使用した場合の1時間あたりの消費量

0.7MAC/時間	0.5 L/分	1 L/分	2 L/分	3 L/分	6 L/分
デスフルラン (4%)	5.8	11.6	23.2	34.8	69.6
セボフルラン (1%)	1.65	3.3	6.6	9.9	19.8

■ **揮発性吸入麻酔薬消費量の計算式**

・デスフルラン
  使用量（mL/時間）＝ $2.9 \times \% \times F$
・セボフルラン
  使用量（mL/時間）＝ $3.3 \times \% \times F$
  ％：気化器の設定濃度，F：ガス流量（L/分）
  [例] セボフルラン濃度を1％に設定し，ガス流量6 L/分（酸素2 L/分，笑気4 L/分）で使用した場合，
    使用量＝ $3.3 \times 1 \times 6 = 19.8$ mL/時間（約20 mL）
・簡易的には総流量6 Lで1％でセボフレンを1時間使用すれば使用量は20 mLと覚えておくとよい

memo　年齢によるMACの違い

MACは年齢により変化することが知られている．一般に表示されているMACは40歳の値である．以下の計算式[52]で，計算できる．

$MAC_{age} = MAC_{40} \times 10^{-0.00269 (age - 40)}$

なお，年齢によるMACを計算できるiPhoneアプリ（MACage）も出ている．
http://www.macagecalculator.com/

| スープレン
Suprene | デスフルラン
desflurane | |

【用法・用量】・3.0％で開始し適宜調節（最高7.6％まで）
【使用上注意】・麻酔導入に使用しない
　　　　　　・気道刺激性が強いため麻酔の維持のみに使用
【適　　応】・全身麻酔の維持
【禁　　忌】・悪性高熱症（既往および疑），ハロゲン化麻酔剤に過敏症
【副 作 用】・急激に6％にすると心拍数と血圧が増加（一時的5分程度）
【特　　徴】・発売中の吸入麻酔薬の中で覚醒が最も速い，生体内代謝率がきわめて低い
【MEMO】・1MAC＝6.0％, 血液/ガス分配係数＝0.424, 生体内代謝率＝0.02％

Column　吸入麻酔薬使用量の計算

揮発性吸入麻酔薬は通常液体であるので，気化させて気体で使用する．

使用量を求めるには，蒸気量（mL）を計算する必要がある．

セボフルランの蒸気量は以下のとおりである．

蒸気量（mL）＝総流量（mL/分）×麻酔時間（分）× セボフルラン濃度（％）÷100

セボフルラン比重は1.525，分子量は200.26である．室温（20℃）でのセボフレン1 mLの蒸気量を求めるには，0℃・1気圧（標準状態）のとき，気体のn（mol）の体積は22.4 n（L）である．

PV/T＝〔1（気圧）×22.4（L）〕/273（K）
　　　＝0.082×n（気圧・L/K）

0.082を気体定数（R）と言う．
気体の状態方程式 PV＝nRTより，
P（気圧），V（体積），n（mol数），R（気体定数 0.082），T（絶対温度）
P＝1気圧なので
V（L）＝nRT
セボフレン1 mL＝1.525 g＝1.525÷200.26 mol
20℃＝273＋20 K

```
n = 1.525 ÷ 200.26
R = 0.082,  T = 273 + 20
V =(1.525 ÷ 200.26)× 0.082 ×(273 + 20)
  = 0.183（L）= 183 mL
```
セボフレンの1時間あたりの使用液量は，
使用液量（mL/時間）＝総流量（L/分）×麻酔時間（時間）×セボフルラン濃度（％）

笑気　　　　　　　　　亜酸化窒素 N_2O
nitrous oxide

【用法・用量】・酸素と同時に70％以下の濃度で使用

【禁　忌】・体内に閉鎖腔のある患者

1. 耳管閉塞，気胸，イレウス，気脳症
2. 眼内ガス（SF_6や空気）注入手術中と術後（気体が硝子体内に存在している眼手術中と術後．体内閉鎖腔内圧上昇作用により眼圧が急激に上昇し，失明）眼内ガス使用後，笑気は3カ月間使用禁止．
3. 鼓室形成術

【特　徴】① 単独で使用することはない．他の麻酔薬と併用．鎮痛作用は強いが，鎮静作用や健忘作用は少ない．高濃度で心筋収縮抑制するが，循環抑制は少ない．他の麻酔との併用で循環抑制が出ることがある．通常50〜66.6％で使用．純笑気（100％ N_2O）は，酸素が投与できないため不可能（麻酔器に安全装置が付いていなければ可能なので十分注意）．**N_2O吸入中の酸素濃度は必ず30％以上にする**．

② **2次ガス効果**

血液/ガス分配係数が小さく，揮発性吸入麻酔薬（セボフルラン，イソフルランなど）のとり込みを促進して麻酔導入を速めるとされている．

③ **閉鎖腔増大**

N_2Oの血液/ガス分配係数がN_2（窒素）の32倍であるため閉鎖腔の容積を拡大させる．禁忌事項にあげたこと以外に，**気管チューブのカフを増大**させる（カフ圧上昇に注意）．

④ **拡散性低酸素血症**

長時間 N₂O を吸入後，空気を吸入すると体内に溶解していた N₂O が肺胞に拡散するため肺胞内の酸素分圧が低下して，低酸素血症になる．**N₂O 吸入中止後，少なくとも 10 分以上 100 % 酸素吸入が必要．**

【MEMO】
- 長期吸入で骨髄抑制（麻酔中のみでは問題なし）
- 地球温暖化の原因となる温室効果ガスで京都議定書では削減目標を定められていた．パリ協定の削減目標の達成にむけて使用を嫌う麻酔科医も多い

2 静脈麻酔薬

1）プロポフォール

ディプリバン	プロポフォール
Diprivan	*propofol*（10 mg/mL）
（200 mg/20 mL，500 mg/50 mL）	

【用法・用量】
- **麻酔導入**：2〜2.5 mg/kg 静注
  （投与速度　0.05 mL/kg/10 秒）
- **麻酔維持**：4〜10 mg/kg/時間
  麻酔維持は酸素ー笑気，鎮痛薬（硬膜外麻酔などの局所麻酔，麻薬性鎮痛薬）を併用して行い人工呼吸，循環管理を怠らないこと！
- フェンタニル併用時，麻酔導入はさらに少ない量で可能

【使用例】

導入後の時間	投与速度
0〜10 分	1.0 mL/kg/時間
10〜20 分	0.8 mL/kg/時間
20〜30 分	0.6 mL/kg/時間
30 分〜	適宜調節

- **人工呼吸中の鎮静**（ICU で）
  開始：0.3 mg/kg/時間
  維持：0.3〜3 mg/kg/時間　適宜増減
  - 必要に応じて鎮痛薬を併用すること
  - 7 日を越えないこと

【禁　忌】	・本剤の成分に過敏症，妊産婦
	・15歳未満のICUでの鎮静（PRISの危険性あり）
【副作用】	・循環抑制（低血圧，徐脈），舌根沈下，無呼吸
【特　徴】	・脳圧低下

ディプリバン注-キット　　プロポフォール
Diprivan（500 mg/50 mL）　　*propofol*（10 mg/mL）

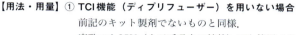

【用法・用量】 ① TCI機能（ディプリフューザー）を用いない場合

前記のキット製剤でないものと同様．

麻酔でもICU（人工呼吸中の鎮静）でも使用できる．

② TCI機能（ディプリフューザー）を用いる場合

麻酔でしか使用できない（ICUではTCIの適応はない）．

16歳未満は使用不可（TCI機能）．

目標血中濃度 μg/mLで設定できる．

・導入：3.0 μg/mL

維持：2.0〜5.0 μg/mL　適宜増減

・大きく目標血中濃度を動かすとbolusしたのと同じことになる．全身状態にあわせて目標血中濃度を増減すること．特に状態が悪い場合は小刻みに動かすこと！！

Column　プロポフォール注入症候群（PRIS：Propofol infusion syndrome）

ICU鎮静で長期間プロポフォールが投与された患者に起こる稀な致死性合併症．小児例の報告が多いが，成人でも起こりうる．

【病態】[54]

高用量プロポフォールの長期投与中に，（原因不明の）代謝性アシドーシス，脂質異常症，多臓器不全が進行し，横紋筋融解症，急性腎不全，高カリウム血症，徐脈性不整脈，心不全，心停止に至る．ミトコンドリア障害からブドウ糖代謝がまわらなくなりアシドーシスをきたすと考えられている．

【前駆症状】

・乳酸アシドーシス，徐脈，Brugada型心電図変化（右脚ブロックとV₁〜V₃でcoved型ST上昇）

【治療】
- PRISの早期発見とプロポフォールの中止
- 対症療法：血液浄化

【予防】[55)]
- プロポフォールを漫然と大量に長期投与しない（鎮痛薬，鎮静薬を併用してプロポフォールが大量投与にならないようにする）
- pH，CK，TGをモニタリング
- 4 mg/kg/時（60 kgで24 mL/時）以上の高用量プロポフォールを48時間以上使用しない

【早期発見】
- 原因不明のアシドーシス＋プロポフォール投与で疑う

★ICU鎮静の保険適用量は3 mg/kg/時
（小児のICU鎮静は保険適用外）

【診断基準】（表6-1-5）

表6-1-5　Brayによる小児PRISの診断基準

1) 突発性もしくは比較的突発性に治療抵抗性の徐脈が発現し不全収縮（心静止）へ移行する
2) 以下のうち少なくとも1項目を含む
   - 脂質異常症の発現
   - 肝腫大または剖検による肝臓の脂肪浸潤
   - BE≦−10を呈する代謝性アシドーシス
   - 横紋筋融解もしくはミオグロビン尿を伴う筋症状

2) チオバルビツレート

イソゾール Isozol（500 mg/20 mL）	**チアミラール** thiamyral
ラボナール Ravonal （300 mg/12 mL，500 mg/20 mL）	**チオペンタール** thiopental

【用法・用量】
- 溶解すると25 mg/mL
- **超短時間作用性**
  作用持続は10分程度だがくり返し用いると覚醒遅延．

- **入眠量**：3 mg/kg
- **導入量**：5 mg/kg（低タンパク血症では減量）
  他の麻酔薬併用時は適宜，減量．
- 皮下，筋注，動注 ⇒ 壊死〔必ず静注〕

【特　徴】
- 呼吸抑制
- 循環抑制
- 副交感神経刺激，交感神経抑制
  （しゃっくり，喉頭痙攣，気管支痙攣が起きやすい）
- 疼痛閾値の低下（痛みを感じやすくなる）
- 脳保護作用（脳酸素消費量↓，脳血流量↓，脳圧↓）
- 抗痙攣作用

【禁　忌】
- ショック，呼吸困難を伴う心不全，ポルフィリア，筋強直型ジストロフィー，重症筋無力症，収縮性心膜炎

【相対的禁忌】
- 気管支喘息（迷走神経優位となり発作誘発の可能性）

[脳保護]

初回量：10〜30 mg/kg，持続：3〜10 mg/kg/時間

Column　TCIポンプ

　TCIとはtarget controlled infusionの略で**血中濃度（μg/mL）を設定し**，コンパートメントモデルを使用して計算した値を元に**血中濃度が設定値と同じになるように，内蔵されたコンピュータがポンプ速度を変化**させる方法である（図6-1-1）．

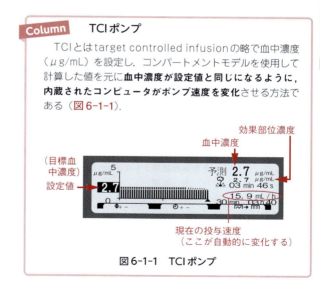

図6-1-1　TCIポンプ

> **Column**　静脈麻酔薬は血中濃度を常に意識する
>
> 　静脈麻酔薬（プロポフォール，フェンタニルなど）では，血中濃度（効果部位濃度※）が，吸入麻酔薬の％濃度に相当する．吸入麻酔薬では，吸入濃度％はダイヤルをあわせることで設定できるが，プロポフォール（ディプリバン）ではTCIポンプで血中濃度（予測値）を指定することで設定する．ディプリバンではTCIポンプ（図6-1-1）が使え濃度設定は容易だが，レミフェンタニルではTCIポンプが使えない．
>
> 　薬物動態や薬力学を理解して血中濃度を意識することとBISモニターの装着によりTIVAは，科学的な根拠に基づいた投与ができるようになった．有効血中濃度をリアルタイムに予測するというのは，抗生物質や抗てんかん薬，ジギタリスやテオフィリンなどで行われるものよりもっと進化している．
>
> ※ 効果部位濃度とは脳内濃度である．3コンパートメントモデルから求められた計算上の値である．

3）ベンゾジアゼピン

アネレム　　　　　　　　　　　**レミマゾラム**
Anerem（50 mg/V）　　　　　　*remimazolam*

- 【作用機序】・抑制性神経伝達物質GABAのGABA_A受容体への結合促進による鎮静作用
- 【適応】・全身麻酔の導入および維持
- 【用法・用量】
  - **全身麻酔導入**：12 mg/kg/時で，意識消失まで持続静注
  - **全身麻酔維持**：1 mg/kg/時で開始（上限は2 mg/kg/時）適宜増減
  覚醒徴候では最大0.2 mg/kg静注
- 【特徴】・心抑制少ない，フルマゼニルで作用拮抗
- 【代謝】・肝臓のカルボキシルエステラーゼにより加水分解される
- 【禁忌】・閉塞隅角緑内障，重症筋無力症，ショック状態
- 【注意】・高齢者，肝硬変（過量投与で覚醒遅延）

ドルミカム　　　　　　　ミダゾラム
Dormicum（*10 mg/2 mL*）　　　*midazolam*

【用法・用量】
- **麻酔前投薬**：0.08〜0.10 mg/kg 筋注
  （手術前 30〜60 分）
- **全身麻酔の導入および維持**：0.15〜0.30 mg/kg 静注
  必要に応じて初回量の半量から同量追加
- **局所麻酔時の鎮静**（p.111 参照）
  （10 mg を 10 mL に希釈後）1〜2 mL ずつ呼吸状態を観察しながら投与

【特　徴】
- 体血管抵抗減少 → 血圧低下
- 呼吸抑制（ジアゼパムに比較して強い）
- 舌根沈下（ジアゼパムより筋弛緩作用強い）
- 導入時，しゃっくり

【注　意】
- ドルミカムを追加すればするほど，抑制がとれて暴れることがある．
  このときにはオピオイド鎮痛薬など（フェンタニル，ペンタゾシン）などを追加するとうまくいくことがある．ただし，呼吸抑制に注意が必要．
  また，暴れる原因が低酸素によるものでないことを確認することも必要（大切）．

セルシン／ホリゾン　　　　ジアゼパム
Cercine/Horizon　　　　　　　*diazepam*
（*5 mg/1 mL*，*10 mg/2 mL*）

【薬　理】
- 抗痙攣作用，抗不安作用

【適　応】
- 麻酔導入，麻酔補助（NLA 変法，ケタミン麻酔），脊椎麻酔や硬膜麻酔時の鎮静，局所麻酔薬中毒の痙攣

【用法・用量】
- **全身麻酔導入**：0.2〜0.3 mg/kg 静注
- **局所麻酔時の鎮静**：10 mL に希釈し 1 mL（1 mg）ずつ緩徐静注
- **抗痙攣薬として**：0.2 mg/kg 緩徐静注

【特　徴】
- **順行性健忘**
  （逆行性健忘も 10〜30％あるという報告あり）
- **抗痙攣作用**
  （筋弛緩作用は直接脊髄に対する作用）
- **疼痛閾値は低下しない**

- **胎盤通過性（＋＋）**
  帝王切開時，胎児娩出前に用いると胎児の中枢抑制．
- 【禁　忌】・急性狭偶角緑内障，重症筋無力症，ショック患者
- 【注　意】・高齢者，肝硬変（過剰投与で覚醒遅延）

4）ベンゾジアゼピン拮抗薬

アネキセート	フルマゼニル
Anexate（0.5 mg/5 mL）	*flumazenil*

- 【特　徴】・ベンゾジアゼピン系薬による鎮静の解除，呼吸抑制の改善
- 【用法・用量】・**初回量**：0.2 mg
  - **（4分後より）追加**：0.1 mg
    （1分ごと効果あるまで）
  - **総投与量1 mg**：ICUでは2 mgまで可
  - 再入眠に注意

5）α₂-アドレナリン受容体作動薬

プレセデックス	デクスメデトミジン
Precedex（200 μg/2 mL）	*dexmedetomidine*（α2刺激薬）

- 【適　応】・集中治療下で管理し，早期抜管が可能な患者での人工呼吸中および抜管後における鎮静
  - 局所麻酔下における非挿管での手術及び処置時の鎮静
- 【用法・用量】・1 A（2 mL）に生理食塩液48 mLを加えて50 mL（4 μg/mL）にする
  - **初回量**：6 μg/kg/時間　10分間静注後
  - **維持量**：0.2〜0.7 μg/kg/時間　持続静注
- 【注　意】・α2受容体刺激作用（低血圧，高血圧，徐脈）
  - 迷走神経の緊張が亢進
  - 全身麻酔に移行する意識下気管支ファイバー挿管の有効性及び安全性は確立されていない
- 【禁　忌】・本剤に過敏症
- 【慎重投与】・肝機能障害，血液浄化中，高度の心ブロック，重度肝機能障害，循環血流量が低下，心機能低下，心血管系障害，腎機能障害，薬物依存，薬物過敏症

③ 鎮痛薬

1）オピオイド鎮痛薬

アルチバ／レミフェンタニル　　レミフェンタニル
Ultiva/Remifentanil（2 mg, 5 mg）　*remifentanil*

【用法・用量】① 成人のみ
- 他の全身麻酔薬を必ず併用
- **麻酔導入**：通常，0.5 μg/kg/分　持続静注
  （気管挿管時に強い刺激が予想される場合，1.0 μg/kg/分 持続静注）
  ただし，持続静脈内投与開始前に1.0 μg/kgを30〜60秒かけて単回静注可能．
  （持続静注開始後10分以上後に気管挿管すれば単回投与は必要ない）

② 成人，小児
- **麻酔維持**：0.25 μg/kg/分　持続静注
  2〜5分間隔で25〜100％の範囲で加速または25〜50％の範囲で減速．

[成人]

最大2.0 μg/kg/分を超えない．
浅麻酔時には，0.5〜1.0 μg/kg　2〜5分間隔で単回静注．

[小児]

最大1.3 μg/kg/分を超えない．
浅麻酔時には1.0 μg/kgを2〜5分間隔で単回静注．

【注　意】
- 急速に入ると声門閉鎖で換気不能に陥るので注意
- **小児への適応はアルチバ，レミフェンタニルともに承認された**

フェンタニル	フェンタニル
Fentanyl	fentanyl（麻酔用麻薬）
（100 μg/2 mL, 250 μg/5 mL）	

【用法・用量】
- 麻酔導入：フェンタニル2 μg/kg 静注
- 麻酔維持：プロポフォールを持続注入している場合
    ① 1～2 μg/kg（30～60分ごと）間欠投与
    ② 0.5～5 μg/kg/時間 持続投与
- NLA：フェンタニル3～10 μg/kg 静注
    ［原法の場合］
        ドロペリドール 0.1～0.2 mg/kg 静注．
    ［変法の場合］
        ジアゼパム，ミダゾラム，フルニトラゼパムを適量．
- 追加はフェンタニルのみ1～2 μg/kg
    （30～60分ごと）
- ドロペリドール：6時間以内は追加しない
- **激しい疼痛（術後疼痛，癌性疼痛など）**
    ［静脈内］1～2 μg/kg ゆっくり静注，以後1～2 μg/kg/時間で持続静注．
    ［硬膜外］25～100 μg単回投与，25～100 μg/時間で持続投与．
    ［くも膜下］5～25 μgをくも膜下腔に注入．

【注　意】
- 硬膜外投与，くも膜下投与は，十分に習熟した医師のみが行うこと

【特　徴】
- **心筋抑制作用軽度**：血圧低下ほとんどなし
- **脈拍数**：迷走神経刺激によりやや減少
- **呼吸抑制**：呼吸数減少が一回換気量減少よりも優位
- **鉛管現象（lead pipe phenomenon）**：急速に静注すると頸部から胸腹部にかけて筋のカタトニー様強直

【DATA】
- モルヒネの50～150倍の鎮痛作用
- 効果発現：2～3分
- 作用時間：45～60分
- 排泄半減期：4～5時間．作用時間が短いのは脂溶性に富み再分布がすみやかに起こることによる

> **ペチジン**
> pethidine
> (35 mg/1 mL, 50 mg/1 mL)
> ペチロルファン※
>
> **ペチジン**
> pethidine

【用法・用量】	・**シバリング抑制**：0.5 mg/kg 静注
	・**術後鎮痛**：1 mg/kg を筋注あるいは緩徐に静注
【使用上注意】	・呼吸抑制，肝障害，心不全のある患者，痙攣のある患者，急性アルコール中毒
【禁　忌】	・腎不全患者：代謝産物のノルメペリジン蓄積により中枢神経興奮作用を生じる可能性がある
	・MAO阻害薬投与中の患者：中枢性のセロトニンが蓄積し，興奮，錯乱，呼吸循環不全を起こす
【副作用】	・呼吸抑制，麻痺性イレウス，気管支痙攣
【拮抗薬】	・ナロキソン
【MEMO】	・鎮痛効果は，モルヒネの1/6〜1/10程度
	・シバリングにも有効

※ペチロルファン（1 mL）は，ペチジン（50 mg）＋ロルファン（0.625 mg）の合剤．

2）麻薬拮抗性鎮痛薬

> **ソセゴン**
> Sosegon/Tosparyl
> (15 mg/1 mL, 30 mg/1 mL)
>
> **ペンタゾシン**
> pentazocine

【用法・用量】	・**疼痛時**：15〜30 mg 筋注，静注は1/2
	・**NLA変法**：0.5〜1.5 mg/kg 静注
【副作用】	・軽度呼吸抑制
【注　意】	・血圧上昇，頻脈，心収縮力増大．高血圧，虚血性心疾患患者での使用注意
	・胆道疾患患者で大量投与時Oddi括約筋収縮
【禁　忌】	・頭部外傷や頭蓋内圧亢進患者，意識障害，心筋梗塞
	・呼吸不全，気管支喘息，チアノーゼ

> **レペタン**   **ブプレノルフィン**
> *Lepetan*   *buprenorphine*
> (0.2 mg/1 mL, 0.3 mg/1.5 mL)

【用法・用量】
- **疼痛時**:0.2〜0.3 mg(4〜8 μg/kg)筋注
- **心筋梗塞**:0.2 mg 徐々に静注
- **NLA変法**:4〜8 μg/kg 静注

【副作用】
- 悪心・嘔吐,ふらつき,呼吸抑制,鎮静

【注　意】
- 呼吸抑制が起こったらドプラムを使用
- **ナロキソンでは,完全に拮抗できない**

【特　徴】
- ネオフィリンが呼吸抑制に有効なこともある

3) オピオイド拮抗薬

> **ナロキソン**   **オピオイド拮抗薬(完全拮抗)**
> *Naloxone* (0.2 mg/1 mL)

【用法・用量】
- 0.1 mgずつ使用(50 kgの人で,1.0 mgまで使用可)
  2〜20 μg/kg 静注
- 麻酔後の拮抗には0.02〜0.04 mgずつ使用(一気に拮抗すると呼吸抑制だけでなく鎮痛作用も一気に拮抗され急に痛みが出る)
- 効果持続は約40分なので効果が切れたときは再投与必要

【注　意】
- レペタン以外のオピオイド拮抗性鎮痛薬やオピオイドは完全拮抗

【特　徴】
- オピオイドレセプターで競合的に作用を拮抗

【副作用】
- 疼痛の増強,血圧上昇,悪心・嘔吐,肺水腫,不整脈

4）ケタミン（2007年1月1日より麻薬扱い）

ケタラール静注用 (50 mg/5 mL, 200 mg/20 mL)	**静注用ケタミン（10 mg/mL）**
ケタラール筋注用 (500 mg/10 mL)	**筋注用ケタミン（50 mg/mL）**
Ketalar	*ketamine*

【適　応】・体表・四肢の手術，熱傷の処置，心カテーテル検査，ショックやプアリスク患者の導入，心臓麻酔

【用法・用量】・**初回量**：1～2 mg/kg 静注，5～10 mg/kg 筋注
　　　　　　・**追加投与**：10～30 μg/kg/分
　　　　　　　　　　　　　0.5 mg/kg（15～30分ごと）静注
　　　　　　［例］1～2 mg/kg 静注で睡眠の持続は10～15分
　　　　　　　　　鎮痛効果30～60分

【特　徴】・鎮痛作用強い（体性痛OK，内臓痛には効かない）
　　　　　⇒・体表面の小手術向き
　　　　　　・呼吸抑制少ない（全くないわけではない）
　　　　　　・気管支拡張作用
　　　　　　・脳圧上昇（脳血流↑⇒頭蓋内圧↑），脳酸素消費量↑
　　　　　　・循環抑制（－）（心拍数↑，心拍出量↑，血圧↑）

【注　意】・唾液・気管分泌亢進，体動，不随意運動
　　　　　・覚醒時錯乱・異常興奮・不快感〔悪夢〕，嘔吐
　　　　　［対策］
　　　　　　　分泌亢進 ⇒ アトロピン
　　　　　　　精神症状 ⇒ ジアゼパム
　　　　　・過量投与により容易に呼吸抑制，舌根沈下（＋）

【禁　忌】・虚血性心疾患，頭蓋内圧亢進，眼圧亢進，脳動脈瘤，高血圧

4 筋弛緩薬

1）非脱分極性筋弛緩薬

エスラックス / ロクロニウム *Eslax/Rocuronium* (25 mg/2.5 mL, 50 mg/5 mL)	**ロクロニウム** *rocuronium*

【用法・用量】・**初回量（通常）**：0.6 mg/kg（上限量：0.9 mg/kg）

|【注　意】| ・**追加投与**：0.1〜0.2 mg/kg
・**持続注入時**：7 μg/kg/分で開始
・持続注入時は，筋弛緩モニタを行い速度調節
・用量依存性に効果持続が延長するため，初回量0.9 mg/kgでは特に注意
・ロクロニウムにはグリシンが添加されている |
|【特　徴】| ・脱分極性筋弛緩薬なみの効果発現時間
・セボフルラン併用では作用持続が延長
・［作用発現］60〜90秒
・［作用持続］20〜30分
・［尿中排泄］30％
・［胆汁中排泄］70％ |
|【禁　忌】| ・重症筋無力症，筋無力症候群 |

ベクロニウム　　　　　　　　　　**ベクロニウム**
Vecuronium（4 mg, 10 mg）　　　　*vecuronium*

【用法・用量】
- **初回量**：0.08〜0.1 mg/kg 静注
- **必要に応じ**：0.02〜0.04 mg/kg 追加
- **排泄半減期**：11分
- **作用持続**：20〜30分
- **尿中排泄**：15〜30％（腎機能障害患者でも注意）
- **胆汁中排泄**：40〜50％

【相互作用・副作用】
- 心血管系への相互作用ほとんどなし
- ただし，フェンタニルと併用すると徐脈傾向

2）脱分極性筋弛緩薬

スキサメトニウム　　　　　　　　**スキサメトニウム**
Suxamethonium　　　　　　　　　　*suxamethonium*
（40 mg/2 mL, 100 mg/5 mL）
レラキシン　　　　　　　　　　　**（サクシニルコリン）**
Relaxin（200 mg）

【特　徴】　・これらはアセチルコリンに似た作用をもち，神経筋接合部で終板に作用して脱分極を起こすが分解が緩徐なため脱分極が長時間持続する結果，再分極が遅れて筋弛緩を生じる（脱分極性）

【用法・用量】
- 初回量：1 mg/kg，追加：0.5 mg/kg
- プレキュラリゼーション後
  - 初回量：1.5 mg/kg
  - 追加投与時：①徐脈と②Phase Ⅱ ブロックに注意
- Fasciculation（筋弛緩前の脱分極時に起こる筋線維束攣縮）：眼圧↑，胃内圧↑，術後筋肉痛
  [対策] 少量の非脱分極性筋弛緩薬を前投与（プレキュラリゼーション）

5 筋弛緩薬拮抗薬

1）筋弛緩回復薬

ブリディオン　　　　　　　　　**スガマデクス**
Bridion（200mg/2mL, 500mg/5mL）　*Sugammadex*
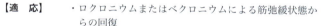

【適　応】
- ロクロニウムまたはベクロニウムによる筋弛緩状態からの回復

【用法・用量】
① 浅い筋弛緩状態［筋弛緩モニターにおいて四連（TOF）刺激による2回目の収縮反応（T_2）の再出現を確認］
　<u>1回 2 mg/kg</u>　静注
② 深い筋弛緩状態［筋弛緩モニターにおいてポスト・テタニック・カウント（PTC）刺激による1～2回の単収縮反応（1-2PTC）の出現を確認］
　<u>1回 4 mg/kg</u>　静注
③ **ロクロニウムの挿管用量投与直後に緊急に筋弛緩状態からの回復を必要とする場合**
　<u>1回 16 mg/kg</u>　静注（ロクロニウム投与3分後に使用）

【基本的注意】
- 筋弛緩モニターを可能な限り行う
- **自発呼吸が回復するまで必ず調節呼吸を行うこと**
- 筋弛緩が十分に回復したことを確認した後に抜管
- 筋弛緩剤を再投与する必要が生じた場合，再投与する筋弛緩剤の作用が不十分なため，患者の状態を十分に観察しながら慎重投与

2）抗コリンエステラーゼ薬

ワゴスチグミン / ネオスチグミン
Vagostigmin / neostigmine
（0.5 mg/1 mL，2 mg/4 mL）

- 【適　応】・非脱分極性筋弛緩薬の拮抗
- 【用法・用量】
  - 0.02〜0.05 mg/kg 静注（緩徐）
  - 必ず，硫酸アトロピン0.01〜0.02 mg/kg併用（抗コリンエステラーゼ薬単独では徐脈，分泌増加のムスカリン作用が現れるため）
  - ワゴスチグミン：アトロピン＝2：1の割合で用いる
    成人でワゴスチグミン4A＋アトロピン2A
    またはワゴスチグミン5A＋アトロピン2A
  - 筋弛緩モニターによる回復または（正常呼気CO_2濃度で）自発呼吸を確認した後に用いる
    筋弛緩モニターによる回復：TOFratioが10％以上（TOFの4発目が出てから）
- 【特　徴】・神経筋接合部における伝達物質であるアセチルコリンを分解するコリンエステラーゼを一時的に不活化して，間接的にアセチルコリンの作用を増強する
- 【DATA】
  - 作用発現時間：7分
  - 効果持続時間：50〜120分
  - 排泄半減期：70〜80分

アトワゴリバース静注シリンジ 3 mL, 6 mL / ネオスチグミン, アトロピン混合液
AtvagoReverse Intravenous Injection Syringe 3 mL, 6 mL

- 【適　応】・非脱分極性筋弛緩剤の作用の拮抗
- 【用法・用量】・成人には1回1.5〜6 mL
  （ネオスチグミンとして0.5〜2.0 mg，アトロピンとして0.25〜1.0 mg）を緩徐に静注
- 【特　徴】・アトロピン：ワゴスチグミン＝1：2の割合で配合されたプレフィルドシリンジ

2. 局所麻酔に使用する薬剤

> **Point**
> 局所麻酔薬は，血管内に投与するものではなく，本来は末梢神経に直接作用するものであることから，血管内注入などで中枢神経に作用した場合には，心停止など重篤な状態に陥ることを念頭に置くべきである！

表6-2-1 局所麻酔薬の濃度と作用時間

薬剤名 (商品名)	濃度 使用量 作用発現時間 持続時間			極量 (mg/kg)
	硬膜外	伝達	浸潤	
リドカイン (キシロカイン)	1～2% 5～20 mL 10分 45～100分	1～2% 5～20 mL 10～20分 60～100分	0.5～2% 2～40 mL 数分 45分	5
メピバカイン (カルボカイン)	1～2% 5～20 mL 15分 60～120分	1～2% 5～20 mL 10～20分 60～120分	0.5～2% 2～40 mL 数分 60分	5
ロピバカイン (アナペイン)	0.2～0.75% 5～20 mL 20～30分 120～180分	0.2～0.75% 5～20 mL 15～30分 120～240分	0.2～0.75% 5～20 mL 5～10分 120～300分	3
レボブピバカイン (ポプスカイン)	0.25～0.5% 5～20 mL 20～30分 120～180分	0.25～0.5% 5～20 mL 15～30分 120～240分	0.25～0.5% 5～20 mL 5～10分 120～300分	3
ブピバカイン (マーカイン)	0.25～0.5% 5～20 mL 20～30分 120～180分	0.25% 5～20 mL 15～30分 120～240分	×	2

表中の色文字で示した濃度の薬剤を全身麻酔と併用する場合や術後鎮痛の場合には，より低濃度，低用量で行う．

■ 禁忌
① 敗血症や注射部位の感染
② 大量出血やショック状態
③ 血液凝固障害や抗凝固薬を投与中の患者（特に硬膜外麻酔）
④ 血管内投与

<u>バイタルサイン変化</u>や局所麻酔薬中毒には常に注意を払うこと！

キシロカイン　　　　　　　リドカイン
Xylocaine　　　　　　　　*lidocaine*

キシロカイン（0.5％，1％，2％，エピネフリン含有 0.5％，同 1％，同 2％），表面麻酔用：キシロカイン液 4％，ポンプスプレー 8％，リドカインテープ：ペンレス，リドカインゼリー 2％など）

【特　徴】
- 局所麻酔薬として，硬膜外麻酔，伝達麻酔（末梢神経ブロック），浸潤麻酔，表面麻酔とほぼすべての末梢神経遮断に使用できる濃度や製剤が販売されている
- 短時間作用性であるために，10万倍アドレナリンを添加※した製剤があり，作用時間の延長や局所止血に利用される

【注　意】
- 局所麻酔薬は血液中に吸収されると，徐脈や低血圧になるのが一般的
- 局所麻酔薬とは別の製剤で，抗不整脈薬として用いられる静注用リドカインも，投与量に気をつけないとそれ自身で局所麻酔薬中毒症状（p.406参照）を引き起こす

【極　量】
- 5 mg/kg（1％製剤では体重 50 kg では 25 mL まで）で，エピネフリン含有では 7 mg/kg

※アドレナリンの添加は，局所血管を収縮するために作用時間を延長する．禁忌は，指趾，陰茎，耳介，鼻翼，糖尿病，甲状腺機能亢進症，高血圧，無痛分娩である

カルボカイン　　　　　　　メピバカイン
Carbocain（0.5％，1％，2％）　　*mepivacaine*

【特　徴】
- キシロカインと同等に，硬膜外麻酔，伝達麻酔，浸潤麻酔に使用できる
- 表面麻酔用のものはない
- 効果発現，効果持続はキシロカインと比べるとやや遅

め，長め

【極　量】・5 mg/kg（1％製剤では体重50 kgでは25 mLまで）

アナペイン　　　　　　　　　　ロピバカイン
Anapeine（0.2％, 0.75％, 1％）　*ropivacaine*

【特　徴】
- 長時間作用性で運動神経遮断が少ないので，術後鎮痛にも積極的に利用される
- 0.2％のものは，術後硬膜外鎮痛の適応のみ
- 硬膜外麻酔，伝達麻酔，浸潤麻酔に使用できる
- 硬膜外麻酔，伝達麻酔の場合0.75％，1％のものは0.5％以下（0.375％）に生理食塩水で希釈して用いることが多い
- 術中，術後鎮痛に用いられる

【極　量】・3 mg/kg（0.75％では50 mgで20 mLまで）

ポプスカイン　　　　　　　　　　レボブピバカイン
Popscaine（0.25％, 0.5％, 0.75％）　*levobupivacaine*

【特　徴】
- ブピバカインの異性体で，作用時間は180分程度
- ブピバカインより心毒性は少ない
- 硬膜外麻酔，伝達麻酔，浸潤麻酔に使用できる
- 硬膜外麻酔，伝達麻酔の場合には0.5％以下（0.25％）に生理食塩水で希釈して用いることが多い

マーカイン　　　　　　　　　　ブピバカイン
Marcain（0.125％, 0.25％, 0.5％,　*bupivacaine*
脊麻用0.5％等比重, 脊麻用0.5％高比重）

【特　徴】
- 0.125％は硬膜外麻酔用に，0.25％，0.5％は硬膜外麻酔伝達麻酔に使う
- 浸潤麻酔にはあまり使われなくなった
- レボブピバカインが使われることが多いが，この薬を好む医師にいまも愛されている
- 心毒性が強いため，局所麻酔中毒になると蘇生に成功しにくいとされる

【極　量】・2 mg/kg（0.5％で50 kgでは20 mL）
【MEMO】・脊髄くも膜下麻酔用製剤も0.5％等比重（緑ラベル），

0.5％高比重（赤ラベル）がある．緑のひとしくん，赤のたかしくんと覚える．

■ 局所麻酔薬中毒[66]

局所麻酔薬が血管内に吸収または注入されて中枢神経症状や心血管系症状を引き起こしたもの．

症状
1）中枢神経系
初期症状は大脳皮質の抑制系の遮断に伴う刺激症状による舌，口唇のしびれ，金属様の味覚，多弁，呂律困難，興奮，めまい，視力，聴力障害，ふらつき，痙攣などである．その後，興奮経路の遮断が生じると，抑制症状であるせん妄，意識消失，呼吸停止が起こる．いきなり，痙攣や心停止にいたることがある．

2）心血管系
初期の神経症状とともに，高血圧，頻脈，心室性期外収縮が生じる．その後，洞性徐脈，伝導障害，低血圧，循環虚脱，心静止などが起こる．局所麻酔薬を血管内へ注入すると，神経症候なしで循環虚脱となる．心電図変化は，PR延長，QRS幅の増大が特徴的である．

治療
1）局所麻酔薬中毒が疑われた場合
①局所麻酔薬の投与を中止，②応援の要請，③血圧・心電図・パルスオキシメータの装着，④静脈ラインの確保，⑤気道確保および100％酸素投与，必要に応じて気管挿管，人工呼吸，⑥痙攣の治療，⑦（余裕があれば）血中濃度測定のための採血．

2）重度の低血圧や不整脈を伴う場合
①20％脂肪乳剤（イントラリポス）を投与，②標準的な手順に従って蘇生を開始，③体外循環の準備をする．

3. 術中術後に使用する薬剤

Point

❶ 緊急時に使用する薬剤の大半は循環作動薬です．その基本的な使い方を覚えましょう

❷ 持続投与する薬と単回投与する薬をきちんと覚えましょう

1 昇圧薬

エフェドリン
Ephedrin（40 mg/1 mL）

エフェドリン
ephedrine（α1，β1，β2）

【適　応】　・脊髄くも膜下麻酔時の血圧低下（実際は，急性低血圧あるいはショック時の補助治療）
　　　　　・気管支喘息や気管支炎などの咳嗽
　　　　　・鼻粘膜の充血，腫脹
【用法・用量】・10 mLに希釈（4 mg/1 mL）して1〜2 mLずつ静注
【特　徴】　・胎盤・子宮血流を障害しない昇圧薬
　　　　　・受容体へ間接的に作用
【持続時間】　・静注3〜10分

ネオシネジン
Neo-synesin
（1 mg/1 mL）
（5 mg/1 mL）

フェニレフリン
phenylephrine（α）

【適　応】　・急性低血圧あるいはショック時の補助治療，発作性上室性頻拍，（添加で）局所麻酔薬の延長作用

【用法・用量と希釈法】

・1 mgは10 mLに希釈，5 mgは50 mLに希釈（0.1 mg/1 mL）して0.5〜2 mLずつ静注

［シリンジ］

・原液0.024×体重（kg）mLを生食で全量20 mLに希釈 0.1 μg/kg/分＝1 mL/時間になる（p.420：表6-3-1参照）

【特　徴】	・純粋なα刺激薬/腎動脈を収縮（腎血流↓）
	・反射性徐脈を起こすので発作性上室性頻拍の治療に使える

エホチール　　　　　　　　　　**エチレフリン**
Effortil（10 mg/1 mL）　　　　　*etilefrine*（α1，β1）

【適　応】	・急性低血圧あるいはショック時の補助治療
【用法・用量】	・10 mLに希釈（1 mg/1 mL）して1〜2 mLずつ静注
	・昇圧効果はエフェドリンより大，持続はやや短い
	・作用発現時，一過性に血圧低下が起こることがある

イノバン　　　　　　　　　　　**ドパミン**
Inovan（50 mg/2.5 mL，　　　　*dopamine*（α，β，γ）
100 mg/5 mL）

【適　応】	・急性循環不全（心原性ショック，出血性ショック）
【用法・用量】	・1〜20 μg/kg/分　[シリンジ]
	・（体重×3）mg/生食50 mLに希釈
	1 mL/時間＝1 μg/kg/分になる（p.420：**表6-3-1**, p.421：**表6-3-2**参照）
【特　徴】	・以下に示す（　）内の使用量で，それぞれの作用が最もよく現れる
	・**ドパミナジック作用（1〜3 μg/kg/分）**
	腎血流↑，腸間膜血流↑
	・**β作用（3〜10 μg/kg/分）**
	心収縮力↑（β1），末梢血管拡張（β2）
	・**α作用（7〜μg/kg/分）**
	末梢血管収縮
	・半減期：1〜2分
【禁　忌】	・10 μg/kg/分以上を末梢静脈から投与禁忌
【注　意】	・脱水，出血では必ず十分な輸液，輸血をしながら用いること（頻拍を増強する）
	・アルカリ溶液で非活性化
	・単独使用で10 μg/kg/分を超えるときにはドブタミンなどを併用．単独使用で10 μg/kg/分を超えα作用が強いときは血管拡張薬［ニトログリセリン（ミリスロール），ニカルジピン（ペルジピン）など］併用

【副作用】	・10 μg/kg/分以上で使用すると冠動脈攣縮を誘発することがある
	・不整脈，冠動脈攣縮
【MEMO】	・カテコールアミン類は，乳酸ナトリウムや重炭酸ナトリウムで不活化されるので，溶解するときは5％糖液，生食がよい

イノバン注0.1％シリンジ 　　　　**ドパミン**
（50 mg/50 mL/シリンジ） 　　　　　　*dopamine*（α, β, γ）
イノバン注0.3％シリンジ
（150 mg/50 mL/シリンジ）
イノバン注0.6％シリンジ
（300 mg/50 mL/シリンジ）

【適　応】　・イノバンと同じ
【用法・用量】・**50 mg/50 mL/シリンジ（*イノバン注0.1％シリンジ*）**
　　　　　　　・1 μg/kg/分＝0.06×体重（kg）mL/時間
　　　　　　・**150 mg/50 mL/シリンジ（*イノバン注0.3％シリンジ*）**
　　　　　　　・1 μg/kg/分＝0.02×体重（kg）mL/時間
　　　　　　　・50 mg/50 mLの1/3と覚えておく
　　　　　　・**300 mg/50 mL/シリンジ（*イノバン注0.6％シリンジ*）**
　　　　　　　・1 μg/kg/分＝0.01×体重（kg）mL/時間
　　　　　　・50 kgの人では1 μg/kg/分が1 mL/時間になる
　　　　　　・*イノバン注0.3％シリンジ*を50 kgの人に3 μg/kg/分投与するには，3×0.02×50＝3 mL/時間

Column　γの計算法

　［γ］＝［μg/kg/分］を指す．体重あたりの薬剤の持続投与に使用される単位である．本来は，γは質量の単位で1 μg＝1 γだが，臨床医学領域ではμg/kg/分もμg/kgも慣用的にγと言うようである（**ただし，学会発表や論文では，ガンマで表記してはいけない**）．体重（kg）をBWとすると，
［γ］＝［μg/kg/分］＝10^{-3}［mg/kg/分］
　　　　＝10^{-3}×BW×60［mg/時間］
　　　　＝0.06×BW［mg/時間］

シリンジポンプでは［mL/時間］で投与するのでmgをmLに変換する必要がある．そこで，薬剤の濃度X［mg/mL］で割ると［mg/時間］が［mL/時間］に変換できる．
［γ］＝0.06×BW/X［mL/時間］

さらに，Xが濃度だとすると希釈された液体に投与されている［mg］数がわかればγ［μg/kg/分］が［mL/時間］に変換できることになる．

イノバン注0.3％シリンジ（150 mg/50 mL）＝3 mg/mLを50 kgの人に1γで投与するには
0.06×50/3＝1［mL/時間］となり，
1［μg/kg/分］＝1［mL/時間］

また逆に，
1［mL/時間］が1μg/kg/分になるようにするには，
1［mL/時間］＝16.68×X/BW［μg/kg/分］なので，Xが100 mgであれば，全量1,668/BW［mL］に希釈すれば1［mL/時間］＝1［μg/kg/分］である．計算式に出てくる1,668という数字はこのように導き出したものである．

ドブトレックス　　　　　　ドブタミン
Dobutrex（100 mg/5 mL）　　　　*dobutamine*

【適　応】・急性循環不全における心収縮力増強
【希釈法】・イノバンと同じ
【特　徴】・心収縮力↑，肺血管拡張（肺うっ血時に最適）
　　　　　・α作用はほとんどなく，β作用のうちでも陽性変時作用はほとんどない
　　　　　・半減期：2.4分
【用法・用量】・1〜20μg/kg/分
　　　　　・心拍出量，肺毛細血管圧が改善するまで増量
【禁　忌】・HOCM（肥大型心筋症），治療してないAf（心拍数↑）
【注　意】・アルカリ溶液で非活性化，利尿作用（−）
　　　　　・10μg/kg/分以上では作用は頭打ちになる
　　　　　・βブロッカー使用中の患者でα作用が出ることがある
　　　　　・β作用のあるものはHOCMには使用しない

ドブタミン持続静注 50 mg シリンジ　　　**ドブタミン**
(50 mg/50 mL/シリンジ)　　　　　　　　　　*dobutamine*
ドブタミン持続静注 150 mg シリンジ
(150 mg/50 mL/シリンジ)
ドブタミン持続静注 300 mg シリンジ
(300 mg/50 mL/シリンジ)
ドブトレックスキット点滴静注用
Dobutrex (200 mg/200 mL/V, 600 mg/200 mL/V)

【適　応】・ドブトレックスと同じ
【用法・用量】・ドブトレックスと同じ

ボスミン　　　　　　　　　　　**アドレナリン**
Bosmin (1 mg/1 mL)　　　　　　　 *adrenarine* ($\beta > \alpha$)

【適応と用法・用量】

- **心停止**（心停止の間，5分ごとにくり返す）
  - 0.5～1.0 mg（1/2 A～1 A）静注
    - 小児：10倍希釈（0.1 mg/mL）し1 mLずつ使用（0.1 mg/kg）
- **アナフィラキシーショック**
  - 0.01 mg/kg 筋注（最大量：成人0.5 mg, 小児0.3 mg）
  - 必要に応じて5～15分ごとに再投与
- **気管支喘息**（必要ならば20分ごとにくり返す）
  【注意】高血圧，心疾患には用いない
  - 0.3～0.5 mg（1/3 A～1/2 A）皮下注
  - 小児：10 μg/kgを皮下注．最大量0.5 mgまで
- **異常低血圧**
  - 0.01～0.02 μg/kg/分：主として β 作用
  - 0.02～0.1 μg/kg/分：$\alpha + \beta$ 作用
  - 0.1～0.3 μg/kg/分：主として α 作用

【希釈法】　[シリンジ]

- 10 Aを希釈して全量1,668÷体重（kg）mLにする
  0.1 μg/kg/分＝1 mL/時間（p.420：表6-3-1参照）

ノルアドリナリン	ノルアドレナリン	
Nor-Adrenalin（1 mg/1 mL）	noradrenarine（α > β）	

- 【適　応】・急性低血圧またはショック時の補助治療
- 【希釈法】　［シリンジ］
  - ・10 A を希釈して全量 1,668÷体重（kg）mL にする
    0.1 μg/kg/分＝1 mL/時間（p.420：表6-3-1参照）
- 【用法・用量】・0.05〜0.3 μg/kg/分で点滴静注
- 【禁　忌】・心室性頻拍，高血圧，甲状腺機能亢進，コカイン中毒
  - ・循環血液量不足による血圧低下
- 【注　意】・血管外漏出は局所の虚血性壊死
  - ・中心静脈から投与（必須）
  - ・血管拡張薬との併用で心原性ショックのときに使う

■ **子宮胎盤血流を障害しない昇圧薬（妊婦に対して安全）**
①エフェドリン
②ドブタミン 2〜4 μg/kg/分

2 脈拍をコントロールする薬剤

1）徐拍性不整脈

①アトロピン
②プロタノールL（イソプロテレノール）
③緊急ペーシング
　上から順に施行する．

アトロピン	アトロピン	
Atropin（0.5 mg/1 mL）	Atropin	

- 【適　応】・迷走神経性徐脈，迷走性神経性房室伝導障害，その他の徐脈，房室伝導障害
  - ・その他：麻酔前投薬，胃・十二指腸潰瘍における分泌ならびに運動亢進，胃腸の痙攣性疼痛，痙攣性便秘，胆管，尿管の疼痛，有機リン系の薬物や副交感神経薬物の中毒
- 【用法・用量】・0.005〜0.01 mg/kg（約50 kgの人で1/2〜1 A）静注
  - ・2 A 投与しても効果のないとき追加投与不可

【特　徴】	・徐脈時，少量ではかえって徐脈を助長
	・副交感神経遮断作用（散瞳，眼内圧上昇，頻脈，気道・口腔内分泌抑制，消化管運動抑制，気管支拡張）
【禁　忌】	・緑内障，前立腺肥大

プロタノールL　　　　　　　　　**イソプレナリン（イソプロテレノール）**
Proternol-L　　　　　　　　　　*isoprenalline*（β）
（0.2 mg/1 mL，1 mg/5 mL）

【適　応】	・アダムストークス症候群（徐脈型）の発作時，手術後の低心拍出量症候群，心筋梗塞や細菌内毒素による心不全，気管支喘息の重症発作時
【希釈法】	［シリンジ］
	・1 A を全量 333÷体重（kg）mL に希釈
	0.01 μg/kg/分＝1 mL/時間
【用法・用量】	・0.01 μg/kg/分で開始し効果が現れるまで増量
	・0.01〜0.5 μg/kg/分で使用
	・10 mL に希釈して 1 mL ずつ静注
【特　徴】	・気管支拡張，収縮期圧↑，拡張期圧↓
	・HR↑，心収縮力↑，末梢血管抵抗↓
【注　意】	・末梢血管拡張のため拡張期血圧低下
	・過量投与で不整脈誘発作用（＋）
	⇒心筋酸素消費量↑↑
	・心肺蘇生には第一選択とはしない
	⇒（硫酸アトロピン使用）
	・カテコールアミンのなかで最も陽性変時作用が強い
【禁　忌】	・HOCM，ジギタリス中毒

2）頻拍性不整脈

①上室性頻拍

オノアクト　　　　　　　　　**ランジオロール**
Onoact（50 mg/1 A，150 mg/1 A）　*landiolol*
（短時間作用性βブロッカー）

| 【適　応】 | ① 手術時の頻拍性不整脈（心房細動，心房粗動，洞性頻拍）に対する緊急処置 |
| | ② 手術後の循環モニター監視下での頻拍性不整脈（心房細動，心房粗動，洞性頻拍）に対する緊急処置 |

【用法・用量】	① 1分間0.125 mg/kg/分で持続静注後,0.04 mg/kg/分持続静注
	② 0.06 mg/kg/分で持続静注後,0.02 mg/kg/分で持続静注
	①,②とも0.01〜0.04 mg/kg/分で適宜調節(投与中は心拍数,血圧を連続測定)
【希釈法】	・150 mg/1Aを20 mLに希釈し,50 kgの人では1分間のみ2.5 mL/分投与後,12〜48 mL/時間で持続
	・慎重投与症例では血圧も異常に低下するので要注意
【禁 忌】	・β遮断薬の成分に過敏症の既往,糖尿病性ケトアシドーシス,代謝性アシドーシスのある患者,洞性徐脈,房室ブロック(Ⅱ,Ⅲ度),洞房ブロック,洞不全症候群,心原性ショックの患者,肺高血圧による右心不全,うっ血性心不全,未治療の褐色細胞腫
【慎重投与】	・気管支喘息,低血圧,脱水,コントロール不良な糖尿病,末梢循環障害,出血量の多いとき,低左室機能
	・血圧も異常に低下するので要注意
【注 意】	・血圧低下,房室ブロックに注意,肺水腫,気管支痙攣

ブレビブロック (100 mg/10 mL)　エスモロール
Brevibloc (100 mg/10 mL)　*Esmolol*

(短時間作用性βブロッカー)

【適 応】	・手術時の上室性頻拍性不整脈(心房細動,心房粗動,洞性頻拍)に対する緊急処置
【用法・用量】	・1回0.1 mL/kg(1 mg/kg)を30秒間で心電図監視下に静注.50 kgの人で1/2 A
	・年齢,症状により適宜減量
【禁 忌】	・オノアクトに同じ
【慎重投与】	・オノアクトに同じ
【注 意】	・オノアクトに同じ

②心室性不整脈

キシロカイン静注用2%　リドカイン
Xylocaine (100 mg/5 mL)　*lidocaine*

【適 応】	・期外収縮(上室性,心室性),発作性頻拍(上室性,心室性),急性心筋梗塞および手術に伴う心室性不整脈の

予防

【用法・用量】・1〜2 mg/kg 緩徐に静注（1/2 A〜1 A）
・その後1〜4 mg/kg/時間で点滴静注（維持）

【禁　忌】・アダムスストークス症候群，洞性徐脈
・うっ血性心不全

【注　意】・注入速度が速すぎると血圧低下，局所麻酔薬中毒

アンカロン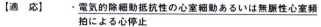
Ancaron（150 mg/3 mL）　　**アミオダロン**
　　　　　　　　　　　　　　amiodarone

【適　応】・**電気的除細動抵抗性の心室細動あるいは無脈性心室頻拍による心停止**
・生命に危険のある心室細動，血行動態不安定な心室頻拍（難治性かつ緊急を要する場合）

【用　量】Ⓐ **電気的除細動抵抗性の心室細動あるいは無脈性心室頻拍による心停止の場合**

［初期急速投与］
300 mg（6 mL）または5 mg/kgを5％ブドウ糖液20 mLに希釈後，ボーラス投与

［追加投与］（心室性不整脈が持続）
150 mg（3 mL）または2.5 mg/kgを5％ブドウ糖液10 mLに希釈後，追加投与

Ⓑ **生命に危険のある心室細動，血行動態不安定な心室頻拍**

① **はじめの48時間まで**

［初期急速投与］125 mg（2.5 mL）を5％ブドウ糖液100 mLに加え，600 mL/時（10 mL/分）の速度で10分間投与

［負荷投与］750 mg（15 mL）を5％ブドウ糖液500 mLに加え，33 mL/時の速度で6時間投与

［維持投与］17 mL/時の速度で合計42時間投与

1) 6時間の負荷投与後，残液の投与速度を33 mL/時から17 mL/時に変更し，18時間投与
2) 750 mg（15 mL）を5％ブドウ糖液500 mLに加え，17 mL/時で24時間投与（600 mg）．

② **追加投与**

血行動態不安定な心室頻拍あるいは心室細動が再発し，本剤投与が必要な場合には追加投与できる．
1回の追加投与は125 mg（2.5 mL）を5％ブドウ糖液

100 mLに加え，600 mL/時（10 mL/分）の速度で10分間投与する．

③ 継続投与（3日以降）

48時間の投与終了後，必要と判断された場合は，継続投与を行うことができる．

750 mg（15 mL）を5％ブドウ糖液500 mLに加え，17 mL/時の速度で投与（アミオダロンとして600 mg/24時間）．

【禁　忌】　洞性徐脈，洞房ブロック，重度伝導障害，重篤な呼吸不全

【最大量】　1日総投与量は1,250 mgまで
投与濃度は2.5 mg/mL以下

3 降圧薬（一部，狭心症治療薬）

ペルジピン　　　　　　　　ニカルジピン
Perdipine　　　　　　　　　*nicardipine*（Ca拮抗薬）
（2 mg/2 mL, 10 mg/10 mL, 25 mg/25 mL）

【適応と用法・用量】

- **高血圧緊急症**
  静注：原液で **0.5 mgずつ**（p.421：表6-3-2参照）
- **手術時の異常高血圧**
  点滴静注：2〜10 μg/kg/分で開始，その後適宜調節
- **急性心不全**
  点滴静注：0.5〜2 μg/kg/分

【希釈法】　［シリンジ］
- 1 Aを全量1,668÷体重（kg）mLに希釈
  0.1 μg/kg/分＝1 mL/時間（p.420：表6-3-1参照）

【禁　忌】　・頭蓋内出血，脳卒中急性期で頭蓋内圧亢進，急性心不全，AS，MS，HOCM，低血圧，心原性ショック

【併　禁】　・バイアグラ

【特　徴】　・One shot静注できる現在最も使いやすい降圧薬

ヘルベッサー　　　　　　　　ジルチアゼム
Herbesser　　　　　　　　　*diltiazem*（Ca拮抗薬）
（10 mg/A, 50 mg/A, 250 mg/A）

【適応と用法・用量】

- **頻拍性不整脈（上室性）**

  1回10 mgを3分かけて静注．

- **手術時の異常高血圧**

  1回10 mgを1分かけて静注．

- **高血圧緊急症**

  持続静注：5〜15 μg/kg/分．

- **不安定狭心症**

  1〜5 μg/kg/分．

- **冠動脈スパスムの予防**

  0.5（0.25）〜5 μg/kg/分（異型狭心症に！！）．

【希釈法】　［シリンジ］

- 1 V（50 mg）を834÷体重（kg）mL

  体重50 kgでは1 Aを17 mLに希釈すると1 μg/kg/分＝1 mL/時間（p.420：表6-3-1参照）．

【禁　忌】・重篤なうっ血性心不全，Ⅱ度以上の房室ブロック，妊婦または妊娠の可能性，重篤な低血圧，重篤な心原性ショック，重篤な心筋症

【併　禁】・バイアグラ

ミリスロール　　　　　　　　**ニトログリセリン**
Millisrol　　　　　　　　　　*nitroglycerin*
（1 mg/2 mL, 5 mg/10 mL, 25 mg/50 mL, 50 mg/100 mL）

【適応と用法・用量】

- **手術時の異常高血圧**

  0.5〜5 μg/kg/分で開始後，適宜調節．

- **手術時の低血圧維持**

  1〜5 μg/kg/分で開始後，適宜調節．

- **急性心不全**

  0.05〜0.1 μg/kg/分で開始．

  0.1〜0.2ずつ上げる．

- **不安定狭心症**

  0.1〜0.2 μg/kg/分で開始．

  0.1〜0.2ずつ上げる．

| 【希釈法】 | [シリンジ] (p.420：表6-3-1, p.421：表6-3-2参照) |

① 原液のまま使用

0.5 μg/kg/分 ⇒ 0.06× 体重（kg）mL/時間

② 原液 0.24× 体重（kg）mL を生食で全量 20 mL に希釈

0.1 μg/kg/分 = 1 mL/時間.

③ 1 A（5 mg）を全量 834÷体重（kg）mL に希釈

0.1 μg/kg/分 = 1 mL/時間.

・**[(One Shot 静注) 冠動脈攣縮時]**

1 mL（0.5 mg）を 20 倍希釈（25 μg/mL）し 1 mL ずつ使用.

【注　意】
・非吸着性の点滴セットで使用
　塩化ビニルに吸着（ガラス，ポリエチレン，ポリプロピレンに非吸着）.

【併　禁】
・バイアグラ

【特　徴】
・主として容量血管拡張/動脈系＜静脈系（拡張）

【副作用】
・頭蓋内圧亢進，メトヘモグロビン血症
・反跳現象（急激に中止したとき）
・動脈血 PaO_2 ↓（HPV 抑制）
・血管拡張薬は肺内シャント↑, PaO_2 ↓（HPV 抑制）
・カルシウム拮抗薬は吸入麻酔薬と併用時，相加（相乗）的に作用するため心筋抑制，各種ブロックに注意

シグマート　　　　　　　　　ニコランジル
Sigmart　　　　　　　　　　　nicorandil（冠血管拡張薬）
(*2 mg/V, 12 mg/V, 48 mg/V*)

【適　応】
・不安定狭心症，術中心筋虚血の予防と治療
・冠動脈バイパス術中の心筋保護

【作　用】
・冠動脈平滑筋に作用，血管平滑筋の cGMP 産生↑と K チャンネル開口作用により冠血管拡張，冠血管攣縮をとる

【用法・用量】
・2 mg/時間から開始（最高用量 6 mg/時間）
・**シグマート 48 mg を生食または 5％ブドウ糖 48 mL に希釈（1 mg/mL）**

0.02× 体重（kg）μg/kg/分 = 1 mL/時間 (p.420：表 6-3-1 参照)

プロスタンディン500 　プロスタグランジンE₁
Prostandin（500μg/V）　　*alprostadil alfadex*

【用法・用量】[シリンジ]
- 1V（500μg）を**生食834÷体重（kg）mL**に溶解 **0.01μg/kg/分＝1mL/時間**（表6-3-1）
  異常高血圧：0.1〜0.2μg/kg/分
  低血圧維持：0.05〜0.2μg/kg/分
  臓器血流維持（保険適用外）：0.01〜0.02μg/kg/分

【注　意】
- 流量を増すと頻脈を起こす

【適　応】
- 手術時の異常高血圧
- （高血圧，軽度虚血性心疾患の合併症をもった患者の）血圧維持
- 臓器血流維持，肝細胞保護
- 肺高血圧（0.02〜0.1μg/kg/分）
- 新生児のPDA開存目的
  （TOF，肺動脈閉塞や狭窄，三尖弁閉鎖など）

ハンプ 　カルペリチド
Hanp（1,000μg/V）　　*carperitide*

【用法・用量】
- 0.1〜0.2μg/kg/分

【作　用】
- 細胞内cGMP↑により（血管拡張，利尿作用）レニン・アルドステロン分泌亢進抑制

【適　応】
- 急性心不全

【禁　忌】
- 重篤な低血圧，心原性ショック，右室梗塞，脱水症状

【副作用】
- 血圧低下，徐脈，低血圧性ショック

【保　存】
- 10℃以下

【MEMO】
- 末梢ルートから投与可能

表6-3-1 1Aを希釈するときの計算法

一般名(商品名)	1A容量	臨床使用速度 (μg/kg/分)	1Aを全量 X mLにする[注1]	希釈後の濃度 (mg/mL)	1 mL/時間に相当する投与速度 (μg/kg/分)
ドパミン(イノバン)	100 mg/5 mL	1〜20	1.668÷BW mL に希釈 (50 mL 注射器要)	$0.06 \times BW$	1
ドブタミン(ドブトレックス)	100 mg/5 mL	1〜20		$0.06 \times BW$	1
アドレナリン(ボスミン)	1 mg/1 mL	0.01〜0.3		$0.01 \times 0.06 \times BW$	0.01
ノルアドレナリン(ノルアドリナリン)	1 mg/1 mL	0.05〜0.3		$0.01 \times 0.06 \times BW$	0.01
ニカルジピン(ペルジピン)	10 mg/10 mL	2〜10		$0.1 \times 0.06 \times BW$	0.1
ニコランジル(シグマート)	48 mg/V	0.6〜2.0	48 mL (48 mg/V)	1	$0.06 \times BW$[注2]
フェニレフリン(ネオシネジンコーワ 5 mg)	5 mg/1 mL	0.1〜10	834÷BW mL に希釈 (25 mL 注射器要)	$0.1 \times 0.06 \times BW$	0.1
ニトログリセリン(ミリスロール)	5 mg/10 mL	0.05〜5		$0.1 \times 0.06 \times BW$	0.1
プロスタグランジンE1(プロスタンディン500)	500 μg/V	0.01〜0.2		$0.01 \times 0.06 \times BW$	0.01
ジルチアゼム(ヘルベッサー)	50 mg/V	0.5〜15		$0.06 \times BW$	1
ランジオロール(オノアクト)	50 mg/V	10〜40		$0.06 \times BW$	1
レミフェンタニル(アルチバ)	2 mg/V	0〜2	20 mL (2 mg/V)	0.1	$0.06 \times BW$[注3]
	5 mg/V	0〜2	50 mL (5 mg/V)	0.1	$0.06 \times BW$[注3]

・BW：体重 (kg)

注1) 原液1Aを全量で定数÷BW (kg) mLにする。
　　総容量が少ない場合に、例えば3倍量作ることは3Aを3倍量に希釈すればよい。
注2) mL/時間 (※1 μg/kg/分に相当する投与速度)．
注3) mL/時間 (※0.1 μg/kg/分に相当する投与速度)．
※希釈法は投与開始前に、必ず指導医に確認すること．

表6-3-2 原液で使用する薬剤の計算法

一般名（商品名）	1A容量	臨床使用速度 (μg/kg/分)	開始量 (μg/kg/分)	基準値の計算
0.6%ドパミンキット（イノバン注0.6%シリンジ） 0.6%ドブタミンキット（ドブタミン持続静注300 mgシリンジ）	300 mg/50 mL (6 mg/mL)	1〜20	5	1 μg/kg/分 → 0.01×BW mL/時間
0.3%ドパミンキット（イノバン注0.3%シリンジ） 0.3%ドブタミンキット（ドブタミン持続静注150 mgシリンジ）	150 mg/50 mL (3 mg/mL)	1〜20	5	1 μg/kg/分 → 0.02×BW mL/時間
0.1%ドパミンキット（イノバン注0.1%シリンジ） 0.1%ドブタミンキット（ドブタミン持続静注50 mgシリンジ）	50 mg/50 mL (1 mg/mL)	1〜20	5	1 μg/kg/分 → 0.06×BW mL/時間
ニカルジピン（ペルジピン）	10 mg/10 mL (1 mg/mL)	2〜10	2	1 μg/kg/分 → 0.06×BW mL/時間
ニトログリセリン（ミリスロール）	5 mg/10 mL (0.5 mg/mL)	0.05〜5	0.5	0.5 μg/kg/分 → 0.06×BW mL/時間
ニトロプルシド（ニトプロ）	30 mg/10 mL (3 mg/mL)	0.5〜2.5	0.5	0.5 μg/kg/分 → 0.01×BW mL/時間
リドカイン（2%キシロカイン）	100 mg/5 mL (20 mg/mL)	15〜50	20	20 μg/kg/分 → 0.06×BW mL/時間
メキシレチン（メキシチール）	125 mg/5 mL (25 mg/mL)	5.0〜10.0	5	5 μg/kg/分 → 0.012×BW mL/時間

・BW：体重（kg）
※投与開始前に、必ず指導医に確認すること．

第7章

手術・麻酔で役立つ分類・スコア・表

表7-1 おもな抗血栓薬と中止目安

分類	商品名	一般名	中止目安	作用機序
抗血小板薬 (不可逆的)	プラビックス パナルジン エフィエント	クロピドグレル チクロピジン プラスグレル	10〜14日	cAMP増加 (P2Y12阻害)
	バファリン81 バイアスピリン	アスピリン	7〜10日	TXA_2合成抑制
	タケルダ*1	アスピリン+PPI		
	コンプラビン*2	アスピリン+クロピドグレル	10〜14日	上記2つの組み合わせ
抗血小板薬 (可逆的)	エパデール	EPA	7〜10日	TXA_2産生抑制 TXA_3合成促進
	プレタール	シロスタゾール	4日	cAMP増加
	ペルサンチン	ジピリダモール	2日	cGMP増加
	ドルナー プロサイリン	ベラプロストNa	1日	PGI_2誘導体
	オパルモン プロレナール	リマプロスト		PGE_1誘導体
	アンプラーグ	サルポグレラート		$5-HT_2$阻害
	カタクロット キサンボン	オザグレルNa		TXA_2選択的阻害
	ロコルナール	トラピジル		TXA_2抑制
	コメリアン	ジラゼプ		ホスホリパーゼ活性抑制
抗凝固薬 (可逆的)	ワーファリン	ワルファリン	4日	ビタミンK依存性凝固因子阻害
	ヘパリンNa注	未分画ヘパリン	6時間	ATⅢのXa阻害
	フラグミン	ダルテパリン	1日	
	クレキサン	エノキサパリン	1日	
	オルガラン	ダナパロイド	2日	
抗凝固薬 (不可逆的)	プラザキサ	ダビガトラン	2日	抗トロンビン
	イグザレルト	リバーロキサバン	1〜2日	Xa阻害
	リクシアナ	エドキサバン		
	エリキュース	アピキサバン	2〜4日	
	アリクストラ	フォンダパリヌクス	2日	

*1 アスピリン100 mg+タケプロン（PPI）の合剤 *2 アスピリン100 mg+プラビックスの合剤

表 7-2 周術期予防的抗菌薬投与

手術部位		選択薬	
心臓・血管外科		CEZ；1 g	
食道・胃・十二指腸		CEZ；1 g	
胆管		CEZ；1 g or PIPC；2 g	CTM；1 g
結腸・直腸		CMZ；1 g or FMOX；1 g	SBT/ABPC；3 g
虫垂（穿孔なし）		CMZ；1 g or FMOX；1 g	SBT/ABPC；3 g
頭頸部	副鼻腔・咽頭開放（＋）	CEZ；1 g＋CLDM；600 mg	SBT/ABPC；1 g
	副鼻腔・咽頭開放（−）	CEZ；1 g	
産婦人科	子宮摘出	CMZ；1 g or FMOX；1 g	SBT/ABPC；3 g
	帝王切開	CEZ；1 g	
整形外科		CEZ；1 g	SBT/ABPC；3 g
泌尿器	腸管利用（＋）	CMZ；1 g or FMOX；1 g	SBT/ABPC；3 g
	腸管利用（−）	CEZ；1 g	
	体外衝撃波破砕	LVFX；500 mg or CPFX；300 mg	ST合剤；2錠
乳腺・ヘルニア		CEZ；1 g	

執刀30〜60分前投与．
3時間おきにくり返し投与．
短時間で大量出血が認められた場合には3時間を待たずに追加投与．
24時間を超えての投与は推奨されない（例外：心臓外科手術で48時間投与）．
巻末の文献33より引用．

表7-3 VTEのおもな危険因子

	後天性因子	先天性因子
血流停滞	長期臥床 肥満 妊娠 心肺疾患（うっ血性心不全，慢性肺性心など） 全身麻酔 下肢麻痺，脊椎損傷 下肢ギプス包帯固定 加齢 下肢静脈瘤 長時間座位（旅行，災害時） 先天性iliac band, web, 腸骨動脈によるiliac compression	
血管内皮障害	各種手術 外傷，骨折 中心静脈カテーテル留置 カテーテル検査・治療 血管炎，抗リン脂質抗体症候群，膠原病 喫煙 高ホモシステイン血症 VTEの既往	高ホモシステイン血症
血液凝固能亢進	悪性腫瘍 妊娠・産後 各種手術，外傷，骨折 熱傷 薬物（経口避妊薬，エストロゲン製剤など） 感染症 ネフローゼ症候群 炎症性腸疾患 骨髄増殖性疾患，多血症 発作性夜間血色素尿症 抗リン脂質抗体症候群 脱水	アンチトロンビン欠乏症 PC欠乏症 PS欠乏症 プラスミノーゲン異常症 異常フィブリノーゲン血症 組織プラスミノーゲン活性化因子インヒビター増加 トロンボモジュリン異常 活性化PC抵抗性（第Ⅴ因子Leiden*） プロトロンビン遺伝子変異（G20210A*） *日本人には認められていない

日本循環器学会：肺血栓塞栓症および深部静脈血栓症の診断，治療，予防に関するガイドライン（2017年改訂版）https://www.j-circ.or.jp/cms/wp-content/uploads/2017/09/JCS2017_ito_h.pdf（2021年11月閲覧）

表7-4 各領域のVTEのリスクの階層化

リスクレベル	一般外科・泌尿器科・婦人科手術
低リスク	60歳未満の非大手術 40歳未満の大手術
中リスク	60歳以上，あるいは危険因子のある非大手術 40歳以上，あるいは危険因子がある大手術
高リスク	40歳以上の癌の大手術
最高リスク	VTEの既往あるいは血栓性素因のある大手術

総合的なリスクレベルは，予防の対象となる処置や疾患のリスクに，付加的な危険因子を加味して決定される．付加的な危険因子（表7-6）を持つ場合にはリスクレベルを1段階上げることを考慮する．大手術の厳密な定義はないが，すべての腹部手術あるいはその他の45分以上要する手術を大手術の基本とし，麻酔法，出血量，輸血量，手術時間などを参考として総合的に評価する．
日本循環器学会：肺血栓塞栓症および深部静脈血栓症の診断，治療，予防に関するガイドライン（2017年改訂版）https://www.j-circ.or.jp/cms/wp-content/uploads/2017/09/JCS2017_ito_h.pdf（2021年11月閲覧）

表7-5 一般外科・泌尿器科・婦人科手術（非整形外科）患者におけるVTEのリスクと推奨される予防法

リスクレベル	推奨される予防法
低リスク	早期離床および積極的な運動
中リスク	早期離床および積極的な運動 弾性ストッキングあるいはIPC
高リスク	早期離床および積極的な運動 IPCあるいは抗凝固療法*,†
最高リスク	早期離床および積極的な運動（抗凝固療法*とIPCの併用）あるいは（抗凝固療法*,†と弾性ストッキングの併用）

*：腹部手術施行患者では，エノキサパリン，フォンダパリヌクス，あるいは低用量未分画ヘパリンを使用．予防の必要なすべての高リスク以上の患者で使用できる抗凝固薬は低用量未分画ヘパリン．最高リスクにおいては，低用量未分画ヘパリンとIPCあるいは弾性ストッキングとの併用，必要ならば，用量調節未分画ヘパリン（単独），用量調節ワルファリン（単独）を選択する．

エノキサパリン使用法：2,000単位を1日2回皮下注（腎機能低下例では2,000単位1日1回投与を考慮），術後24〜36時間経過後出血がないことを確認してから投与開始（参考：わが国では15日間以上投与した場合の有効性・安全性は検討されていない）．低体重の患者では相対的に血中濃度が上昇し出血のリスクがあるので，慎重投与が必要である．

フォンダパリヌクス使用法：2.5 mg（腎機能低下例は1.5 mg）を1日1回皮下注，術後24時間経過後出血がないことを確認してから投与開始（参考：わが国では腹部手術では9日間以上投与した場合の有効性・安全性は検討されていない）．体重40 kg未満，低体重の患者では出血のリスクが増大する恐れがあるため，慎重投与が必要である．

†：出血リスクが高い場合は，抗凝固薬の使用は慎重に検討しIPCや弾性ストッキングなどの理学的予防を行う

日本循環器学会：肺血栓塞栓症および深部静脈血栓症の診断，治療，予防に関するガイドライン（2017年改訂版）https://www.j-circ.or.jp/cms/wp-content/uploads/2017/09/JCS2017_ito_h.pdf（2021年11月閲覧）

表7-6 VTEの付加的な危険因子の強度

危険因子の強度	危険因子
弱い	肥満 エストロゲン治療 下肢静脈瘤
中等度	高齢 長期臥床 うっ血性心不全 呼吸不全 悪性疾患 中心静脈カテーテル留置 癌化学療法 重症感染症
強い	VTEの既往 血栓性素因 下肢麻痺 ギプスによる下肢固定

血栓性素因：アンチトロンビン欠乏症，プロテインC欠乏症，プロテインS欠乏症，抗リン脂質抗体症候群など
日本循環器学会：肺血栓塞栓症および深部静脈血栓症の診断，治療，予防に関するガイドライン（2017年改訂版）https://www.j-circ.or.jp/cms/wp-content/uploads/2017/09/JCS2017_ito_h.pdf（2021年11月閲覧）

アメリカ麻酔学会（ASA）の気道確保困難時のアルゴリズム（成人患者）

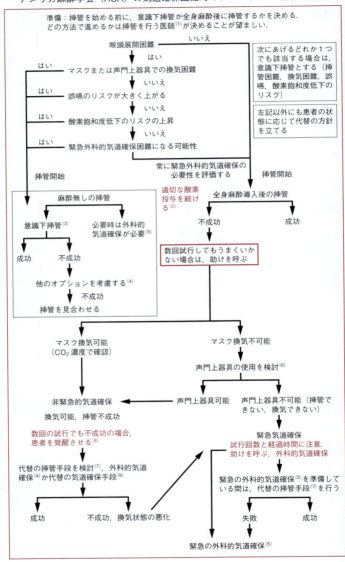

(左頁) 図7-1　アメリカ麻酔科学会（ASA）の気道確保困難時のアルゴリズム（成人患者）

(1) 過去の経験，使用可能な医療資源，装置，人手の数と能力，状況などを考慮して戦略と方法を決める．(2) 手技中は鼻カニュラ酸素療法（低流量／高流量）と頭部挙上位を保つ．前酸素化の間は非外科的挿管．(3) 気管支鏡，ビデオ喉頭鏡，喉頭鏡，それらの組み合わせ，逆行性挿管は意識下挿管に含まれる．(4) 他のオプション：代替の意識下挿管，意識下外科的挿管，代替の麻酔手技，緊急外科的挿管の準備のための麻酔導入（状態が不安定で待てないとき），前述の方法を試さずに挿管を見合わせる．(5) 外科的挿管：輪状甲状靱帯切開（外科的挿入法，圧駆動デバイスを用いた輪状甲状靱帯穿刺，輪状甲状靱帯切開，外科的気管切開）．外科的気道確保：上記に加え逆行性挿管と経皮的気管切開．気管支鏡（硬性）とECMOも検討する．(6) サイズ，目的，体位を考慮する．第一世代よりも第二世代の声門上器具の方が換気能が高い．(7) 代替の挿管手段：ビデオ喉頭鏡，喉頭鏡，それらの組み合わせ，声門上器具（軟性気管支ファイバーガイドはあっても無くても良い），気管支鏡（軟性），イントロデューサー，スタイレット式光ファイバーライト，光ワンド．挿管には気管内チューブイントロデューサー，硬性スタイレット，気管チューブ交換用カテーテル，外からの喉頭操作などの付属物も必要．(8) 症例の延期，気管挿管の延期，適切な医療資源下へ戻す（例：人員，設備，前処置，意識下挿管など）．(9) 他のオプション：マスク換気，声門上器具など．通常，換気に問題がない場合に用いられる．

巻末の文献26より．

図7-2 心肺蘇生クイックマニュアル

> **<< 大原則 >>**
> 蘇生時には,なるべく多くの人を集める(手がかかる)

心肺蘇生のABC

一次救命処置:BLS

★まず,意識のないとき **A**
それで,自発呼吸がないとき A + **B**
頸動脈など大血管で脈が触れないとき A + B + **C**+**D**

A Airway(気道確保のA) 意識がないとき

1. 頭部後屈
2. オトガイ部挙上

B Breathing(人工呼吸のB) 呼吸がないとき

1. 口-口,口-鼻,バッグマスク法で換気
2. 最初の2回は急速に大きくふくらませる
 (1回に1秒間かける,胸が上がる程度)
 一回換気量:酸素がないとき 10 mL/kg
 40%以上酸素があるとき 6〜7 mL/kg

C Circulation(心マッサージのC) 脈がないとき

★ 頸動脈の拍動を触れなければ,とにかく胸骨圧迫
【成人および小児】30回胸骨圧迫,2回人工呼吸 30:2
【成人および小児】1分間に100〜120回胸骨圧迫
 2人いるときは5サイクルで交代
 脈拍が再開されるか,中止の決定まで続ける

D Difibrillation(AEDによる除細動のD)

AED(自動体外式除細動器)が使用可能であれば,循環のサインがないと判断した時点でAEDを行う(1歳以上)
出力:単相性 360 J,二相性 150 J(心マ5サイクルもしくは2分ごと)

二次救命処置：ACLS

A Airway（器具を使った気道確保）

気管挿管，ラリンゲルマスク

B Breathing（酸素化と換気の確認）

C Circulation（心電図モニター，輸液・薬剤投与，VT/VF）

胸骨圧迫に加えて

■ 心電図モニター

★心室細動か心停止かの判定

【注意】ECG波形が出ていても脈が触れなければ心肺蘇生を中止してはダメ！

心停止のとき：**救急薬品のABC**（後出「■ 輸液・薬剤投与」を参照）
徐脈のとき：**アトロピン**1 A静注

少量で徐脈を引き起こすので思い切って使う

（VT/VFからの心停止：キシロカイン1〜1.5 mg/kg静注）

心停止時のECG所見
1) VF
2) 脈のないVT
3) PEA（pulseless electrical activity）
4) Asystole 心静止

PEA（pulseless electrical activity）無脈性電気活動
【原因】ABCD順
1) A：acidosis　　　　　　アシドーシス
2) B：bleeding　　　　　　出血
3) C：cardiac tamponade　心タンポナーデ
4) D：drug　　　　　　　薬物中毒
5) E：embolism　　　　　肺塞栓
6) F：freezing　　　　　　低体温
7) G：gas　　　　　　　　低酸素血症
8) H：hyper/hypokalemia　高/低カリウム血症
9) I：infarction　　　　　　心筋梗塞
10) J：jam　　　　　　　　つまっている→緊張性気胸
　　　　　　　　　　　　　（tension pneumothorax）

★**PEAならアドレナリンを投与する**

（次ページへ続く）

― (前ページより続き)―

【原因】6H and 6T

Hypovolemia	循環血液量不足
Hypoxia	低酸素血症
Hydrogen ion	アシドーシス
Hyper/Hypokelemia	高/低カリウム血症
Hypoglycemia	低血糖
Hypothermia	低体温
Tablets	薬物過量
Tamponade cardiac	心タンポナーデ
Tension pneumothorax	緊張性気胸
Thrombosis coronary	心筋梗塞
Thrombosis pulmonary	肺梗塞
Trauma	外傷

■ 輸液・薬剤投与

薬にもABCがある

A：Adrenalin　ボスミン1 mg/1 mL/1 A
　1 A静注（静注後，生食20 mLで後押し）
　(心腔内投与は行わない！！経気管投与も推奨されない)
　必要なら3～5分ごとに何回でもくり返す

B：Bicarbonate　メイロン17 mEq/20 mL/1 A
　初回量1 mEq/kg静注（その後10分ごとに半量投与をくり返す）
　　　　　　　　　　　（動脈血液ガス分析後，使用）
　【注意】 ボスミンと同一経路から同時に静注禁忌，気管内投与禁忌
　【適応】心拍再開後のwash-out acidosisに対して，血液ガスデータの結果BE＜−10で使用する（蘇生時，盲目的に使用するな！）

C：？？

> 昔は，Cはカルシウムであったが，今はカルシウムは推奨されない
> ❶ メイロン：蘇生時には盲目的に使用するな！
> ❷ カルシウム：蘇生時など，低酸素状態では脳，心筋細胞内に蓄積し，脂質の過酸化を惹起しむしろ有害であり使用されない！

■ VT/VF の治療

VT/VF になったら
❶ **DC カウンターショック**（電極は心臓の長軸に沿って置く）
　★単相性 360J／二相性 150J
　（心マ5サイクルもしくは2分ごと）
❷ **キシロカイン** 1〜1.5 mg/kg　　最大3 mg/kg まで
❸ **硫酸マグネシウム**（低マグネシウム血症や Torsades de Pointes）
　1〜2 g/1〜2分
❹ アミオダロン　125 mg　　10分かけて（使用時注意）

D Differential Diagnosis（原因の診断と治療）

病院内ではA〜Dまでを一連の動作で行うことが多い

※ ACLS2010以後では，Asystole（心静止）やPEA（無脈静電気活動）には，アトロピンは推奨されなくなり，**アドレナリンの投与のみとなった．抗不整脈薬としてはアミオダロン**が推奨されています．

表7-7 麻酔が困難な患者

麻酔が困難な患者とは、以下に掲げるものをいい麻酔前の状態により評価する

ア	心不全（NYHA Ⅲ度以上）
イ	狭心症（CCS分類Ⅲ度以上）
ウ	心筋梗塞（発症後3月以内）
エ	大動脈閉鎖不全，僧帽弁閉鎖不全または三尖弁閉鎖不全（いずれも中等度以上のもの）
オ	大動脈弁狭窄（経大動脈弁血流速度4 m/秒以上，大動脈弁平均圧較差40 mmHg以上または大動脈弁口面積1 cm^{2}以下）または僧帽弁狭窄（僧帽弁口面積1.5 cm^{2}以下）
カ	植込型ペースメーカーまたは植込型除細動器を使用
キ	先天性心疾患（心臓カテーテル検査により平均肺動脈圧25 mmHg以上または心臓超音波検査によりそれに相当する肺高血圧診断）
ク	肺動脈性肺高血圧症（心臓カテーテル検査により平均肺動脈圧25 mmHg以上または心臓超音波検によりそれに相当する肺高血圧診断）
ケ	呼吸不全（PaO$_2$ 60 mmHg未満またはP/F比300未満）
コ	換気障害（1秒率70 %未満かつ%VC70 %未満）
サ	気管支喘息（治療が行われているにもかかわらず中発作以上の発作をくり返すもの）
シ	糖尿病（HbA1cがJDS値で8.0 %以上（NGSP値で8.4 %以上），空腹時血糖160 mg/dL以上または食後2時間血糖220 mg/dL以上）
ス	腎不全（血清クレアチニン値4.0 mg/dL以上）
セ	肝不全（Child-Pugh分類B以上）
ソ	貧血（Hb6.0 g/dL未満）
タ	血液凝固能低下（PT-INR2.0以上）
チ	DICの患者
ツ	血小板減少（血小板5万/uL未満）
テ	敗血症（SIRSを伴うもの）
ト	ショック状態（収縮期血圧90 mmHg未満）
ナ	完全脊髄損傷（第5胸椎より高位のもの）
ニ	心肺補助を行っている患者
ヌ	人工呼吸を行っている患者
ネ	透析を行っている患者
ノ	大動脈内バルーンパンピングを行っている患者
ハ	BMI35以上

平成28年度診療報酬点数より作成

第8章

略語集（麻酔科で頻出する術名術式を含む）

● A ●

AAA	abdominal aortic aneurysm	腹部大動脈瘤
AC bypass	aorto-coronary bypass	大動脈－冠動脈バイパス術
ACLS	advanced cardiac life support	二次救命処置
ACT	activated clotting (coagulation) time	活性凝固時間
ACTH	adrenocorticotropic hormone	副腎皮質刺激ホルモン
ADH	antidiuretic hormone	抗利尿ホルモン
ADL	activities of daily living	日常生活能/日常生活活動性
Af	atrial fibrillation	心房細動
AHA	American Heart Association	米国心臓学会
AI	aortic insufficiency	大動脈弁閉鎖不全
AID	automatic implantable defibrillator	植え込み型自動除細動器
AIDS	acquired immunodeficiency syndrome	後天性免疫不全症候群/エイズ
AKBR	arterial ketone body ratio	動脈血中ケトン体比
Alb	albumin	アルブミン
ALP	alkaline phosphatase	アルカリホスファターゼ
ALS	advanced life support	二次救命処置
ALT	alanine aminotransferase	アラニンアミノトランスフェラーゼ
AMI	acute myocardial infarction	急性心筋梗塞
ANP	atrial natriuretic peptide	心房性ナトリウム利尿ペプチド
AP	angina pectoris	狭心症
APC	atrial premature contraction	心房性期外収縮
APTT	activated partial thromboplastin time	活性化部分トロンボプラスチン時間
AR	aortic regurgitation	大動脈弁閉鎖不全
ARB	angiotensin Ⅱ receptor blocker	アンジオテンシンⅡ受容体拮抗薬
ARDS	acute respiratory distress syndrome	急性呼吸促迫症候群
ARF	acute renal failure	急性腎不全
AS	aortic stenosis	大動脈弁狭窄
ASA	American Society of Anesthesiologists	米国麻酔学会
ASD	atrial septal defect	心房中隔欠損
ASO	arteriosclerosis obliterans	閉塞性動脈硬化症
ASR	aortic stenosis and regurgitation	大動脈弁狭窄・閉鎖不全
AST	aspartate aminotransferase	アスパラギン酸アミノトランスフェラーゼ

A&T	adenoidectomy & tonsillectomy	アデノイド切除・扁桃摘出
AT	transabdominal hysterectomy	腹式子宮全摘術
AT-Ⅲ	antithrombin Ⅲ	アンチトロンビンⅢ
ATL	adult T-cell leukemia	成人T細胞白血病
AVM	arteriovenous malformation	動静脈奇形
AVR	aortic valve replacement	大動脈弁置換術

● **B** ●

BBB	blood brain barrier	血液脳関門
BE	base excess	塩基過剰
BiPAP	biphasic positive airway pressure	二相性陽圧呼吸
BLS	basic life support	一次救命処置
BMI	body mass index	体型指数/肥満指数
BMS	bare metal stent	ベアメタルステント
BMT	bone marrow transplantation	骨髄移植
BP	blood pressure	血圧
BPH	benign prostatic hypertrophy	前立腺肥大症
BSA	body surface area	体表面積
BSO	bilateral salpingo-oophorectomy	両側付属器摘出術
BUN	blood urea nitrogen	血中尿素窒素

● **C** ●

C/S	cesarean section	帝王切開術
CABG	coronary artery bypass graft	冠動脈バイパス術
CAG	cerebral angiography	脳血管造影
CAG	coronary angiography	冠血管造影
CaO_2	arterial oxygen content	動脈血酸素含有量
CAPD	continuous ambulatory peritoneal dialysis	持続性自己管理腹膜透析
CARS	compensatory anti-inflammatory response syndrome	代償性抗炎症反応症候群
CAVH	continuous arteriovenous hemofiltration	持続性動静脈血液濾過
CBC	complete blood count	全血球算/末梢血球算定
CBF	cerebral blood flow	脳血流
CCM	critical care medicine	救急医学
CCO	continuous cardiac output	連続心拍出量
Ccr	creatinine clearance	クレアチニンクリアランス
CCU	coronary care unit	冠疾患集中治療室
CEA	carotid endarterectomy	内頸動脈内膜剥離術
CHDF	continuous hemodiafiltration	持続的血液濾過透析
ChE	cholinesterase	コリンエステラーゼ
CHF	congestive heart failure	うっ血性心不全
CHS	compression hip screw	大腿骨頸部固定術

CI	cardiac index	心係数
CIS	carcinoma in situ	上皮内癌
CLBBB	complete left bundle branch block	完全左脚ブロック
CNS	central nervous system	中枢神経系
CO	cardiac output	心拍出量
COPA	cuffed oropharyngeal airway	カフ付口咽頭エアウェイ
COPD	chronic obstructive pulmonary disease	慢性閉塞性肺疾患
CP	cerebral palsy	脳性麻痺
CPA	cardiopulmonary arrest	心肺停止
CPAOA	cardiopulmonary arrest on arrival	来院時心肺停止
CPAP	continuous positive airway pressure	持続気道陽圧
CPB	cardiopulmonary bypass	人工心肺
CPD	cephalopelvic disproportion	児頭骨盤不均衡
CPP	cerebral perfusion pressure	脳灌流圧
CPPV	continuous positive pressure ventilation	持続陽圧換気
CPR	cardiopulmonary resuscitation	心肺蘇生
CRBBB	complete right bundle branch block	完全右脚ブロック
CRF	chronic renal failure	慢性腎不全
CRP	C-reactive protein	C反応性タンパク
CRPS	complex regional pain syndrome	複合性局所疼痛症候群
CS	cesarean section	帝王切開
CSEA	combined spinal-epidural anesthesia	脊髄くも膜下硬膜外併用麻酔／脊硬麻
CSF	cerebrospinal fluid	脳脊髄液／髄液
CTR	cardiothoracic ratio	心胸郭比
CV	closing volume	クロージングボリューム
CVA	cerebral vascular accident	脳血管発作
CVP	central venous pressure	中心静脈圧

● D ●

D&C	dilatation & curettage	子宮内容除去術
DCM	dilated cardiomyopathy	拡張型心筋症
DES	drug eluting stent	薬剤溶出性ステント
DIC	disseminated intravascular coagulation	播種性血管内凝固／汎発性血管内凝固
DOA	dopamine	ドパミン
DOAC	direct oral anticoagulant	直接経口抗凝固薬
DOB	dobutamine	ドブタミン
DSA	digital subtraction angiography	減算血管撮影／ディジタルサブストラクション血管造影
DVT	deep vein thrombosis	深部静脈血栓症

● E ●

EBM	evidence-based medicine	実証医学

ECC	extracorporeal circulation	体外循環
ECD	endocardial cushion defect	心内膜床欠損
ECF	extracellular fluid	細胞外液
ECG	electrocardiogram	心電図
ECLA	extracorporeal lung assist	体外式肺補助
ECMO	extracorporeal membrane oxygenator	体外膜型肺／膜型人工肺
ECT	electroconvulsive therapy	電気痙攣療法
ED	elemental diet	成分栄養
ED	emergency department	救急部
ED	erectile dysfunction	勃起障害
EEG	electroencephalogram	脳波
EF	ejection fraction	駆出率
EMG	electromyogram	筋電図
Epi	epidural anesthesia	硬膜外麻酔
Epi	epinephrine	エピネフリン
ER	emergency room	救急治療室
ESS	endoscopic sinus surgery	内視鏡副鼻腔手術
ESWL	extracorporeal shock wave lithotripsy	体外衝撃波砕石術
$EtCO_2$	end-tidal partial pressure of carbon dioxide	呼気二酸化炭素分圧

● **F** ●

FBS	fasting blood sugar	空腹時血糖
FDP	fibrin degradation product	フィブリン分解物／線維素分解物
FEV1.0	forced expiratory volume in one second	1秒量
FEV1.0%	forced expiratory volume % in one second	1秒率
FFP	fresh frozen plasma	新鮮凍結血漿
FGF	fresh gas flow	酸素流量と空気（笑気）流量の和
FiO_2	fraction of inspiratory oxygen	吸入酸素濃度／吸入酸素分画
FRC	functional residual capacity	機能的残気量
FRS	face rating scale	フェーススケール
FS	fractional shortening	短縮率
FVC	forced vital capacity	努力肺活量

● **G** ●

GA	general anesthesia	全身麻酔
GCS	Glasgow coma scale	グラスゴー（Glasgow）昏睡尺度／グラスゴー（Glasgow）昏睡スケール
GIFT	gamete intrafallopian transfer	配偶子卵管内移植術
GVHD	graft-versus-host disease	移植片対宿主病

H

HAV	hepatitis A virus	A型肝炎ウイルス
HB	hepatitis B	B型肝炎
HbCO	carboxyhemoglobin	一酸化炭素ヘモグロビン
HbF	fetal hemoglobin	胎児ヘモグロビン
HBV	hepatitis B virus	B型肝炎ウイルス
HC	hepatic cirrhosis	肝硬変
HCM	hypertrophic cardiomyopathy	肥大型心筋症
HD	hemodialysis	血液透析
HES	hydroxyethyl starch	ヒドロキシエチルデンプン
HFJV	high-frequency jet ventilation	高頻度ジェット換気
HFO	high-frequency oscillation	高頻度振動
HHD	hypertensive heart disease	高血圧性心疾患
HIV	human immunodeficiency virus	ヒト免疫不全ウイルス/エイズウイルス
HME	heat moisture exchanger	人工鼻/温湿交換器
HOCM	hypertrophic obstructive cardiomyopathy	閉塞性肥大型心筋症
HOT	home oxygen therapy	在宅酸素療法
HPV	hypoxic pulmonary vasoconstriction	低酸素性肺血管収縮
HR	heart rate	心拍数
HUS	hemolytic-uremic syndrome	溶血性尿毒症症候群

I

IABP	intraaortic balloon pumping	大動脈バルーンパンピング
IC	informed consent	説明と同意を得ること
ICD	implantable cardioverter-defibrillator	植え込み型除細動器
ICF	intracellular fluid	細胞内液
ICG	indocyanine green	インドシアニングリーン
ICP	intracranial pressure	頭蓋内圧
ICU	intensive care unit	集中治療室
ID	inner diameter, inside diameter	内径
IHD	ischemic heart disease	虚血性心疾患
IHSS	idiopathic hypertrophic subaortic stenosis	特発性肥厚性大動脈弁下狭窄
ILBBB	incomplete left bundle branch block	不全左脚ブロック
IMV	intermittent mandatory ventilation	間欠的強制換気
INR	international normalized ratio	国際標準化プロトロンビン比
IOP	intraocular pressure	眼圧
IPPV	intermittent positive pressure ventilation	間欠的陽圧換気
IRBBB	incomplete right bundle branch block	不全右脚ブロック

IRDS	infantile respiratory distress syndrome	新生児呼吸促迫症候群
ITP	idiopathic thrombocytopenic purpura	特発性血小板減少性紫斑病
IUFD	intrauterine fetal death	子宮内胎児死亡
IUGR	intrauterine growth retardation	子宮内胎児発育遅延
IVH	intravenous hyperalimentation	高カロリー輸液

● J ●

JCS	Japan coma scale	日本式昏睡尺度/日本式昏睡スケール

● L ●

LAD	left axis deviation	左軸偏位
LBBB	left bundle branch block	左脚ブロック
LC	liver cirrhosis	肝硬変
LCA	left coronary artery	左冠状動脈
LCC	luxatio coxae congenita	先天性股関節脱臼
LDH	lactase dehydrogenase	乳酸デヒドロゲナーゼ
LMA	laryngeal mask airway	ラリンジアルマスク
LMT	left main trunk	左主幹部動脈
LOC	loss of consciousness	意識消失
LOS	low cardiac output syndrome	低心拍出量症候群
LVEDD	left ventricle end-diastolic dimension	左室拡張終期径
LVEDP	left ventricular end-diastolic pressure	左室拡張終期圧
LVH	left ventricular hypertrophy	左室肥大

● M ●

MAC	minimum alveolar concentration	最小肺胞濃度
MAC	monitored anesthesia care	監視下鎮静管理
MAOI	monoamine oxidase inhibitor	モノアミン酸化酵素阻害薬/MAO阻害薬
MAP	mean airway pressure	平均気道圧
MAP	mean arterial pressure	平均動脈圧
MDF	myocardial depressant factor	心筋抑制因子
MG	myasthenia gravis	重症筋無力症
MH	malignant hyperthermia	悪性高熱症
MI	mitral insufficiency	僧帽弁閉鎖不全
MI	myocardial infarction	心筋梗塞
MIDCAB	minimally invasive direct coronary artery bypass surgery	最小限侵襲直接冠動脈バイパス術
MOF	multiple organ failure	多臓器不全
MR	mitral regurgitation	僧帽弁閉鎖不全
MR	mental retardation	精神発達遅滞
MRSA	methicillin-resistant Staphylococcus aureus	メチシリン耐性黄色ブドウ球菌

MS	mitral stenosis	僧帽弁狭窄
MSBOS	maximum surgical blood order schedule	最大手術血液準備量
MSR	mitral stenosis and regurgitation	僧帽弁狭窄兼閉鎖不全
MSSA	methicillin-sensitive Staphylococcus aureus	メチシリン感受性黄色ブドウ球菌
MV	minute ventilation（volume）	分時換気量
MVR	mitral valve replacement	僧帽弁置換術

● N ●

N&V	nausea and vomiting	悪心・嘔吐
NIBP	non-invasive blood pressure	非観血的血圧測定
NICU	neonatal intensive care unit	新生児集中治療室
NIDDM	noninsulin-dependent diabetes mellitus	インスリン非依存性糖尿病
NLA	neuroleptanesthesia	ニューロレプト麻酔／神経遮断麻酔
NO	nitric oxide	一酸化窒素
NOAC	new/novel oral anticoagulants	新規経口抗凝固薬
NPO	nothing per os	絶飲食
NSAIDs	nonsteroidal anti-inflammatory drugs	非ステロイド性抗炎症薬
NSR	normal sinus rhythm	正常洞調律
NYHA	New York Heart Association	ニューヨーク心臓協会

● O ●

OD	outer diameter, outside diameter	外径
OGTT	oral glucose tolerance test	経口ブドウ糖負荷試験
OMC	open mitral commissurotomy	直視下僧帽弁交連切開術
OMI	old myocardial infarction	陳旧性心筋梗塞
OPCAB	off-pump coronary artery bypass	心拍動下冠動脈バイパス術
OPLL	ossification of posterior longitudinal ligament	後縦靭帯骨化症
OR	operating room	手術室
ORIF	open reduction and internal fixation	観血的整復固定術

● P ●

PAC	premature atrial contraction	心房性期外収縮
PAC	pulmonary artery catheter	肺動脈カテーテル
PACU	post anesthetic care unit	術後回復室
PAF	paroxysmal ayrial fibrillation	発作性心房細動
PaO$_2$	arterial oxygen tension	動脈血酸素分圧
PAP	pulmonary arterial pressure	肺動脈圧
PAT	paroxysmal atrial tachycardia	発作性心房性頻拍

Paw	airway pressure	気道内圧
PAWP	pulmonary artery wedge pressure	肺動脈楔入圧/肺毛細管楔入圧
PCA	patient controlled analgesia	自己調節鎮痛/自己疼痛管理
PCEA	patient controlled epidural analgesia	自己調節硬膜外鎮痛
PCPS	percutaneous cardiopulmonary support	経皮的心肺補助
PCWP	pulmonary capillary wedge pressure	肺動脈楔入圧/肺毛細管楔入圧
PD	pancreaticoduodenectomy	膵十二指腸切除術
PD	peritoneal dialysis	腹膜透析
PDA	patent ductus arteriosus	動脈管開存症
PDPH	post dural puncture headache	硬膜穿刺後頭痛/脊麻後頭痛
PE	plasma exchange	血漿交換
PE	pulmonary embolism	肺塞栓
PEEP	positive end-expiratory pressure	呼気終末陽圧
PH	pulmonary hypertension	肺高血圧
PHN	postherpetic neuralgia	帯状疱疹後神経痛
PI	pulmonary insufficiency	肺動脈弁閉鎖不全
PIP	peak inspiratory pressure	最高気道内圧
PMI	perioperative myocardial infarction	周術期心筋梗塞
P.O.	per os	経口
POMR	problem-oriented-medical record	問題指向型診療記録
PONV	post operative nausea and vomiting	術後悪心・嘔吐
POS	problem-oriented system	問題指向型システム
PpPD	Pylorus-preserving pancreatoduodenectomy	幽門輪温存膵頭十二指腸切除術
PPF	plasma protein fraction	加熱ヒト血漿タンパク
PPHN	primary pulmonary hypertension of neonates	新生児肺高血圧症
PRIS	propofol infusion syndrome	プロポフォール注入症候群
PSVT	paroxysmal supraventricular tachycardia	発作性上室性頻拍
PT	physical therapist	理学療法士
PT	prothrombin time	プロトロンビン時間
PTC	post tetanic count	
PTCA	percutaneous transluminal coronary angioplasty	経皮経管的冠動脈形成術
PTCD	percutaneous transhepatic cholangio drainage	経皮経肝胆道ドレナージ術
PTCR	percutaneous transluminal coronary recanalization	経皮経管的冠動脈再開通術
PVC	premature ventricular contraction	心室性期外収縮
PVR	pulmonary vascular resistance	肺血管抵抗

Q

QOL	quality of life	生活の質/生命の質

R

RA	rheumatoid arthritis	関節リウマチ
RAD	right axis deviation	右軸偏位
RAP	right atrial pressure	右房圧
RBC	red blood cell count	赤血球数
RBF	renal blood flow	腎血流
RIND	reversible ischemic neurologic disability	可逆性虚血性神経障害/回復性虚血性神経障害
ROM	range of motion	可動域
RPP	Rate Pressure Product	二重積(心拍数×収縮期血圧)
RPS	Retro-Pharyngeal Space	後咽頭腔
RR	respiratory rate	呼吸数
RR	recovery room	回復室/リカバリ室
RSD	reflex sympathetic dystrophy	反射性交感神経性ジストロフィ/反射性交感神経性異栄養症
RSI	rapid sequence induction	迅速導入

S

SAD	supraglottic airway device	声門上器具
SAH	subarachnoid hemorrhage	くも膜下出血
SaO_2	oxygen saturation of arterial blood	酸素飽和度
SAS	sleep apnea syndrome	睡眠時無呼吸症候群
SBP	systolic blood pressure	収縮期血圧
SDH	subdural hematoma	硬膜下血腫
SEP	somatosensory evoked potential	体性感覚誘発電位
SGA	supraglottic airway	声門上器具
SIADH	syndrome of inappropriate secretion antidiuretic hormone	抗利尿ホルモン分泌異常症候群/ADH分泌異常症候群
SIDS	sudden infant death syndrome	乳児突然死症候群
SIMV	synchronized intermittent mandatory ventilation	同期式間欠的強制換気
SIRS	systemic inflammatory response syndrome	全身性炎症反応症候群
SjO_2	oxygen saturation of jugular vein	内頸静脈酸素飽和度
SLE	systemic lupus erythematosus	全身性エリテマトーデス/全身性紅斑性狼瘡
SLO	second look operation	セカンドルックオペレーション
SpO_2	oxygen saturation of peripheral artery	末梢動脈血酸素飽和度
SSS	sick sinus syndrome	洞不全症候群
SSSS	staphylococcal scalded skin syndrome	ブドウ球菌性熱傷様皮膚症候群
SV	stroke volume	一回拍出量
SvO_2	mixed venous oxygen saturation	混合静脈血酸素飽和度

SVR	systemic vascular resistance	体血管抵抗

● T ●

T&A	tonsillectomy and adenoidectomy	扁桃摘出およびアデノイド切除術
T/F	tetralogy of Fallot	ファロー（Fallot）四徴症
TAA	thoracic aortic aneurysm	胸部大動脈瘤
TAE	transcatheter arterial embolization	経カテーテル動脈塞栓術
TAPVC	total anomalous pulmonary venous connection	総肺静脈還流異常／全肺静脈還流異常
TCI	target controlled infusion	標の濃度調節持続静注
TEE	transesophageal echocardiography	経食道心エコー法
THA	total hip arthroplasty	股関節全置換術
THR	total hip replacement	股関節全置換術
TIA	transient ischemic attack	一過性脳虚血発作
TIVA	total intra venous anesthesia	全静脈麻酔
TKA	total knee arthroplasty	膝関節全置換術
TKR	total knee replacement	膝関節全置換術
TOF	tetralogy of Fallot	ファロー（Fallot）四徴症
TOFR	train of four ratio	四連反応比／TOF比
TP	total protein	総タンパク
TPN	total parenteral nutrition	完全静脈栄養
TUR-Bt	transurethral resection of bladder tumor	経尿道的膀胱腫瘍切除術
TUR-P	transurethral resection of prostate	経尿道的前立腺切除術
TV	tidal volume	一回換気量

● U ●

UCG	ultrasonic cardiography	心臓超音波検査
UPPP	uvulopalatopharyngoplasty	口蓋垂口蓋咽頭形成術

● V ●

V/Q	ventilation-perfusion ratio	換気血流比
VAD	ventricular assist device	心室補助人工心臓／心室補助装置
VAS	visual analogue scale	視覚的評価尺度／視覚的アナログ尺度
VAS	ventricular assisting system	心室補助装置
VATS	video assisted thoracic surgery	胸腔鏡補助手術
VC	vital capacity	肺活量
VD/VT	ratio of dead space to tidal volume	死腔換気率
VF	ventricular fibrillation	心室細動
VIMA	volatile induction and maintenance of anesthesia	揮発性麻酔薬による導入と維持

VPC	ventricular premature contraction	心室性期外収縮
V-P shunt	ventriculo-peritoneal shunt	脳室-腹腔内シャント術
VQ ratio	ventilation-perfusion ratio	換気血流比
VRS	verbal rating scale	口頭式評価尺度
VSD	ventricular septal defect	心室中隔欠損
VT	tidal volume	一回換気量
VT	ventricular tachycardia	心室頻拍
VT	trans-vaginal hysterectomy	膣式子宮全摘術
VUR	vesicoureteral reflux	膀胱尿管逆流

● W ●

WBC	white blood cell count	白血球数

文 献

1) Mallampati, S.R., et al : A clinical sign to predict difficult tracheal intubation: a prospective study. Can Anaesth Soc J, 32（4）: 429-434, 1985
2) 松下芙佐子 他：気道確保困難な症例．麻酔，25（6）：539-546，1976
3) Vaughan, R. S. : Difficulties in tracheal intubation. second edition（Latto, I. P. & Vaughan, R. S. eds.）．pp79-87, Bailliere Tindall, 1997
4) 星野啓一：動脈血ガス分析．「必修化対応 臨床研修マニュアル」（畑尾正彦／監，白浜雅司 他／編），p.96，羊土社，2003
5) 水嶋章郎，里吉光子：かぜスコアによる乳幼児かぜ症候群の評価．臨床麻酔，1：28，1989
6) 広田弘毅，山崎光章，横山浩一：質疑応答「全身麻酔前にハーブ療法を中止するかどうか」．臨床麻酔，25：674-675，2001
7) 丸山和紀：麻酔器の保守管理．Clinical Engineering, 13（11）：1031，2002
8) 高崎真弓：「イラスト麻酔科 第2版」，文光堂，2003
9) 小栗顕二：「麻酔の研修ハンドブック 改訂第3版」，pp.122-125，金芳堂，1999
10) Hayashi, R., Kawamoto, M., Moriwaki, K., et al.：Cardiac arrest mesentric manipulation in a patient undergoing abdominal surgery. Anesth Analg, 84：1382-1383, 1997
11) 小川節郎：「麻酔科学スタンダードⅠ」，p.112，克誠堂出版，2003
12) 瀬川良雄：麻酔モニタリング機器：呼吸系．「ゼロからはじめる麻酔＆看護トレーニング」，pp.70-76，メディカ出版，2006
13) 「イラストでわかる麻酔科必須テクニック改訂版」（土肥修司／編），羊土社，2011
14) Hahn, R.T., et al : Guidelines for Performing a Comprehensive Transesophageal Echocardiographic Examination: Recommendations from the American Society of Echocardiography and the Society of Cardiovascular Anesthesiologists J Am Soc Echocardiogr, 26：921-964, 2013
15) 齊藤洋司：硬膜外麻酔．「標準麻酔科学（第4版）」（熊澤光生 他／編），医学書院，2002
16) 長田理 他：抗けいれん薬を長期内服しているてんかん患者ではベクロニウムの作用時間が短縮する．日本麻酔・薬理学会誌，9（2）：90-92，1996
17) 岡田俊樹：呼吸器外科手術の麻酔．「ゼロからはじめる麻酔＆看護トレーニング」，pp.208-215，メディカ出版，2006
18) Apgar, V. : A proposal for a new method of evaluation of the newborn infant. Curr Res Anesth Analg, 32：260-267, 1953
19) 肥川義雄：緊急手術の麻酔．レジデントノート，5（7）：102，2003
20) 「改訂第6版 外傷初期診療ガイドライン JATEC」（一般社団法人日本外傷学会，一般社団法人日本救急医学会／監，日本外傷学会外傷初期診療ガイドライン改訂第6版編集委員会／編，へるす出版，2021
21) Whaley, L. & Wong, D. : Nursing Care of Infants and Children. ed 3. p.1070, 1987
22) 西尾剛毅：「外科レジデントデータブック」，医学書院，1993
23) 玉井徹 他：肝細胞癌の治療方針．コンセンサス癌治療，2（3）：134-138，2003
24) Zahid, H. K. et al. : A Comparison of the Upper Lip Bite Test (a Simple New Technique) with Modified Mallampati Classification in Predicting

Difficulty in Endotracheal Intubation: A Prospective Blinded Study. Anesth Analg, 96：595-599, 2003
25) Glass, P. et al.：Miller's Anesthesia 7th edition, p.827, 2009
26) Apfelbaum, J.L., et al.：2022 American Society of Anesthesiologists Practice Guidelines for Management of the Difficult Airway. Anesthesiology, 136：31-81, 2022
27) White PF, Song D. New criteria for fast-tracking after outpatient anesthesia: A comparison with the modified Aldrete's scoring system. Anesth Analg, 88：1069-1072, 1999
28) 山中寛男ら：BISモニターの原理と限界．LiSA 12 (11)：1168-1176, 2005
29) Apfel C. C., et al.：Comparison of predictive models for postoperative nausea and vomiting. BJA, 88：234-240, 2002
30) 高崎眞弓：『『こだわり』の局所麻酔』，メディカル・サイエンス・インターナショナル，2002
31) Gawande, A. A. et al.：An Apgar Score for Surgery. J Am Coll Surg, 204 (2)：201-208, 2007
32) 「これを知れば呼吸器の診断が楽になる」（周東寛／著），丸善，2004
33) 「JAID/JSC感染症治療ガイド2011」（JAID/JSC感染症治療ガイド委員会／編，日本感染症学会，日本化学療法学会／発行），ライフサイエンス出版，2012
34) 日本循環器学会：循環器病の診断と治療に関するガイドライン（2008年度合同研究班報告）「肺血栓塞栓症および深部静脈血栓症の診断，治療，予防に関するガイドライン（2009年改訂版）」
35) 鈴木昭広：新しい気道確保器具エアウェイスコープ®とエアトラック®．日本臨床麻酔学会誌，28 (2)：310-318, 2008
36) Suzuki, A., Katsumi, N., Honda, T., et al.：Displacement of the epiglottis during intubation with the Pentax-AWS Airway Scope. J. Anesth., 24 (1)：124-127, 2010
37) 讃岐美智義：ファイバースコープ挿管-30秒で入れる- 「麻酔・救急・集中治療専門医のわざ」，真興交易，pp.29-33, 2000
38) 「新・院内感染予防対策ハンドブック」．（国立病院機構大坂医療センター感染対策委員会，ICHG研究会／編），南江堂，2006
39) 「病院感染防止指針第2版」．（日本環境感染学会／編），南山堂，1995
40) 「院内感染防止対策Q&A 200」．（高橋成輔／監），医歯薬出版，2001
41) 「新病棟必携心臓血管外科ハンドブック」（末田泰二郎 他／著），南江堂，2012
42) MOANS https://www.jems.com/patient-care/airway-respiratory/prehospital-management-of-difficult-airways/
43) Delilkan, A. E.：Prediction of ditticult tracheal intubation.Br J Anaesth, 74：243, 1995
44) 香川哲郎：小児の麻酔・手術は罹患後何日とすべきか．臨床麻酔，26：1565-1567, 2002
45) van der Walt, J. H., Roberton, D. M.：Anaesthesia and recently vaccinated children. Paediatric Anaesthesia, 6：135-141, 1996
46) 「公益社団法人日本麻酔科学会 術前絶飲食ガイドライン」（2012年7月12日）https://anesth.or.jp/files/pdf/kangae2.pdf
47) Smith, I., et al.：European Society of Anaesthesiology：Perioperative fasting in adults and children：guidelines from the European Society of Anaesthesiology. Eur J Anaesth, 28(8)：556-569, 2011

48) American Society of Anesthesiologists Committee : Practice guidelines for preoperative fasting and the use of pharmacologic agents to reduce the risk of pulmonary aspiration : application to healthy patients undergoing elective procedures : an updated report by the American Society of Anesthesiologists Committee on Standards and Practice Parameters. Anesthesiology, 114(3) : 495-511, 2011

49) 「やさしくわかる！麻酔科研修」(讃岐美智義／著), 学研メディカル秀潤社, 2015

50) American Society of Anesthesiologists Task Force on Sedation and Analgesia by Non-Anesthesiologists. : Practice guidelines for sedation and analgesia by non-anesthesiologists. Anesthesiology, 96 : 1004-1017, 2002

51) 「Dr. 讃岐流気管挿管トレーニング」(讃岐美智義／著), 学研メディカル秀潤社, 2013

52) Lerou, J. G. C. : Nomogram to estimate age-related MAC. BJA, 93 : 288-291, 2004

53) http://merckmanual.jp/mmpej/sec06/ch064/ch064c.html

54) Kam, P.C., Cardone, D. : Propofol infusion syndrome. Anaesthesia, 62 : 690-701, 2007

55) 岡崎薫：Propofol infusion syndrome. 臨床麻酔, 33：329-348, 2009

56) Biais, M., et al. : Case scenario : respiratory variations in arterial pressure for guiding fluid management in mechanically ventilated patients. Anesthesiology, 116 (6) : 1354-1361, 2012

57) 日本循環器学会：循環器病の診断と診療に関するガイドライン（2011年度合同研究班報告）「肺高血圧症治療ガイドライン（2012年改訂版）」http://www.j-circ.or.jp/guideline/pdf/JCS2012_nakanishi_h.pdf

58) Kodali BS, et al. : Capnography Outside the Operating Rooms. Anesthesiology, 118 (1) : 192-201, 2013

59) 「COPD（慢性閉塞性肺疾患）診断と治療のためのガイドライン2018［第5版］」(日本呼吸器学会COPDガイドライン第5版作成委員会 編), 一般社団法人日本呼吸器学会, 2018

60) 「外傷初期診療ガイドラインJATEC」(日本外傷学会・日本救急医学会／監, 日本外傷学会外傷研修コース開発委員会／編), へるす出版, 2002

61) 森本康裕：さまざまな末梢神経ブロックを知ろう.「特集 イラスト・マンガでわかる！ ねころんで読める局所麻酔」. オペナーシング 2017年7月号, pp.96-97. メディカ出版

62) For surgeons and surgical teams treating patients during COVID-19 − endorsement of the Academy statement. 22 January 2021 https://www.rcseng.ac.uk/coronavirus/vaccinated-patients-guidance/

63) 星拓男：オキシマスク™及び単純顔マスクによる酸素投与時の吸入酸素分画及び二酸化炭素分圧. 日集中医誌, 20：643-644, 2013

64) 小竹良文 他：筋弛緩モニタリングの変遷と種類. 日臨麻会誌, 36：57-62, 2016

65) Sessler, D. I. : Perioperative heat balance. Anesthesiology, 92 (2) : 578-596, 2000

66) 日本麻酔科学会：局所麻酔薬中毒への対応プラクティカルガイド https://anesth.or.jp/files/pdf/practical_localanesthesia.pdf

67) 日本版敗血症診療ガイドライン 2016 作成特別委員会：日本版敗血症診療ガイドライン
https://www.jsicm.org/pdf/jjsicm24Suppl2-2.pdf
68) Vincent JL, Moreno R, Takala J et al. Working Group on Sepsis-Related Problems of the European Society of Intensive Care Medicine. The SOFA (Sepsis-related Organ Failure Assessment) score to describe organ dysfunction/failure. Intensive Care Med 1996；22：707-710.
69) Singer M, et al：The third international consensus definitions for sepsis and septic shock（sepsis-3）. JAMA, 315：801-810, 2016
70) Nimmagadda,U., et al：Preoxygenation with Tidal Volume and Deep Breathing Techniques：The Impact of Duration of Breathing and Fresh Gas Flow. Anesthesia & Analgesia, 92（5）：1337-1341, 2001
71) Lodenius, Å., et al.：Transnasal humidified rapid-insufflation ventilatory exchange（THRIVE）vs. facemask breathing pre-oxygenation for rapid sequence induction in adults：a prospective randomised non-blinded clinical trial. Anaesthesia, 73（5）：564-571, 2018

索引

色文字：主要説明箇所

数字

- 1日尿糖 218
- 2,3 DPG 128
- 2％キシロカイン 421
- 2次ガス効果 387
- 2点聴診 290
- II誘導 125
- 3-3-2ルール 44
- 3コンパートメントモデル 392
- 3種の神器 127
- 3点誘導 125
- 4-2-1ルール 171
- 4点聴診 290
- 5 K 295
- 5点聴診 290
- 5点誘導 125
- 50 Hzテタヌス刺激 101

欧文

A

- $α_2$-アドレナリン受容体作動薬 394
- $α_2$受容体刺激作用 394
- $α$作用 408
- ABR 241
- ACE阻害薬 66
- ACLS 259, 290
- Activity 237
- ACT測定 64
- AIDS 189
- Air 69
- Alb 222
- ALP 222
- ALT 221
- Ambu 277, 278
- amnesia 83, 88
- AMPLEヒストリー 34
- analgesia 83, 88
- AOD 69
- APGARスコア 237
- APL弁 80
- Appearance 237
- APTT 185, 227
- ARB 66
- AS 416
- ASA 48
- ASAクラス分類 48, 53
- ASE/SCAガイドライン 140
- aspiration 81
- AST 221
- ATL 189
- awake intubation 85
- a波 136

B

- $β$作用 408
- $β$遮断薬 66
- BIS 142
- BIS値 142
- BISモニター 120, 141, 195, 392
- BMI 39, 225
- Broca指数 39
- Bromageスケール 106
- bronchoscopy 81
- Brugada型心電図 389
- BSR 144, 145
- BURP法 289
- B型肝炎ウイルス 322

C

- C_3F_8 253
- $CaCl_2$ 178
- CaO_2 183
- CCO 95, 137
- Ccr 222
- CHDF 234
- ChE 222
- Child-Pugh分類 222, 223
- CO 95
- CO_2 92
- CO_2ガス 236
- CO_2呼出曲線 131
- CO_2塞栓 236
- CO_2濃度 131
- CO_2分圧 127
- CO_2モニター 290
- Confirmation 297
- COPD 34, 51, 107, 217
- Cormack分類 289
- coved型ST上昇 389
- COVID-19 54
- CPP 240
- CT 196, 244
- cuff 81
- cushing現象 261, 262
- CV 226
- CVP 95, 96, 135, 173, 181, 228, 230
- C型肝炎ウイルス 322
- c波 136

D

- Delilkanサイン 42, 44
- dicrotic notch 124
- DOAC 65
- dp/dt 124

E

- ECG 190
- EEG 142
- EL-3号 177

Elevation	297
EMG	142
Epidural-TIVA	69
$EtCO_2$	30, 95, 101, 127, 131, 192, 209
$EtCO_2$ 低下	251
EVM	243
E入り	254

F

Fasciculation	401
FFP	184
FGF	98
FiO_2	133
FRC	158, 226
FRC減少	236
frequency	98
FRS	269

G

γの計算法	409
GCS	238, 239, 243, 261
GI療法	178, 199
GOS	69
Grimace	237
GVHD	189

H

H_2ブロッカー	63
HbA1c	51
HBIG	322
HBs抗原抗体検査	322
HBV	322
HCV	322
HIV	322
HOCM	410, 413, 416
HPV	246, 272
Hugh-Jones	40
Hugh-Jones分類	38, 244

Hunt&Kosnik	242

I

ICG試験	222
ICU	107, 224
I:E比	93, 98
IFN	322
i-gel	311, 315, 316
Infusion	181, 262
INR	185
Insertion	297
Intubation	297

J・K

JCS	238, 239, 242, 261
KCL	178
Killip分類	48
kPa	135
K-Yゼリー	74, 75, 138, 311, 379, 380, 381

L

LDH	222
LEMONの法則	43
liver damage	222, 223
LMA ProSeal™	311
L-アスパラギン酸カリウム	178
Lジョイント	75, 80

M

MAC	111, 384
Magill(マギール)鉗子	381
Mallampati分類	41, 42
MAO阻害薬	65
McGRATH™ MAC	291, 292
MEP	241
METs	38, 40
minute volume	98

mmHg	135
mMRC息切れスケール	38, 40
MOANS	43
Modified Aldreteスコア	105
MS	416
MSBOS	187
muscle relaxation	83, 88

N

N_2O	387, 388
NIBP	95
NLA変法	397, 398
NOAC	65
NPO	60
NSAIDs	266, 347
NYHA	38, 40, 215

O・P

O_2運搬能	182
O_2濃度	235, 236
P50	128
$PaCO_2$	100, 127, 239
PACU	24, 102, 107
PaO_2	127, 128, 133, 183
PA圧	95
PCA	224, 231, 265, 267, 268
PCEA	267
PCWP	95
PDA開存	419
PDPH	346, 347
PEEP	98, 135, 226, 235, 236
P/F比	133
PGE1	214
PhaseⅡブロック	401
Physical Status	47
PICCカテーテル	336
PO_2	129

色文字：主要説明箇所

PONV … 59, 103, **206**, 235, 276
PPV … 173
Pregnancy … 34
prevention of reflex … 83, 88
Primary Survey … 260
Prince Henryペインスケール … 265, 269
Pringle法 … 230
PRIS … 389
ProSeal … 316
PSi … 145, 146, 147
PT … 185, 222, 227
PTC … 149
PT-INR … 227
Pulse … 237
Pump … 181, 262
P波 … 125, 126

Q・R

qSOFAスコア … 256
QT延長 … 65
Quincke型 … 346
RA … 35, 51
rapid induction … 85
rapid sequence induction … 85
RASS … 270
Respiration … 237
Rotation … 297
RPP … 215
RSI … 85

S

SaO₂ … 127, 128, 183
SAS … 182
SedLine … 145
SEP … 241
SF6 … 253, 387
sleep apnea … 253

slow induction … 85
sniffing position … 284, 285, 288, 306
SOFAスコア … 256
Spinal … 69
SpO₂ … 30, 91, 92, 95, 101, 115, 127, 128, **129**, 131, 191, 192, 285
SPV … 173
SQI … 142
SR … 142
STAT … 121
ST変化 … 126, 194
Surgical Apger Score … 182
surgical diabetes … 218
SvO₂ … 137
SVV … 173
S字状曲線 … 128
S領域 … 356

T

T1製剤 … 224
TCI … 389
TCIポンプ … 391
TEE … 138
tidal volume … 98
TIVA … 69
TOF … 101, 147, 149
TOF-Cuff筋弛緩モニター … 152
TOFratio … 148
TOF比 … 148
Torr … 135
total flow … 98
Triple Airway Maneuver … 29
Tuohy針 … 357, 359
TUR … 247
TUR-Bt … 247
TUR-P … 247

TUR手術後 … 379
TUR症候群 … 250
Type and Screen … 187

U・V

Upper lip biteテスト … 41
V5 … 125
VAS … 265, 269
%VC … 158
Ventilation … 181, 262
VEP … 241
VIMA … 383
VIP療法 … 181
VRS … 270
v波 … 136

W・Y

wheeze … 118
WHO手術安全チェックリスト … 90
Yアダプタ … 80
Yピース … 80

和文

あ

アーチファクト … 142
悪性高熱症 … 39, 59, 131, **198**, 199
悪性症候群 … 198
握雪感 … 119
アクチット … 177
悪夢 … 399
浅い麻酔 … 117
亜酸化窒素 … 142, 387
亜酸化窒素遮断機構 … 71
アシドーシス … 188, 199, 212, 256
アスパラカリウム … 178
アスピリン … 215

アセチルコリン 400, 402	安静臥床 346, 347	胃洗浄 192
アセトアミノフェン 266	安全 22, 84	イソジン 126, 305, 352
アセリオ 266	アンヒバ坐剤 266	イソゾール 76, 81, 390
アダムストークス症候群 413	アンプラーグ 64	イソプレナリン 413
アダラート 214	アンモニア 222	イソプロテレノール 194
圧覚 345		痛みがない 83, 88
圧トランスデューサー 324	**い**	一処置，一手洗い 321
圧迫 155	胃管 30, 74, 225, 236, 381	イチョウ葉エキス 66
圧モジュール 82	胃管挿入 76, 321, 381	一回換気量
圧ライン 323, 326	息切れ 251	93, 98, 100, 129, 226, 236
アドレナリン 411, 420	息こらえ 208, 209, 253	一回投与 268
アトロピン 63, 76, 82, 193, 194, 198, 203, 211, 229, 252, 345, 350, 402, 412	異型 215	一回拍出量 124, 138
	異型輸血 210	一般肝機能検査 222
	医原性 198	一般尿検査 29
アトワゴリバース 402	胃酸分泌亢進 225	胃内貯留 259
アナフィラキシー 200, 229, 273	胃酸分泌抑制薬 225	胃内容 192
	維持 29, 69, 83, 84, 90	胃内容貯留 219
アナフィラキシーショック 200, 210, 411	意識 101, 104, 195, 361	胃内容物 382
	――が回復 102	イノバン 408, 410, 420
アナペイン 358, 403, 405	――がない 83, 88	いびき 118
アネキセート 394	――の異常 180	イベント 84, 258
アネレム 76, 77, 81, 392	意識下挿管 85, 226, 234, 258, 306	イミプラミン 65
アミオダロン 415		医療ガス配管設備 71
アミトリプチリン 65	意識障害 41, 202, 238, 239, 259, 397	医療記録 30
アミノ酸 222		医療面接 28, 32, 33, 34, 35, 47
アラーム 81	意識消失 47, 349	
アルカリ溶液 408, 410	意識状態 56, 102, 256	医療用ガス 119
アルカローシス 164, 212, 246	意識低下 180	イレウス 51, 173, 228, 230, 259, 387
	意識レベル 91, 103, 238, 261	
アルコール綿 74, 75, 141, 318, 324	意識レベル低下 63, 250, 272, 275	入れ歯 41
		インアウトバランス 173
アルチバ 76, 82, 92, 395	異臭感 200	陰茎 380
アルドステロン 224	維持輸液量 171	咽喉頭痛 59, 272, 274
アルブミン 222	異常血流 138	インサイト-A™ 325
アルブミン製剤 234	異常高血圧 417, 419	インジゴカルミン 250
アレルギー 34, 39, 52, 200	異常構造物 138	インスリン 51, 67, 178, 179, 196, 219
アレンテスト 45, 323, 324	異常興奮 399	
アンカロン 415	異常値 112, 115	インスリン拮抗性 218
アンジオテンシンⅡ受容体拮抗薬 66	異常な反射 90	インターフェロン 322
	移植片対宿主病 189	咽頭 311
鞍上麻酔 356		

色文字：主要説明箇所

咽頭形成術 253
咽頭後壁 314
咽頭反射 311
イントロック 295
インフォームドコンセント 28, 59

う

ヴィーン3G 177
ヴィーンD 177
ヴィーンF 177
ウイルス性 221
ウォームタッチ™ 197
浮き子 80, 98
右脚ブロック 251
右軸偏位 251
右室圧 137
右心不全 115
うっ血 115
うっ血性心不全 228
うっ血乳頭 238
うつ熱 198
右房圧 136, 138, 174
ウロマチック 250
運動機能の評価 106
運動神経 340, 345
運動神経遮断効果 340, 342
運動知覚麻痺 361
運動能力 34, 38, 56, 215
運動麻痺 45

え

エアウェイ 81, 282
エアウェイスコープ 225, 295
エイズウイルス 322
栄養状態 39
腋窩神経ブロック 365
エコープローブ 138
エスモロール 414

エスラックス 77, 82, 399
エチレフリン 408
エパデール 64
エフェドリン 77, 82, 214, 223, 348, 350, 357, 407, 412
エホチール 408
エホバの証人 187
エラスター 330
エラスター針 318, 319, 325, 334
塩化カリウム 178
塩化カルシウム 178, 190
塩化ビニル 418
鉛管現象 396
嚥下 195, 315
嚥下障害 66
塩酸モルヒネ 266, 268
エントロピー 144

お

横隔神経刺激 191
横隔神経ブロック 192
横隔膜 224, 225
黄色靱帯 339, 359
嘔吐 173, 228, 238, 240, 253
横紋筋融解 390
オキシマスク 108
悪心・嘔吐 59, 103, 200, 265, 272, 276, 345, 349, 398
汚染血液 322
オノアクト 413, 420
オパルモン 64
オピオイド拮抗薬 398
オピオイド鎮痛薬 224, 393, 395
オピオイドレセプター 398
温覚 342, 345
温室効果ガス 388
温度差 135

温風式ブランケット 197, 212, 229

か

ガーゼ 74, 75, 281
ガーゼ出血 186
加圧バッグ 76, 289, 304, 323, 324
加圧輸血 189
開眼 101, 117, 195
回換気量 192
外眼筋の牽引 252
開胸術 246
外頸静脈 335
開口 29, 41, 101, 102, 285, 286
開口困難 45
開口障害 51, 303
開口制限 227, 305
回収式自己血輸血 184
外傷 51, 258, 259
外傷患者 212, 259, 261
外傷死 188
外傷手術 262
開始量 421
外側大腿皮神経 369
外側大腿皮神経ブロック 371
外転神経 347
外筒 318
ガイドワイヤー 325, 329, 334
開腹術 94, 172, 212, 228, 229, 236, 264, 276
開放性気胸 263
外用アドレナリン 305
回路内圧 80
回路内空気 326
顔をゆがめる 195
加温 195, 197, 261
加温過剰 198
加温器 76

加温コイル ……………… 76	風邪 ………………… 41, 55	ガムエラスティックブジー
加温ブランケット ……… 197	仮性動脈瘤 ……………… 377	…………………………… 295
下顎挙上 ………… 29, 203, 285	かぜスコア ……………… 55	かゆみ …………………… 265
過換気 …………………… 215	画像診断 ………………… 273	カリウム ………… 219, 221, 228
過換気後 ………… 210, 272, 276	下側四肢の圧迫 ………… 157	過量投与 …………… 89, 209
可逆的 …………………… 64	加速度センサー ………… 148	カルシウム拮抗薬 ……… 418
各科手術 ………………… 228	下大静脈径 ……………… 174	カルチコール …………… 190
拡散性低酸素血症 … 273, 388	片効き …………………… 354	カルテ ………… 33, **34**, 35, 91
各種ブロック …………… 418	カタクロット …………… 64	カルペリチド …………… 419
覚醒 ………… 83, 84, **88**, 90, 239	片肺挿管 ………… 115, 208, 291	カルボカイン …… 358, 403, 404
覚醒時せん妄 …………… 196	肩枕 ……………………… 157	眼圧 ………… 157, 252, 253, 399
覚醒遅延	滑車神経 ………………… 347	眼圧上昇 ………………… 253
………… 131, 134, 195, 219, 229	褐色細胞腫 ……… 198, **210**, 211	肝逸脱酵素 ……………… 56
喀痰 ……………… 208, 209, 244	活動度 …………………… 52	肝うっ滞 ………………… 230
喀痰増加 ………………… 272, 274	合併症	肝炎 ……………………… 189
喀痰の減少 ……………… 41	… 33, 47, 57, 59, 162, **213**, 271	冠拡張薬 ………………… 194
喀痰排泄 ………………… 57, 246	カテーテル …… 122, 138, 227,	眼合併症 ………………… 51
喀痰排泄困難 …………… 272, 274	325, 330, 339, 340, 380	換気 ……………… 113, 163, 244
喀痰排泄促進 …………… 275	カテーテルチップ注射器	――のトラブル ……… 246
拡張期 …………………… 124, 215	…………………… 381, 382	――不十分 …………… 275
拡張期圧	カテコールアミン ……… 409	――不全 ………… 131, 274
……… 120, **121**, 194, 213, 413	カテコラミン …… 218, 262	換気異常 ………………… 164
拡張期血圧 ……… 123, 413	カテラン針 ……………… 334	換気回数 ………… 235, 279
拡張能 …………………… 138	カニュレーション ……… 29	換気困難 ………… 253, 255
過呼吸 …………………… 227	カフ …… 101, 121, 289, 304, 314	肝機能 ……… 35, 51, 221
下肢 ……………………… 317, 320	――圧 ……… 120, 153, 314	肝機能検査 ……… 221, 322
――のうっ血 ………… 158	――注射器 ……… 81, 313	肝機能障害 ………… 65, 221
――の運動神経遮断	――の注入 …………… 92	眼球圧迫 ………… 159, 252
………………………… 345	――幅 ……………… 82, 122	眼球手術 ………………… 276
下肢運動麻痺 …………… 346	――漏れ	眼球心臓反射 …………… 252
下肢挙上 ………… 200, 348	…… 81, 92, 118, 129, 208	換気量 …… 95, **129**, 210, 279
加湿 ……………………… 216	――用注射器	換気量不足 ……………… 209
過剰輸液 ………………… 224	…………… **74**, 283, 303, 311	冠血管拡張 ……………… 1054
過剰輸血 ………………… 188	――量 ……………… 314	冠血管拡張薬 …………… 66
ガス供給 ………………… 71	カフェイン ……………… 347	冠血管収縮 ……………… 215
ガス交換 ………………… 246	下腹部痛 ………………… 247	冠血管攣縮 ……………… 418
ガス塞栓 ………………… 235	下腹部の手術 …………… 236	観血的動脈圧 … 30, 45, 76, 78,
ガスター ………………… 63	下部消化管穿孔 ………… 231	82, 95, 120, **122**, 127, 215, 226
ガス流量 ………………… 97	カプノメータ …… 78, 82, 92,	肝血流 ………… 221, 223, 224
	120, 127, 131, 290	

色文字：主要説明箇所

還元ヘモグロビン ……… 128
肝硬変 ………… 51, **221**, 227
看護記録 ……………… 213
看護師 ………………… 271
肝細胞保護 …………… 419
観察能力 ……………… 112
監視下鎮静管理 ……… 111
患者 …………… 267, 271
患者家族 ……………… 271
患者からの情報 ……… 112
患者管理 …………… 33, 56
患者の安全 ………… 90, 113
患者の異常 …………… 115
患者の拒否 …………… 348
患者名 …………………… 69
患者問題点 …………… 271
患者リスク …………… 169
患者を治療 …………… 112
肝障害 ………………… 221
肝静脈圧 ……………… 230
緩徐導入 ………………… 85
癌性疼痛 ……………… 396
間接視 ………… 292, 293
肝切除術 ……………… 230
関節部 ………………… 317
関節リウマチ ……… 227, 305
感染 …………………… 231
完全覚醒 ……………… 226
感染症 …………… 31, 45, 198
感染対策 ……………… 321
感染予防 …………… 30, 322
甘草 ……………………… 66
肝臓 …………………… 221
乾燥具合 ……………… 119
ガンツ ………………… 136
貫通法 ………………… 325
感度 …………………… 126
冠動脈 ………………… 215

肝動脈 ………………… 221
冠動脈圧 ……………… 166
冠動脈疾患 ………… 47, 184
冠動脈支配 …………… 140
冠動脈スパスムの予防 … 417
冠動脈バイパス術 …… 418
冠動脈攣縮時 ………… 418
眼内圧上昇 …………… 413
眼内ガス ……………… 387
眼内容物 ……………… 253
顔貌 ……………………… 41
顔面 …………………… 114
顔面圧迫 ………… 157, 158
顔面うっ血 …………… 157
顔面紅潮 …… 94, 114, 210, 229
顔面神経刺激 ………… 241
肝門部血流遮断 ……… 230
灌流液 ………………… 247
完了 ……………………… 72

き

キーインデックスシステム … 77
既往歴 ………… 28, **34**, 41, 52
期外収縮 ………… 194, 414
機械的閉塞 …………… 191
気化器 …………… 72, 77, 80
気管 …………………… 306
気管カフ ……………… 244
気管吸引 ……………… 101
気管支炎 ………… 55, 274, 407
気管支拡張 ………… 399, 413
気管支拡張薬 …………… 66
気管支カフ …………… 244
気管支攣縮
　……………… 118, **191**, 208, 209
気管支喘息
　… **216**, 391, 397, 407, 411, 413
気管支繊毛運動改善 …… 41
気管支ファイバー
　………………… 29, 227, 246, 262

気管支ファイバースコープ 299
気管支ブロッカー …… 244
気管支攣縮 …………… 132
気管切開 ……………… 274
気管穿刺 ……………… 255
気管先端 ………………… 74
気管挿管 … 28, 43, 81, 84, 86,
　92, 131, 153, 207,
　211, 212, 256, 274, 277,
　283, 306, 307, 311, 321
気管挿管困難 ………… 225
気管挿管時 ……………… 74
気管挿管チューブ …… 138, 291
気管損傷 ……………… 263
気管チューブ … 29, 73, 75, 81,
　92, 101, 129, 153,
　157, 159, 191, 208,
　263, 274, **283**, 287, 289,
　290, 303, 304, 307, 387
気管チューブサイズ …… 284
気管内吸引 ……………… 81
気管内全身麻酔 ……… 236
気管粘膜 ……………… 153
気管分岐部 …………… 244
危機管理 …………… 25, 84
危機管理の医学 ………… 25
気胸 ………… **115**, 119, 226, 235,
　273, 327, 330, 387
起坐呼吸 ……………… 159
キサンボン ……………… 64
器質的肺疾患 ……… 34, 51
希釈性の凝固障害 …… 184
希釈法 ………………… 108
キシロカイン … 82, 92, 254, 255,
　305, 306, 325, 358, 403, 404
キシロカイン静注用2% … 414
キシロカインスプレー
　……………… 74, **75**, 81, 92
喫煙 …………………… 34, 51
喫煙者 ………………… 275
気道 ……… 63, 75, 86, 228, 253
気道異物摘出術 …… 253, 255

気道確保	28, 29, 41, 57, 118, 224, 252, 260, 263, 277, 285, 308
気道確保困難	28, 43, 227
気道狭窄	272, 274
気道狭窄症状	255
気道・口腔内分泌抑制	413
気道刺激性	384
気道トラブル	157, 253
気道内圧	129, 192, 209, 226, 246, 254
気道内圧上昇	191, 208, 210, 235
気道内圧低下	191, 208
気道内吸引	244
気道の開通	42
気道浮腫	255
気道閉塞	115, 116, 118, 153, 203, 253, 254, 255, 262, 263, 283, 306, 327
気脳症	387
機能的残気量	158, 226, 235
揮発性吸入麻酔薬	77, 131, 199, 246, 386
揮発性吸入麻酔薬消費量	385
気腹	235
気分不良	247
逆トレンデレンブルグ体位	156, 236
逆流	122, 138, 230
逆流性食道炎	225
逆流防止弁	122
逆行性健忘	393
キャニスター	80
ギャロップリズム	117
吸引	29, 73, 315
吸引カテーテル	73, 75, 81
吸引器	73, 74, 284, 303
吸引出血	186
吸引装置	81

吸引チューブ	284, 303
吸引テスト	361, 363
嗅覚	112, 114, 119
吸気呼気比	98
吸気障害	131
吸気弁	80
救急医学	24
救急救命士	311
救急症例	259
救急蘇生	25
救急薬品	82
急性肝炎	322
急性肝障害	221
急性硬膜外血腫	239
急性出血	182
急性循環不全	408, 410
急性障害	221
急性心筋梗塞	56, 259, 414
急性心不全	56, 416, 417
急性痛	265
急性低血圧	407, 408, 412
急性水中毒	250
急速大量輸液	263, 321
急速導入	85
急速輸液	320
急速輸血	188
吸入酸素濃度	192, 208, 226, 244
吸入麻酔薬	86, 89, 119, 131, 213, 216, 255, 383, 384, 392
吸入麻酔薬使用量	386
吸入麻酔薬濃度	101, 195
吸入薬	216
仰臥位	155, 157, 158, 305, 354
胸郭コンプライアンス	226
胸郭コンプライアンス低下	226
胸郭の動き	114, 115
胸郭の挙上	279

胸管	327, 333
胸腔鏡手術	212
胸腔ドレナージ	263
凝固異常	213, 223, 227
凝固因子	184, 185, 222
凝固系	96
凝固系検査	96
凝固障害	188, 348
胸骨上陥凹	116
胸骨柄	328, 333
狭窄音	118
胸鎖乳突筋	328
胸鎖乳突筋三角	328
狭心症	34
狭心症治療薬	416
胸水	224
胸痛	215
京都議定書	388
胸内苦悶感	200
胸部X線	244, 330, 335
胸部外傷	260
胸部大動脈解離	259
胸壁ドップラー	241
胸壁の触診	119
胸膜炎	119
強膜高度	253
棘間靭帯	339, 358
棘上靭帯	339
局所浸潤麻酔	258, 328, 334
局所壁運動異常	138
局所麻酔	403
局所麻酔後	92
局所麻酔薬	30, 193, 254, 255, 340, 358
局所麻酔薬使用量	339
局所麻酔薬中毒	202, 210, 339, 340, 345, 406, 415
虚血	179, 251
虚血性壊死	412

色文字：主要説明箇所

虚血性心疾患 …… 31, 69, **213**, 215, 218, 219, 220, 225, 227, 254, 259, 397, 399
虚血性変化 ………… 125, 126
巨舌 ………………………… 219
巨大腹部腫瘍 ……………… 159
キロパスカル ……………… 135
禁煙 …………… 36, 41, 244, 275
緊急開腹術 ………………… 264
緊急気管切開 ……………… 255
緊急手術
…… 31, 56, 63, 228, 230, 256
緊急使用薬 ………………… 30
緊急度 ……………………… 237
緊急ペーシング …………… 412
緊急薬剤 …………………… 23
筋硬直 ……………………… 199
筋強直型ジストロフィー … 391
筋緊張 ……………………… 237
菌血症 ……………………… 341
筋弛緩 …… 23, 83, 88, 94, 113, 147, 228, 229, 235, 236, 339, 345
── 作用 ……………… 338
── 作用を減弱 ……… 238
── 増強 ……………… 65
── の残存 …………… 148
── のリバース …… 89, 195
── モニター … 30, 120, 147, 150, 195, 226, 238, 402
筋弛緩薬 …… 29, 51, 69, 82, 83, 86, 101, 102, 127, 147, 192, 195, 208, 216, 221, 226, 229, 239, 253, 285, 306, 307, **399**
── 拮抗薬 …………… 401
── のリバース ……… 216
筋収縮反応 ………………… 147
筋線維束攣縮 ……………… 401
緊張状態 …………………… 211
緊張性気胸
124, 260, 261, 263, 327
筋電図 ……………………… 142

筋力の低下 ………………… 180

く

区域麻酔
……… 30, 111, 191, 247, 338
空気 …… 71, 80, 82, 98, 119, 138, 236, 241, 324, 377, 382, 387
空気塞栓 …… 118, 136, 158, 189, **212**, 241, 324
空気注入 …………………… 312
空腹時血糖 ………………… 218
クエン酸中毒 ……………… 188
駆血 ………………………… 251
駆血帯 …………… 264, **318**, 376
くしゃみ …………………… 247
屈曲伸展障害 ……………… 45
クッション ………………… 155
くも膜 ……………………… 339
くも膜下腔 …………… 339, 354
くも膜下腔注入 …………… 345
ぐらつき …………………… 207
クラッシュインダクション
…… 85, 230, **234**, 258, 307
クランプ …………………… 230
クリーゼ …………………… 198
クリコイドプレッシャー
………………… 86, 234, 307
グリコーゲン分解 ………… 218
グリセオール … 238, 240, 253
グルカゴン ………………… 218
グルクロン酸抱合 ………… 222
グルコース ………………… 177
グルコン酸カルシウム …… 190
グルコン酸クロルヘキシジンアルコール ……………… 322
車いす ………………… 53, 63
クロージングボリューム … 226
クロスフィンガー
……………… 285, 286, 288
クロピドグレル ……………… 64

クロルプロパミド …………… 65
クロルプロマジン …………… 65
クロルヘキシジン ………… 305

け

経胃短軸断面 ……………… 139
経カテーテル塞栓術 ……… 264
経気管麻酔 …………… 305, 306
経口血糖降下薬 …………… 218
経口摂取 …………… 52, 53, **259**
経口摂取不明症例 ………… 259
経口挿管 …………… 29, 283, 303
経口糖尿病薬 ……………… 65
経口投与 …………………… 267
経口薬 ……………………… 66
茎上突起 …………………… 320
経食道心エコー
………… 95, **138**, 215, 241
頸髄損傷 …………………… 263
頸切痕 ……………………… 333
継続薬 ………………… 62, 64, 66
頸損 ………………………… 159
経直腸投与 ………………… 267
頸椎外傷 …………………… 262
頸椎過伸展 ………………… 157
頸椎固定器具 ……………… 262
頸椎側面X線 ……………… 263
頸椎損傷 …………… 260, 262
頸椎の偏位 ………………… 263
頸椎病変 ………………… 51, 227
頸椎保護 …………………… 260
頸動脈 ………………… 118, 263
軽度呼吸抑制 ……………… 397
軽度低体温 ………………… 239
経尿道の切除術 …………… 247
経尿道の前立腺切除術
……………………………… 247
経尿道の膀胱腫瘍切除術
……………………………… 247

経鼻エアウェイ …………75, 76, **282**, 303, 304	血液生化学的検査 …………29	血栓 …………138
経鼻カテーテル …………108	血液製剤の使用指針 ……183	血栓塞栓症 …………235
経鼻挿管 ………29, 76, 303	血液透析 …………213	血中濃度 …………392
経鼻用気管チューブ ……306	血液の加温 …………188	血糖 ………96, 169, 179, **218**
頸部外傷 …………262	血液培養 …………377	血糖管理 …………218
頸部後屈制限 …………227	血管 …………317, 318	血糖コントロール不良 ……56
頸部手術 …………327, 333	血管外 …………169, 234	血糖値 …………51
頸部の診察 …………41	血管外漏出 …………412	血糖電解質測定 …………30
傾眠傾向 …………265	血管拡張 …………209	血流増加 …………231
痙攣 …………202	血管拡張物質 …………229, 251	ケトアシドーシス …………218
外科的気道確保 …………262	血管拡張薬 ………209, 239, 246, 412	ケトン臭 …………119
外科的糖尿病 …………218	血管収縮効果 …………254	下痢 …………173, 200, 228
ケタミン …………142, 399	血管収縮薬 …………229, 274, 305	原因不明のアシドーシス …………390
ケタラール …………216, 399	血管穿刺 …………317, 354, 376	現病歴 …………28, 69
血圧 …………30, 47, 91, 92, 94, 95, 96, **120**, 123, 135, 166, 181, 182, 324	血管走行異常 …………333	
血圧計 ……74, 78, 82, 91, **121**, 127	血管損傷 …………235, 263	**こ**
血圧上昇 ……157, 190, **193**, 195, 210, 235, 236, 238, 240, 250, 307, 397, 398	血管抵抗 …………123	高CO_2血症 …………235
	血管透過性亢進 …………234	抗HBsヒト免疫グロブリン …………322
血圧低下 ……59, 94, 159, 186, **192**, 194, 209, 212, 219, 229, 236, 251, 321, 338, 339, 345, 348, 354, 356, 393, 407, 412, 415	血管内液代償 …………169, 171	降圧薬 ………30, 66, 125, 127, 193, 209, 214, 255, **416**
	血管内脱水 …………231	後遺症 …………341
	血管内注入 …………345	高位脊髄くも膜下麻酔 ……211
	血管内投与 …………346	高位脊椎麻酔 …………203
	血管内皮細胞 …………229	後咽頭腔の拡大 …………263
血圧動揺 …………199	血管内ボリューム …………128, 169	高エネルギー外傷 …………260
血圧変動 …138, 213, 214, 348	血胸 …………119, 263, 333	口角固定 …………290
血圧モニター …………120	血算 …………29, 96, 184	口渇 …………180, 181
血液 …………321, 346	血腫 …………330, 377	効果範囲 …………342, 354
血液加温器 …………188	血漿ChE …………222	効果部位濃度 …………392
血液ガス分析 …………96, 131, 192, 244	血小板 …………185, 227	高カリウム血症 …………178, 188, 199, 220
血液ガス分析装置 …………127	血小板減少 ……184, 220, 222	高カルシウム血症 …………190
血液/ガス分配係数 ……383, 384	血小板数 …………184, 186	交感神経 …………340, 345
血液型 …………187	血小板濃厚液 …………184, 186	交感神経活動 …………187
血液型判定 …………29	血小板輸血 …………186	交感神経刺激 …………235
血液型不適合 …………189	血清アルブミン …………222	交感神経抑制 …………391
血液吸着 …………234	血清カリウム …………190	高気圧酸素治療 …………253
血液循環 …………165	血清カルシウム …………190	抗凝固薬 …………227, 348
血液色 …………95	血清電解質 …………169	
	血清ナトリウム濃度 …247, 250	

色文字：主要説明箇所

抗凝固療法	308, 327, 333	
口腔・咽頭手術	253, 254	
航空機搭乗	253	
口腔内	311, 314, 315	
口腔内異味感	200	
口腔内エアウェイ	75, 81, 225, 253, **282**, 284, 303	
口腔内吸引	81, 101, 225	
口腔内狭小化	253, 282	
後屈	41	
抗痙攣作用	391, 393	
抗痙攣薬	238	
高血圧	34, 47, 56, 69, 103, 125, 193, 213, 214, 215, 220, 225, 227, 247, 254, 256, 307, 394, 397, 399, 412	
高血圧緊急症	416, 417	
高血圧症	210	
抗血小板作用	64	
抗血小板薬	227, 348	
抗血栓薬	64	
高血糖	179, 195, 218, 240	
高血糖を避ける	239	
抗原抗体反応	189	
膠原病	35, 51, 213, **227**	
硬口蓋	314	
抗甲状腺薬	67	
抗コリンエステラーゼ薬	402	
高砕石位	155, 157	
交差適合試験	29, 187	
後縦靱帯	339	
高周波成分	142	
甲状腺位	155, 157	
甲状腺機能	67	
甲状腺機能異常	51	
甲状腺機能亢進症	56, 198, 210, **211**, 220, 254, 412	
甲状腺機能低下症	219	
甲状腺クリーゼ	220	
甲状腺疾患	51	
甲状軟骨	289, 306	
抗スラッジング作用	176	
向精神薬	198	
合成能	221	
抗生物質	91	
拘束性換気障害	157	
後側方開胸	246	
高体温	198, 199	
高地への移動	253	
紅潮	114	
高張食塩水	250	
抗てんかん薬	66	
喉頭	313	
喉頭蓋	287	
喉頭鏡	73, 75, 81, 101, **284**, 287, 303, 306, 311	
喉頭鏡ブレード挿入	287, 304	
喉頭痙攣	118, 253	
喉頭展開	45, 86, 92, 207, **288**, 307	
喉頭展開困難	45, 305	
喉頭展開時	289	
喉頭浮腫	200	
高二酸化炭素血症	127, 193, 195, 210, 211, 212, 214, 236	
高熱	39, 55, 193	
高濃度酸素	107	
抗パーキンソン薬	66	
広範囲脊椎麻酔	159	
高比重	351, 354, 356	
抗不安作用	393	
後負荷	166	
項部硬直	347	
抗不整脈	199	
抗不整脈薬	30, **66**, 127, 194, 255	
興奮	103, 202, 274, 361	
硬膜	339	
硬膜外	360	
硬膜外カテーテル	92, 360
硬膜外腔	339, 347, 360, 361
硬膜外血腫	59, 227, 347
硬膜外鎮痛	231, 246
硬膜外投与	267
硬膜外膿瘍	347
硬膜外麻酔	24, 30, 44, 59, 69, 88, 113, 193, 209, 227, 231, 246, 247, 258, 338, 339, 340, 341, 342, 345, 352, 356, 357, 358, 373
硬膜外麻酔後	159
硬膜外麻酔穿刺困難	224
硬膜外麻酔併用	229
硬膜下腔	339
硬膜穿刺	345
硬膜穿刺後頭痛	346
硬膜の誤穿刺	346
高齢者	31, 63, 247, **251**, 379
声をしっかり出す	26
誤嚥	57, 230, 240, 256, **258**, 272, 275, 311
誤嚥性肺炎	225, 227, **307**, 381
コーダルブロック	356
コールドサインテスト	344, 354
コカイン中毒	412
五感	112
呼気CO_2	215
呼気CO_2モニター	131
呼気終末	135
呼気終末CO_2濃度	131
呼気終末炭酸ガスモニター	78
呼気障害	131
呼気中	101
呼気二酸化炭素分圧	192
呼気の漏れ	132
呼気弁	80
呼吸	101, 118, **191**

項目	ページ
呼吸音	115, 118, 208
呼吸音減弱	272, 275
呼吸音の聴診	92
呼吸回数	93, 95, 98, 101, 118, 129, 236
呼吸回数/分	100
呼吸回路	72, 80, 81, 115, 118
呼吸回路フィルタ	75
呼吸管理	24, 29, 163
呼吸器症状	200
呼吸機能	34
呼吸機能検査	51
呼吸筋力低下	230
呼吸困難	200, 250
呼吸困難を伴う心不全	391
呼吸循環管理	23, 28
呼吸状態	95, 256
呼吸状態悪化	159
呼吸状態（酸素化と換気）	102
呼吸数	92, 192
呼吸性アシドーシス	164
呼吸性アルカローシス	164
呼吸性変動	95, 123, 124, 174
呼吸停止	202, 203, 349
呼吸努力	237
呼吸パターン	95, 101, 115
呼吸バッグ	118
呼吸不全	209, 397, 416
呼吸モニター	82, 96
呼吸抑制	103, 159, 203, 219, 263, 265, 272, 275, 276, 345, 349, 391, 393, 396, 398, 399
鼓室形成術	253, 255, 387
骨髄抑制	388
骨折	264
骨セメント	251
骨盤	252, 351
骨盤骨折	264
鼓膜温	134, 239
コミュニケーション	23, 26, 28, 32, 271
呼名反応	86
コメリアン	64
コリンエステラーゼ	402
コルチゾール	218
コロトコフ音	121, 122
混合静脈血	128, 137
昏睡	250
コンパウンドA	383
コンプライアンス	94, 130
昏迷	180, 250

さ

項目	ページ
サージカルアプガースコア	182
サードスペース	169, 172, 228, 231
坐位	155, 158, 356
――手術	118, 136, 241
細菌汚染	189
細菌内毒素	413
採血法	376
最高気道内圧	192, 244
再呼吸	132
最終飲食時刻	231
最終飲水時刻	231
最終経口摂取	51
最終食事時刻	258
砕石位	155, 157, 159, 229
再穿刺	354
再挿管	101, 253, 273
最大手術血液準備量	187
最大使用量	358
サイドストリーム	133
サイトメガロウイルス	189
再入眠	394
細胞外液	169
細胞外液補充剤	169, 172
細胞内液	169
酢酸	177
酢酸リンゲル液	169, 199
サクシニルコリン	212, 400
錯乱	399
鎖骨	328, 333, 334
鎖骨下静脈	327
鎖骨下静脈穿刺	333
左室径	95
差し歯	41, 207
嗄声	59, 272, 274
左側臥位	351
サドルブロック	350, 356
サヌキエアウェイ	299
サプリメント	66
左房	95, 137
――圧	136
――逆流	95
左方移動	128
作用時間	358
サリンヘス	177
酸塩基平衡	96
酸化ヘモグロビン	128
三環系抗うつ薬	65
三尖弁閉鎖	136
酸素	69, 71, 73, 80
酸素運搬	165
酸素運搬能の改善	41
酸素運搬量	183
酸素化	113, 163
酸素解離曲線	128
酸素含有量	183
酸素吸入	85, 86, 203, 285
酸素消費量増加	272
酸素投与	92, 107, 201, 203, 345
酸素濃度	80, 98, 208, 231
酸素濃度計	72, 80
酸素パイピング	80
酸素必要量	222

色文字：主要説明箇所

酸素フラッシュ ……………… 72, 80
酸素分圧 ……………………… 127
酸素飽和度 …………… 127, 137, 191
酸素飽和度低下 ……………… 208
酸素飽和濃度 ………………… 128
酸素マスク …………………… 108
酸素流量 ………… 80, 98, **107**, 278
散瞳 …………………… 195, 413
三方活栓 ………………… 326, 378

し

次亜塩素酸ナトリウム ……… 322
ジアゼパム …………… 195, 393
シーソー呼吸 ………… 115, 116, 203
ジェネリック ………………… 68
視覚 …………………… 112, 114
歯牙損傷 …………… 59, **207**, 288
歯牙の動揺性 ………………… 41
時間経過 ……………………… 101
耳管閉塞 ……………………… 387
色素 …………………………… 250
ジギタリス …………………… 190
ジギタリス血中濃度 ………… 66
ジギタリス製剤 …………… 65, 66
ジギタリス中毒 ……………… 413
子宮切迫破裂 ………………… 237
子宮胎盤血流 ………………… 412
始業点検指針 ………………… 113
死腔 …………………………… 378
死腔容積 ……………………… 378
シグマート ……………… 418, 420
ジクロフェナク ……………… 266
刺激法 ………………………… 373
止血 …………………………… 261
事故 …………………………… 23
　　──状況 ……………… 34
　　──抜管 …………… 254
自己血パッチ ………… 346, 347
自己調節鎮痛 ………………… 231

自己調節能 …………………… 214
持参薬 ………………………… 60
脂質異常症 …………………… 390
四肢末梢の温度 ……………… 95
四肢末梢の変形 ……………… 51
四肢麻痺 ……………………… 159
四肢誘導 ……………………… 125
耳出血 ………………………… 262
視診 …………………… 114, 290
自然治癒 ……………………… 347
歯槽膿漏 ……………………… 207
持続硬膜外鎮痛 ……………… 224
持続注入 …………………… 268, 339
持続鎮痛法 …………………… 265
持続投与 …………………… 108, 268
舌 ……………………………… 288
舌出し ………………………… 101
室温 …………………………… 197
膝胸位 ……………… 155, 158, 159
失見当識 ……………………… 181
失神発作 ……………………… 47
湿性ラ音 ……………………… 250
執刀 …………………………… 94
執刀医 ………………………… 271
執刀時刻 ……………………… 63
失明 …………………………… 253
自動血圧計 …………… 120, 121
児頭骨盤不均等 ……………… 237
刺入点 ………………………… 333
自発呼吸 …… 101, 115, 129, **132**,
　　　　203, 208, 311, 315, 402
自発呼吸下 …………… 102, 251
シバリング ……… 103, 134, **205**,
　　　　229, 239, 258, 272
脂肪 …………………………… 252
脂肪/ガス …………………… 384
脂肪肝 ………………………… 225
脂肪酸 ………………………… 252
脂肪塞栓 …………… 251, 252, 264

死亡例 ………………………… 251
シミュレーション …………… 34
尺側正中皮静脈 ……………… 320
尺側皮静脈 …………………… 320
尺側皮静脈穿刺 ……………… 336
ジャクソンスプレー ………… 306
ジャクソンリース …………… 277
ジャクソンリース回路 ……… 278
若年女性 ……………………… 346
ジャックナイフ体位 ………… 159
しゃっくり
　…………… 191, **192**, 195, 314, 393
尺骨神経 ……………………… 147
尺骨神経麻痺 ………………… 157
尺骨動脈 …………………… 45, 324
シャント開存 ………………… 221
周囲の状況 …………………… 117
縦隔気腫 ……………………… 235
収縮期 ………………………… 124
収縮期圧 ……… 120, **121**, 213, 413
収縮期血圧 …………… 123, 184
収縮性心膜炎 ………………… 391
収縮力 ………………………… 95
周術期 …………… 39, 52, **67**, 68
重症患者 ………………… 25, 53
重症患者管理 ………………… 317
重症筋無力症 ………………… 391
重炭酸 ………………………… 177
重炭酸ナトリウム …………… 409
集中治療 ………… 24, 25, **234**, 394
重度伝導障害 ………………… 416
周波数 ………………………… 142
重要臓器 ……………………… 214
手関節 ……………………… 320, 324
主気管支 ……………………… 244
主治医 ………… 32, 35, **52**, 91, 271
手術安全チェックリスト …… 90
手術延期 ……………………… 221
手術開始 ……………………… 94

手術側 …… 244	術後高血圧 …… 272, 274	術前輸液 …… 62, 231
手術器具台 …… 74	術後酸素療法 …… 231	術中維持量 …… 169, 171
手術刺激 …… 88, 90, 193, 211, 212	術後指示 …… 107	術中イベント …… 108
手術執刀時刻 …… 63	術後出血 …… 255	術中覚醒 …… 195
手術室入室時刻 …… 63	術後人工呼吸管理 …… 234	術中合併症 …… 191
手術時の異常高血圧 …… 417	術後せん妄 …… 196	術中管理 …… 95, 213, 216, 218, 222, 225, 227, 235, 238, 244, 247
手術術式 …… 33, 63	術後早期離床 …… 317	
手術侵襲 …… 24, 30, 56, 83, 84, 88, 96, 160, 172, 218	術後体位 …… 107, 108, 276	
	術後鎮痛 …… 224, 231, 236, 246, 266, 268, 271, 338, 339	術中検査 …… 96
手術ストレス …… 68		術中高体温 …… 198
手術前日 …… 64	術後鎮痛サービス …… 24	術中心筋虚血 …… 418
手術操作 …… 23, 83, 96, 97, 162, 191, 274	術後鎮痛法 …… 69	術中喪失量 …… 169, 172
	術後鎮痛薬 …… 276	術中体位 …… 272
手術台 …… 91, 351	術後低血圧 …… 272, 273	術中のKの補正 …… 178
手術体位 …… 45, 155, 235	術後低酸素症 …… 231, 272	術中不感蒸泄 …… 169, 172
手術範囲 …… 88	術後疼痛 …… 231, 265, 275, 276, 396	術中輸液 …… 169, 228
手術申し込み …… 63		術中輸血の指針 …… 183
受傷機転 …… 260	術後疼痛管理 …… 30, 246, 265	術直後 …… 102
受傷時刻 …… 51	術後の悪心嘔吐 …… 206, 235	術野 …… 94, 95, 96, 97, 114, 155, 162, 254
腫脹 …… 119	術後のオピオイド投与 …… 276	
出血 …… 52, 90, 96, 97, 114, 124, 127, 167, 169, 172, 173, 180, 188, 193, 209, 211, 228, 258, 273, 321	術後肺合併症 …… 246	術野でのアドレナリン使用 …… 254
	術後訪問 …… 30	
	術後無尿 …… 272, 273	術野の血液色 …… 114
	術後免疫能低下 …… 321	手背 …… 320
出血傾向 …… 34, 39, 44, 96, 188, 341	術式 …… 69	潤滑剤 …… 138
	術前回診 …… 32, 34	循環 …… 101, 113, 192, 261
出血時間 …… 227	術前合併症 …… 23	循環管理 …… 24, 84, 165, 260
出血状況 …… 114	術前からの低肺機能 …… 272	循環器合併症 …… 103
出血性ショック …… 180, 181, 261, 263, 408	術前管理 …… 32, 218	循環器症状 …… 200
	術前欠乏量 …… 169	循環血液量 …… 96, 124, 135, 184, 186, 223, 227
出血の症状 …… 181	術前検査 …… 52, 53	
出血予防 …… 305	術前検査結果 …… 29	循環血液量減少 …… 31, 193, 211, 348
出血量 …… 30, 96, 169, 172, 186, 187, 230, 247, 254	術前指示 …… 33	
	術前診察 …… 33, 35, 57, 283, 284	循環血液量不足 …… 412
術後 …… 107		循環血漿量 …… 186
術後回診 …… 103, 271	術前診察用紙 …… 35	循環作動薬 …… 107, 108, 168, 226, 240
術後回復室 …… 102, 103	術前内服薬 …… 62	
術後合併症 …… 103, 271	術前の欠乏量 …… 171	循環動態 …… 102
術後合併症管理 …… 271, 272	術前評価 …… 213, 215, 216, 220, 225, 227	循環動態不安定 …… 228
術後管理 …… 226, 231, 271		循環不全 …… 101, 102, 114, 241, 272, 273, 276

色文字：主要説明箇所

循環変動 … 92
循環抑制 … 167, 389, 391
順行性健忘 … 393
純酸素 … 194, 199
昇圧 … 127
昇圧薬 … 30, 82, 168, 192, 193, 194, 211, 214, 229, 251, 345, **407**
紹介状 … 52
消化管運動抑制 … 413
消化管潰瘍 … 51
消化管手術 … 228
消化管穿孔 … 231
消化管損傷 … 51
消化管の通過障害 … 51
消化器症状 … 200
上顎正中固定 … 290
笑気 … 71, 80, 98, 131, 153, 216, 236, 252, 253, 255, 384, **387**
上気道感染 … 34
上気道閉塞 … 103, 225
上肢 … 317, 318
硝子体内 … 253
上室性頻拍 … 65, 193
上室性頻拍性不整脈 … 414
小手術 … 68, 172
消毒 … 304, 305
消毒範囲 … 329, 351
消毒薬 … 45
消毒用アルコール … 322
小児 … 212, 284, 341
上腹部手術 … 223, 236
上部消化管狭窄 … 259
上部消化管出血 … 259
上部消化管穿孔 … 231
情報収集 … 33, 52
静脈 … 317
静脈圧 … 253
静脈炎 … 227

静脈確保 … 44
静脈血採血 … 376
静脈叢 … 250
静脈内血栓予防 … 317
静脈内容量 … 115
静脈の怒張 … 115
静脈麻酔薬 … 81, 86, 92, 306, 307, 388, **392**
静脈ライン … 321
静脈瘤 … 227
静脈留置針 … 320, 323
静脈ルート確保 … 52, 317, 321, 348
静脈路確保困難 … 224
睫毛反射 … 86, 117
睫毛反射消失 … 285
常用薬 … 213, 215
蒸留水 … 380
上腕 … 78
初回投与量 … 342
初期設定値 … 98
食後血糖 … 218
食事 … 65
食事制限 … 228
食事摂取量 … 39
触診 … 95, 114, **118**
触診法 … 120
褥瘡 … 157, 159
食道温 … 239
食道狭窄 … 259
食道穿孔 … 138
食道挿管 … 92, 131, **132**, 304
食道聴診器 … 76, 241
食道裂孔ヘルニア … 225
食物アレルギー … 39
除細動 … 193
触覚 … 112, 114, 345
ショック … 31, 180, 251, 391
ショックインデックス … 181

ショック時 … 407, 408, 412
ショック状態 … 136, **199**, 258, 306, 341, 348
ショック治療 … 181, 261
徐拍性不整脈 … 412
徐脈 … 47, 66, 83, 159, 167, **193**, 211, 229, 238, 252, 345, 390, 394, 401, 402, 412
自律神経異常 … 219
視力 … 44
シリンジポンプ … 76, 81, 178, 410
シリンジポンプに正しくセット … 82
ジルチアゼム … 194, 416, 420
心エコー … 215
心音 … 117
心カテーテル … 215
心機能 … 34, 134, 173
──低下 … 220
腎機能 … 35, 51, 134, 173, **221**
──障害 … 383
──低下 … 222
深吸気 … 101, 102
心筋虚血 … 127, 194, 209, 212
心筋梗塞 … 34, 47, 215, 397, 398, 413
心筋酸素消費量 … 413
心筋シンチ … 215
心筋肥大 … 227
心筋壁 … 95, 138
心筋保護 … 418
心筋保護作用 … 383
心筋抑制 … **65**, 193, 396, 418
神経・筋疾患 … 39
神経筋接合部 … 147, 400
神経筋モニター … 141
神経根 … 355
神経根損傷 … 59
神経刺激装置 … 148, 372

神経症 218, 219	新鮮凍結血漿 184, 185	心房細動 413, 414
神経障害 252	心臓 47	心房粗動 413, 414
神経症状 41, 51, 238	心臓外傷 259	深麻酔 216
心係数 138	心臓交感神経遮断 211	深麻抜管 255
神経走行部 317	心臓手術 65	信頼関係 32
神経損傷 347, 377	迅速導入 85, 307	
神経毒性 346	腎体位 155, 157, 159	**す**
神経麻痺 159, 229	身体機能 120	髄液 346, 347, 354
神経モニタリング 241	身体診察 28	水銀柱 135
神経レベル 340	心タンポナーデ 124, 261, 263	水車音 118
心原性ショック 408, 412, 416	診断名 69	水素イオン 128
心原性振動 132	身長 69, 225	膵損傷 264
人工呼吸 29, 84, 92, 135, 203, 277, 303	心停止 180, 193, 194, 202, 229, 411, 415	水滴 359
人工呼吸器 29, 81, 92, 93, 95, 98, 191, 208	心電図 29, 30, 74, 78, 82, 91, 96, 120, 126, 127, 184, 219	水分過多 273
人工呼吸困難 226	心電図異常 65	髄膜炎 347
人工心肺手術 31, 122	心電図音 126	髄膜刺激症状 347
人工鼻 75	心電図電位平低化 219	睡眠時無呼吸 75, 225, 282
深呼吸 57, 86, 92, 246	心電図波形 126	数値を治療 112
診察 33, 34, 47	心電図変化 127	スープレン 77, 386
心雑音 117	心電図モニター 125	スガマデクス 401
心仕事量増大 227	浸透圧 177	スキサメトニウム 221, 253, 400
心疾患 167, 184, 307	心嚢ドレナージ 263	スキンピュア 141
心室細動 193, 255, 415	心肺機能 38, 56	スクリーン 229
心室自由壁破裂 259	心肺機能低下 254, 348	スタイレット 74, 75, 81, 283, 287, 292, 303, 307, 359
心室性頻拍 193, 412	心肺蘇生 194	スタンダードプリコーション 30
心室性不整脈 125, 414, 415	心肺停止患者 311	頭痛 250, 346, 347
心室中隔穿孔 259	心拍出量 120, 136, 138, 166, 183, 223, 226, 235, 272	ステロイド 51, 67, 216, 227, 240, 274
心室頻拍 415	心拍出量低下 236	ステロイドカバー 67, 68, 216, 227
心収縮能 138	心拍数 126, 138, 235, 237	ステロイドホルモン 222
心収縮力 123, 128, 166, 190, 230, 397, 410	心拍数増加 250	ストッパー 74
侵襲ストレス 218	深部静脈血栓 225, 251, 273	ストレッチャー 63
侵襲度 162	深部静脈血栓症 46, 272, 273	スパイロメーター 82, 120
浸潤麻酔 202, 255, 325	心不全 63, 159, 209, 273, 341	スパイロメトリー 129
腎症 218, 219	腎不全 190, 227	スポットオン 134
新生児 284	深部体温 135	スライディング法 325
新生児仮死 237		

色文字：主要説明箇所

ずり応力 ········· 229	脊椎手術 ········· 251, 252	前処置 ········· 305
スワン ········· 136	脊椎の変形 ········· 44	全身状態 ········· 25, 30, 34, 35, 52, 55, 63
スワンガンツカテーテル ········· 82, 93, 95, 136, 138, 215, 241, 327	脊椎麻酔 ········· 224, 356	全身衰弱 ········· 306
	咳反射 ········· 101	全身発赤 ········· 229
	脊麻後頭痛 ········· 59, 346, 347	全身麻酔 ········· 29, 31, 57, 59, 71, 72, 73, 83, 88, 102, 109, 113, 202, 212, 222, 231, 307, 339
	絶飲時間 ········· 171	
せ	絶飲食 ········· 33, 57, 60, 107, 108, 169, 171	
整形外科 ········· 251	絶飲食時間 ········· 60	全身麻酔の4条件 ········· 83, 88
清潔操作 ········· 321	舌根沈下 ········· 42, 118, 203, 253, 262, 282, 389, 393, 399	全脊椎麻酔 ········· 349
制限的輸液戦略 ········· 172		尖足 ········· 157
生食バッグ ········· 324	舌根部 ········· 74, 92	喘息 ········· 31, 34, 69, 118, 191, 200, 213, 216
成人T細胞白血病 ········· 189	切除範囲の把握 ········· 246	
精神症状 ········· 399	切石位 ········· 156	浅側頭動脈 ········· 326
精神状態 ········· 63, 252	接続不良 ········· 208	前置胎盤 ········· 237
声帯 ········· 287, 304, 307	舌肥大 ········· 253, 282	前投薬 ········· 33, 57, 60, 63, 275
生体情報モニター ········· 29, 30	説明・同意 ········· 33	セント・ジョーンズワート ··· 66
正中神経 ········· 320	セボフルラン ········· 69, 131, 383, 384, 385	先発品 ········· 68
正中神経麻痺 ········· 157		仙尾靱帯 ········· 363
正中皮静脈 ········· 320	セボフレン ········· 77, 383	前負荷 ········· 135, 138, 166
性別 ········· 69	セミファーラー位 ········· 108	前壁のT波 ········· 251
生命維持 ········· 23	攻めの麻酔 ········· 24	浅麻酔 ········· 191, 193, 194, 195, 210, 211, 212, 214, 215, 216
生命徴候 ········· 120	ゼリー ········· 81, 303, 313	
声門下浮腫 ········· 272, 274	セルシン ········· 393	せん妄 ········· 196
声門上器具 ········· 29, 225, 227, 282, 311	セルジンガータイプ ········· 334	せん妄状態 ········· 272, 276
	セルジンガー法 ········· 325	専門医 ········· 64
声門上器具と胃管 ········· 316	セレギリン ········· 65	前立腺肥大 ········· 413
声門部 ········· 304, 307	ゼロ点補正 ········· 78, 82	前腕部 ········· 320
生理食塩水 ········· 76, 177, 323, 347	ゼロバランス ········· 125	
生理的変化 ········· 30	遷延性無呼吸 ········· 272	**そ**
咳 ········· 210, 244, 247, 253	仙骨硬膜外麻酔 ········· 356, 361	総入れ歯 ········· 290
赤色尿 ········· 199	仙骨裂孔 ········· 362	創外固定 ········· 264
脊髄くも膜下麻酔 ········· 30, 31, 44, 59, 69, 113, 209, 227, 231, 247, 258, 338, 339, 341, 342, 345, 346, 348, 350, 352, 373, 407	センサー ········· 115	挿管困難 ········· 29, 31, 41, 43, 45, 52, 225, 226, 227, 252, 253, 284
	前酸素化 ········· 87	
	穿刺 ········· 317, 318, 333	
	穿刺時 ········· 319	挿管困難予測 ········· 283
	穿刺部位 ········· 69, 339, 342, 351, 352	挿管操作 ········· 211, 307
脊髄後根 ········· 339		挿管チューブ挿入困難 ········· 45
脊髄神経節 ········· 339		挿管方法 ········· 69
脊髄前根 ········· 339	穿刺部位の感染 ········· 348	臓器血流 ········· 121, 213, 228, 419
脊損 ········· 159	全静脈麻酔 ········· 69, 195	臓器障害 ········· 228
脊柱の傾きの性差 ········· 351		

臓器損傷 235	体温管理 84, 96, 261	大量吸収 247
早期抜管 394	体温上昇 196, 198, 199	大量出血 188
早期発見 247, 250	体温測定 30	ダイレーター 329, 334
早期離床 252	体温調節中枢 196	唾液・気管分泌亢進 399
喪失血液量 181	体温低下 181, 195, 196, 198, 272, 273, 276	唾液分泌亢進 66
蒼白 114, 180, 181, 324	体温保持 134, 196	蛇管 75, 80, 118, 208, 304
総流量 385	体温モニター 134, 196	蛇管接続 92
ソーダライム 80	大開腹術 231	蛇管立て 74, 92
側臥位 155, 157, 244, 252, 351, 354, 356, 362	体腔内洗浄液 212	打診 114, 119
足背動脈 326	体血管抵抗 136, 138, 393	脱水 167, 169, 171, 198, 228, 231, 258, 321
側副血行路 45	対光反射 117	脱窒素 277
鼠径靭帯 336	胎児仮死 237	タッピング 275
鼠径ヘルニア 361	代謝異常 276	脱分極性筋弛緩薬 400
組織虚血 229	代謝機能 221	たばこ 36
蘇生器具 71	代謝亢進 131, 227	ダブルルーメンチューブ 244
蘇生術 259	代謝産物 115	多弁 202, 361
ソセゴン 266, 397	代謝性アシドーシス 188, 390	ためし穿刺 328, 334
外回り看護師 117, 186	体重 63, 69, 224, 225	単回投与 266
ソリタ-T1号 177, 221	大侵襲手術 68	炭酸リチウム 65
ソリタ-T3号 177	体性痛 399	短時間作用性βブロッカー 193
ソルデム3A 177	大腿骨頚部骨折 251, 252	単収縮 374
ソルビトール 177	大腿静脈 327, 336	単純X線検査 29
ソルラクトD 177	大腿静脈穿刺 336	断線 82
ゾロ品 68	大腿神経ブロック 369	胆道疾患患者 397
	大腿動脈 118, 326, 336, 377	ダントロレン 199
た	大腿内転筋群 247	タンパク質 222
ターニケット 114, 251	大腸穿孔 231	
ダイアモックス 253	体動 90, 94, 121, 191, 195, 399	**ち**
体位 56, 117, 228, 229, 351, 354	大動脈バルーンパンピング 259	チアノーゼ 114, 199, 200, 397
第一肋骨 334	大動脈弁閉鎖ノッチ 124	チアミラール 76, 81, 390
体位ドレナージ 275	大動脈瘤破裂 307	チーマンカテーテル 379
体位の制限 51	体内代謝率 384	チーム医療 25, 28
体位変換 93, 157, 159, 209, 354	胎盤早期剥離 237	チオバルビツレート 390
体液管理 28	胎盤通過性 394	チオペンタール 76, 81, 240, 390
体液貯留傾向 224	体表面 399	知覚 342
体温 96, 113, 118, 119, 134, 195, 196	大伏在静脈 320	知覚異常 346
	代用血漿剤 172	知覚障害 45

色文字：主要説明箇所

知覚神経 …… 340
地球温暖化 …… 388
恥骨下枝 …… 373
恥骨結節 …… 373
窒息 …… 200, 255
遅発性溶血反応 …… 189
チャンネル開口 …… 418
中腋窩線 …… 125, 324
中央配管 …… 71
肘関節 …… 320
注射器 …… 75, 81
中止薬 …… 62, 64
中心静脈 …… 178, 412
中心静脈圧 … 82, 95, 120, 135, 173, 187, 215, 225, 228
中心静脈圧上昇 …… 236, 250
中心静脈圧測定 …… 30
中心静脈圧波形 …… 136
中心静脈カテーテル …… 327
中心静脈穿刺 …… 327
中心静脈穿刺用カテーテル …… 76
中心静脈の穿刺 …… 29
中心静脈ルート … 69, 93, 327
虫垂切除術 …… 231
中枢温 …… 135
中枢神経障害 …… 263
「中枢神経のために」がんばる麻酔 …… 239
中枢性発熱 …… 198
チューブガイド …… 292
中部食道四腔断面 …… 139
中部食道長軸断面 …… 139
中部食道二腔断面 …… 139
超音波ガイド下穿刺 …… 331
超音波ガイド下穿刺法 …… 331
超音波ガイドブロック …… 374
超音波検査 …… 29
超音波診断装置 …… 29

聴覚 …… 112, 114
腸管 …… 96, 258
腸管牽引 …… 209, 228, 229
長管骨 …… 252
腸管洗浄 …… 228
腸管浮腫 …… 234
腸間膜牽引 …… 229
腸間膜牽引症候群 …… 94, 210, 229
長期臥床 …… 252
長期留置 …… 336
超緊急手術 …… 237
超高齢者 …… 252
腸骨稜 …… 352
長時間手術 …… 153
長時間麻酔 …… 275
聴診 …… 114, 117, 192, 290, 304
聴診器 …… 81, 118, 290, 382
聴診法 …… 120, 121
調節呼吸 …… 236, 285
朝鮮人参 …… 66
超短時間作用性 …… 390
腸の膨隆 …… 195
貼付剤 …… 66
腸閉塞 …… 259
聴力 …… 44
直接視 …… 293
直腸用プローブ …… 134
貯血式自己血輸血 …… 187
チラーヂン …… 67
鎮静 …… 23, 59, 88, 109, 202, 338, 394, 398
鎮静度 …… 265
鎮静の深度 …… 141
鎮静薬 …… 63, 81, 83, 89, 203, 238
鎮痛 …… 23, 24, 88, 265, 271, 273
鎮痛指示 …… 107, 108
鎮痛スコア …… 265

鎮痛程度 …… 269
鎮痛不足 …… 195
鎮痛薬 …… 82, 83, 89, 202, 203, 267, 272
鎮痛薬副作用 …… 273

つ

椎骨動脈 …… 263
椎体 …… 339
痛覚 …… 345

て

手洗い …… 321
手洗い看護師 …… 117
低O_2 …… 235
低O_2血症 …… 235
低栄養状態 …… 159
帝王切開術 …… 31, 63, 237
低カリウム血症 … 66, 178, 194, 212, 228, 230
低カルシウム血症 …… 190
低換気 … 107, 193, 231, 272, 277
低血圧 …… 66, 83, 103, 121, 127, 157, 167, 173, 180, 192, 194, 200, 203, 210, 215, 231, 234, 235, 247, 251, 256, 258, 273, 361, 394, 411, 416
低血圧維持 …… 417, 419
低血圧麻酔 …… 122
低血糖 …… 65, 195, 218, 276
抵抗 …… 141
抵抗消失法 …… 359, 360
低砕石位 …… 155
低酸素 …… 127, 203, 231, 236, 246, 253, 255, 276, 345, 393
低酸素血症 …… 103, 193, 194, 210, 211, 212, 214, 222, 224, 225, 226, 227, 229, 231, 236, 244, 250, 251, 252, 263
低酸素性肺血管収縮 …… 246
定時手術 …… 237, 257
低心拍出量症候群 …… 413

低髄液圧 …… 347	伝達麻酔 …… 59, 191	糖尿病性昏睡 …… 218
低体温 …… 127, 188, 196, 228, 229, 235, 273	点滴セット …… 176	等比重 …… 351
低体温麻酔 …… 239	点滴の漏れ …… 114	頭部外傷 …… 381, 397
低ナトリウム血症 …… 250	点滴ルート …… 122	頭部後屈 …… 29, 285
低比重 …… 351, 354	転倒転落 …… 91	洞房ブロック …… 416
低フィブリノゲン血症 …… 186		動脈 …… 317, 334
ディプリバン …… 76, 77, 81, 92, 101, 216, 388, 389	**と**	動脈圧 …… 136
ディプリフューザー …… 389	同意書 …… 57	動脈圧波形 …… 120, 326
低マグネシウム血症 …… 194	頭蓋底骨折 …… 262	動脈圧モニター …… 323
停留睾丸 …… 361	頭蓋内圧 …… 240	動脈血 …… 128, 325
低流量 …… 383	頭蓋内圧亢進 …… 238, 397, 399, 416, 418	動脈血液ガス分析 …… 29, 30, 131, 222, 226
テオフィリン …… 66, 347	頭蓋内疾患 …… 273, 276	動脈血採血 …… 377, 378
適正換気 …… 194, 195	頭蓋内出血 …… 238, 416	動脈血酸素含有量 …… 183
適正な酸素供給（心拍出量と酸素化の保持）…… 169	動眼神経 …… 347	動脈硬化 …… 123, 193, 227
デクスメデトミジン …… 394	動悸 …… 47	動脈採血 …… 376
テストドーズ …… 345, 361	瞳孔 …… 94, 117	動脈穿刺 …… 323, 324, 377
テスト肺 …… 80	頭高位 …… 236, 354, 356	動脈波形 …… 123, 228
デスフルラン …… 69, 384, 386	瞳孔不同 …… 261, 262	動脈ライン …… 69, 92, 123, 321, 323, 376, 377, 378
テタヌス刺激 …… 148, 149	橈骨神経浅枝 …… 320	動脈瘤破裂 …… 259
テトカイン …… 350	橈骨神経麻痺 …… 157	透明水 …… 60
テトラカイン …… 346	橈骨動脈 …… 45, 118, 120, 323, 324, 326, 377	投与経路 …… 265
手袋 …… 313	橈骨動脈穿刺 …… 324	特殊な体位 …… 209
デルマトーム …… 343	糖新生促進 …… 218	怒張 …… 115
電解質 …… 96, 250	洞性徐脈 …… 416	突然死 …… 39, 65
電解質異常 …… 65, 127, 194, 212, 276	洞性頻拍 …… 193, 413, 414	ドパミナジック作用 …… 408
電解質検査 …… 96	透析 …… 220	ドパミン …… 134, 214, 223, 234, 262, 408, 420
電解質バランス …… 228, 238	橈側皮静脈 …… 317, 320	ドパミンキット …… 421
電解質変化 …… 126	疼痛 …… 59, 127, 202, 265, 272, 273, 274, 396, 398	ドブタミン …… 408, 410, 411, 412, 420
電解質変動 …… 190	疼痛閾値 …… 391, 393	ドブタミンキット …… 421
電解質補液剤 …… 177	頭低位 …… 155, 157, 159, 236, 328, 335, 351, 354	ドブタミン持続静注50 mgシリンジ …… 411
電気信号 …… 122	導入 …… 83	ドブタミン持続静注150 mgシリンジ …… 411
電気メス …… 74, 142	導入薬 …… 69	ドブタミン持続静注300 mgシリンジ …… 411
電極接点 …… 82	導尿 …… 379	
電撃痛 …… 354	導尿カテーテル …… 348	ドブトレックス …… 410, 420
転載 …… 217	糖尿病 …… 31, 35, 56, 69, 213, 218, 225	
点状出血 …… 252		

色文字：主要説明箇所

ドブトレックスキット点滴静注用 411
ドブラム 398
トランスデューサー 122, 125, **323**, 324
トランスデューサーキット ... 76
ドルナー 64
ドルミカム 76, 81, 216, **393**
トレンデレンブルグ体位 156, 157, 236

な

ナースコール 268
内因性カテコラミン 224
内顆 122
内頸静脈 136, 327, 335
内頸静脈穿刺 327
内頸動脈 328
内頸動脈狭窄 218, 219
内頸動脈内膜剥離術 238
内耳手術 276
内出血 114
内臓の支配神経 344
内服薬 52, 60
内分泌疾患 35
ナロキソン 195, 398

に

ニカルジピン ... 214, 246, 255, **416**, 420, 421
ニコランジル 194, 215, **418**, 420
二酸化炭素吸収装置 72
二酸化炭素分圧 128
二次性アルドステロン症 224
日内変動 213
ニトプロ 421
ニトロール 194
ニトログリセリン ...194, 214, 215, 246, **417**, 420, 421
ニトロプルシド 246, 421

ニフェジピン 214
日本麻酔科学会 113
乳酸 177
乳酸ナトリウム 409
乳酸リンゲル液 169, 199
入室時刻 57, 60, **63**, 91
入室方法 33, 63
乳頭筋腱索断裂 259
入眠 285
尿管損傷 274
尿ケトン 218
尿混濁 115
尿道カテーテル 379, 380
尿道カテーテル閉塞 274
尿道狭窄 379
尿道損傷 379
尿の色 115
尿閉 345, 347, 348
尿量 30, 52, 95, 96, **134**, 173, 180, 184, 199, 221, 224, 228, 231, 247, 272, 273
尿量減少 236
妊娠 34, 63, 159, 237
妊婦 51, 259, 412

ね

ネオシネジン 77, 82, 407
ネオシネジンコーワ5 mg 420
ネオスチグミン 402
ネオフィリン 216, 398
寝たきり 53, 159
熱希釈曲線 136
熱希釈法 136
熱産生 196
熱傷 173
熱傷患者 212
ネブライザー 216
粘液水腫 219
年齢 34, **56**, 63, 69

の

脳圧 157, 239, **240**, 389, 399
脳圧管理 240
脳圧降下薬 240
脳圧亢進 210, 211, 214, 238, **240**, 348
脳圧上昇 240
脳温 239
脳/ガス 384
脳灌流圧 240
脳虚血 47, 238, 239
脳外科医 261, 262
脳血流 239
脳血流維持 240
脳梗塞 195, 196
脳出血 195, 196
脳腫瘍 238
脳循環障害 184
脳症 222
脳神経麻痺 347
脳脊髄液 338
脳脊髄疾患 354
脳・脊髄疾患急性期 341
脳代謝抑制 240
％濃度 392
脳動脈瘤 399
脳動脈瘤クリッピング術 238
脳動脈瘤症例 242
脳動脈瘤破裂 239, 307
脳内出血 239
脳内占拠性病変 238
脳内濃度 392
脳波 141, 145
脳波モニター 30, 120
脳ヘルニア 261, 262
脳保護 239, 391
膿瘍 59
ノルアドリナリン 412, 420

は

- パーキンソン症状 …… 66
- パークベンチ …… 155
- バーマンエアウェイ IP … 299
- バイアグラ …… 416, 417, 418
- バイアスピリン …… 64
- 肺炎 …… 57
- 肺合併症 …… 41, 59
- 肺活量 …… 158, 226
- 配管 …… 71
- 肺間質 …… 224
- 肺機能検査 …… 29, 244
- 肺機能障害 …… 184
- 肺胸郭コンプライアンス …… 129, 158
- 肺血管拡張 …… 410
- 肺血管抵抗 …… 136, 138
- 敗血症 …… 198, **231**, 234, 341
- 敗血症性ショック …… 123
- 肺血栓塞栓症 …… 273
- 肺高血圧 …… 136, 419
- 肺コンプライアンス …… 95, 254
- 肺疾患 …… 246
- 肺水腫 …… 188, 209, **228**, 234, 255, 398
- 肺塞栓 …… 59, 131, **201**, 271
- 肺塞栓症 …… 272
- 背側中手静脈 …… 320
- バイタルサイン …… 30, 52, 86, 92, 94, 95, **120**, 184, 200, 354
- 肺動脈圧 …… 136, 137, 138
- 肺動脈カテーテル …… 136
- 肺動脈楔入圧 …… 136, 138
- 梅毒 …… 189
- バイトブロック …… **73**, 75, 81, 92, 284, 303, 307
- 肺内シャント …… 231
- 肺内水分量 …… 224
- 肺の圧外傷 …… 129, 226
- 肺嚢胞 …… 216
- パイピング …… 80
- 肺胞 …… 246
- ハイポキシア …… 159
- ハイポボレミア …… 124, 159, 209
- パイロジェン …… 189
- 波形 …… 95, 141
- 発汗 …… 114, 119, **195**
- 抜管 …… 88, **101**, 102, 210, 211, 216, 224, 226
- 抜管基準 …… 102
- 抜管後気道閉塞 …… 225
- 抜管操作 …… 212
- 抜去手技 …… 315
- パッキング …… **191**, 192, 195, 208, 209, 210, 229, 239, 253, 255, 297, 307
- バッグ …… 75, 80, 94, 277
- バッグ加圧時の抵抗増大 …… 195
- バッグマスク換気 …… 29, 277
- 発熱 …… 56, 173, 211
- 発熱物質 …… 189
- 発表 …… 69
- バトルサイン …… 262
- 鼻カニューレ …… 108
- パナルジン …… 64
- 歯の欠損 …… 75
- 馬尾症候群 …… 59, 346
- 馬尾神経 …… 355
- バファリン81 mg …… 64
- バランス麻酔 …… 83, 111
- 針先 …… 354
- 針刺し事故 …… 322
- パルスオキシメータ …… 74, 78, 82, 91, 115, 120, 127, 131, 255
- ハルトマン …… 177
- ハルトマンD …… 177
- バロトラウマ …… 129
- パワースペクトル解析 …… 141
- ハンギングドロップ法 …… 359, 360
- 半減期 …… 64, 65
- 半坐位 …… 155, 226
- 反射 …… 237
- 反射性交感神経萎縮症 …… 377
- 半生食 …… 224
- 絆創膏 …… **45**, 74, 75, 284, 303
- 半側臥位 …… 155
- 反跳現象 …… 418
- ハンドル …… 75
- 汎発性血管内凝固 …… 252
- ハンプ …… 419

ひ

- ビーチチェア …… 155
- ビーチチェア位 …… 158
- ピーナッツ …… 255
- ピールオフタイプ …… 330, 335
- ビカーボン …… 177
- 日帰り …… 107
- 皮下気腫 …… 119, 235
- 皮下血腫 …… 327, 333
- 皮下出血 …… 377
- 非協力的 …… 180
- 鼻腔拡大 …… 304
- 鼻腔内粘膜 …… 304
- 鼻孔 …… 304
- 腓骨神経麻痺 …… 157, 229
- 鼻出血 …… 262, 282, **304**, 381
- 微小凝集塊 …… 189
- 微小血栓症 …… 189
- 非心臓手術 …… 65
- ピソノテープ …… 214
- ビソルボン …… 216
- 肥大型心筋症 …… 410
- 非脱分極性 …… 399
- 非脱分極性筋弛緩増強 …… 384

| 色文字：主要説明箇所 |

非脱分極性筋弛緩薬 ········ 66, 238, 383

非脱分極性筋弛緩薬作用増強 ········ 230

ビデオ喉頭鏡 ········ 81, 292

ヒドロキシエチルスターチ ········ 177

泌尿器科医 ········ 379

鼻粘膜 ········ 381

ヒビテン ········ 305

ヒビテンアルコール ········ 322

皮膚紅潮 ········ 200

皮膚症状 ········ 200

皮膚色 ········ 237

皮膚の紅潮 ········ 114

皮膚の消毒 ········ 351

ヒベルナ ········ 65

肥満 ········ 34, 39, 75, 158, 159, 208, 209, 224, 226, 259, 341

%肥満度 ········ 39

肥満度 ········ 225

ヒューマリン ········ 219

標準体重 ········ 225

病態 ········ 23, 30

病的肥満 ········ 225

病棟 ········ 102, 107

病棟看護師 ········ 271

病棟指示 ········ 33

病歴 ········ 34

ビリルビン ········ 222, 224

ピンインデックスシステム ········ 73

貧血 ········ 34, 220

頻呼吸 ········ 180, 199, 250, 251

頻拍 ········ 229, 251

頻拍性不整脈 ········ 56, 413, 417

頻拍発作 ········ 47

ピンプリックテスト ········ 344, 354

頻脈 ········ 52, 83, 180, 186, 195, 199, 200, 211, 215, 229, 236, 247, 263, 397, 413, 419

頻脈（洞性） ········ 193, 413, 419

ふ

ファイバー挿管 ········ 226, 252

不安 ········ 57, 59, 250, 338, 348, 349

不安定狭心症 ········ 215, 259, 417, 418

フィジオ35 ········ 177

フィジオ70 ········ 177

フィジオ140 ········ 177

フィジオゾール3号 ········ 177

フィッティング ········ 285

フィット ········ 281

フェーススケール ········ 269

フェード ········ 101, 148

フェニレフリン ········ 77, 82, 214, 407, 420

フェノチアジン誘導体 ········ 65

フェンタニル ········ 76, 82, 89, 91, 213, 226, 240, 266, 268, 306, 396

フォーリーカテーテル ········ 379

不穏 ········ 180, 258, 348, 349

不快感 ········ 399

不可逆的 ········ 64

負荷心電図 ········ 215

不感蒸泄 ········ 228

不規則抗体 ········ 187

腹圧上昇 ········ 227

復温 ········ 239

腹臥位 ········ 155, 158, 159, 223, 252, 356, 362

腹腔鏡 ········ 31

腹腔鏡手術 ········ 212, 223, 235, 236, 276

腹腔内・胸腔内操作 ········ 209

腹腔内出血 ········ 258, 264

腹腔内操作開始時 ········ 229

副交感神経刺激 ········ 391

副交感神経遮断作用 ········ 413

副交感神経反射 ········ 210

副腎皮質ホルモン ········ 68

腹水 ········ 169, 172, 222, 224

腹痛 ········ 200

腹部膨満 ········ 92, 234, 247

腹部膨隆 ········ 158

腹膜炎 ········ 51, 231

服薬状況 ········ 34

浮腫 ········ 119, 169

婦人科手術 ········ 236

不随意運動 ········ 399

不整脈 ········ 34, 47, 91, 94, 95, 103, 126, 194, 199, 200, 212, 230, 235, 255, 307, 398, 409

不整脈誘発 ········ 413

ブドウ糖 ········ 169, 178, 179, 195, 219

ブドウ糖液 ········ 136, 221

ブピバカイン ········ 350, 403, 405

ブプレノルフィン ········ 266, 398

部分入れ歯 ········ 41

ブラ ········ 216

フライト ········ 84

プライバシー保護 ········ 32

プラスチック手袋 ········ 321

ふらつき ········ 398

ブラックアイ ········ 262

フラッシュデバイス ········ 323

プラビックス ········ 64

ブランケット ········ 261

プランジャー ········ 325

ブリディオン ········ 102, 401

フルストマック ········ 31, 51, 56, 234, 258, 259, 306, 307, 311

フルマゼニル ········ 195, 394

フルルビプロフェンアキセチル ········ 266

フレイルチェスト ········ 263

ブレード ········ 75, 287, 288

プレキュラリゼーション ········ 401

プレコンディショニング … 383	閉塞性ショック … 263	膀胱壁切除 … 247
ブレスキャン … 331	閉塞性脳動脈障害 … 238	放散痛 … 355
プレセデックス … 394	併合合併症 … 218, 219, 220	房室伝導障害 … 412
プレタール … 64	平坦脳波 … 142	房室ブロック … 194
プレチスモグラフ … 127	ペインクリニック … 24, 25	放射線照射 … 189
プレビブロック … 414	ペースメーカー … 47, 194	放射線療法 … 327, 333
プローブカバー … 138	ベーベル … 363	ホウレンソウ … 26
プロサイリン … 64	ベクロニウム … 77, 400	ホースアセンブリー … 73
プロスタグランジンE1 … 419, 420	ヘスパンダー … 177	ボール型 … 98
プロスタンディン500 … 223, 419, 420	ベッド … 85, 86	ボール針 … 372
フロセミド … 199, 250	ヘッドバンド … 75	ホクナリンテープ … 66, 216
プロタノールL … 168, 246, 412, 413	ベネトリン … 216	歩行 … 63
ブロッカー … 244	ヘパプラスチンテスト … 222	母指内転筋 … 147
ブロック … 24	ヘパリン … 64, 76, 82, 215, 251, 323, 324	補充療法 … 67
プロポフォール … 76, 77, 81, 88, 89, 115, 195, 226, 240, 246, 313, 388, 389	ヘパリン生食 … 378	補助換気 … 273, 276
	ヘパリン療法 … 64	補助呼吸 … 203, 285
プロポフォール注入症候群 … 389	ヘマトクリット … 187, 224, 247, 250	補助ボンベ … 71
プロレナール … 64	ペルサンチン … 64	補助ボンベによる酸素供給圧 … 71
分時換気量 … 98, 100, 129, 164, 192, 235, 236	ペルジピン … 408, 416, 420, 421	補助用ボンベ … 80
分節麻酔 … 340	ヘルベッサー … 214, 215, 416, 420	ボスキシ … 254
分配係数 … 384	便意 … 200	ボスミン … 190, 254, 411, 420
分泌増加 … 402	ペンシルポイント型 … 346	ボスミンガーゼ … 254
分泌物貯留 … 118, 119	ベンゾジアゼピン … 195, 392	ボスミン生食 … 254
分離肺換気 … 244, 263	ベンゾジアゼピン拮抗薬 … 394	補体 … 222
分離肺換気手術 … 31	ペンタゾシン … 266, 397	母体 … 237
分離麻酔 … 340	ベンチレータ … 97	ポタコールR … 177
	扁桃 … 253	ホッケースティック … 283
へ	扁桃摘出術 … 253	ホッケースティック状 … 74
ベアーハガー™ … 197		発作 … 51, 215, 216
平均血圧 … 95, 123, 127, 184, 213, 214, 223, 228	**ほ**	発作性上室性頻拍 … 407
平均動脈圧 … 122, 166, 240	膀胱三角 … 247	発作性頻拍 … 414
閉鎖腔 … 255, 387	膀胱充満 … 210	ポップオフバルブ … 285
閉鎖神経 … 247	膀胱穿孔 … 247	ポビドンヨード … 305, 322, 351
閉鎖神経ブロック … 372, 373	膀胱直腸障害 … 346	ボプスカイン … 358, 403, 405
	膀胱内尿蓄積 … 276	ホリゾン … 393
		ボリューム … 169
		ボルタレン坐剤 … 266

色文字：主要説明箇所

ポルフィリア … 391
ボルベン … 177
本穿刺 … 328, 334
ポンプ … 391
ポンプ機能 … 126

ま

マーカー … 304
マーカイン … 346, 350, 403, 405
マーフィー孔 … 291
マイクロフィルター … 188
麻黄 … 66
マギール鉗子 … 75, 76, 303, **304**
枕 … 74, 85, 86
麻酔域 … 343, 356
麻酔維持 … 88, 95
麻酔維持薬 … 77, 93
麻酔科 … 22, 23
麻酔カート … 73, 74
麻酔科医 … 25, 32, 56, 112, 271
麻酔回路 … 29, 71, 72, 80, 129, 191, 208
麻酔科研修 … 25, 27
麻酔科術前指示表 … 61
麻酔ガス濃度 … 131
麻酔ガス排除装置 … 81
麻酔合併症 … 57, 59
麻酔科問診表 … 35
麻酔管理 … 29, 32, 57, **69**, 91, 155, 228
麻酔器 … 29, 71, 72, 73, 74, 80, 97, **98**, 113, 284, 303
麻酔器具 … 71, 73, **75**, 80, 81
麻酔器具台 … 73
麻酔業務 … 321
麻酔・緊急薬の準備 … 71
麻酔, 筋弛緩からの回復 … 102
麻酔・筋弛緩作用残存 … 275

麻酔計画 … 33, 44
麻酔高 … 342
麻酔事故 … 43
麻酔指導医 … 32, 56, 57
麻酔手技 … 271
麻酔承諾 … 33
麻酔承諾書 … 57, 58
麻酔深度 … 86, 94, **96**, 117, 162, 192, 194, 240
麻酔説明 … 57
麻酔前投薬 … 412
麻酔専門医 … 57
麻酔担当医 … 84
麻酔チャート … 24
麻酔中のモニター指針 … 113
麻酔導入 … 29, 66, 84, **85**, 90, 171
麻酔導入薬 … 76, 92
麻酔と蘇生 … 43
麻酔方法 … 33, 57, 69
麻酔前の準備 … 71
麻酔申し込み … 63
麻酔問診表 … 28
麻酔薬 … 23, 29, 30, 51, 101, 127, 131, 195, 216, 271, 306
麻酔薬濃度 … 97
麻酔薬の残存 … 272
麻酔レベル … 338
マスク … 74, **75**, 80, 81, 85, 86, 92, 101, 277, 281, 283, 285, 303
マスク換気 … 86, 92, 203, 216, 224, 225, 305, 321
マッキントッシュ型喉頭鏡 … 292
マッキントッシュ喉頭鏡 … 74, 287
末梢温 … 135
末梢気道閉塞 … 226
末梢血管拡張 … 196, 413
末梢血管循環改善 … 176
末梢血管抵抗 … 123, 124, 128

末梢循環不全 … 135
末梢静脈 … 96, 178, 219, **317**
末梢静脈穿刺 … 29
末梢静脈ルート … 69, 92, 93, 376
末梢神経ブロック … 369
末梢神経麻痺 … 272, 275
末梢性ニューロパチー … 51
麻痺 … 238
守りの麻酔 … 24
麻薬 … 86, 266
麻薬拮抗性鎮痛薬 … 397
麻薬拮抗薬 … 266
マルトース … 177
マンシェット … 78, 120, 121, 125
慢性障害 … 221
慢性閉塞性肺疾患 … 132, 217
マンニトール … 199, 238, 240, 253

み

ミオグロビン尿 … 199, 390
味覚 … 114
右口角 … 287
未重合モノマー … 251
ミダゾラム … 76, 81, 393
脈圧 … 95, 123, 127, 187
脈の脆弱 … 180
脈拍 … 91, 92, 94, 96, 118, 181, 228
脈拍数 … 95, 396
脈波形 … 127
ミリスロール … 408, **417**, 420, 421
ミルク … 60

む

無気肺 … 59, 119, 158, 231, 235, 236, 272, **273**, 275
無菌性髄膜炎 … 347

無呼吸	277, 305, 389
無呼吸酸素化	87
無症候性心筋梗塞	51
ムスカリン	402
無知覚域	354
無痛域	69, 354
無痛性心筋梗塞	218
無動状態	23
無尿	103, 221
無脈性心室頻拍	415

め

迷走神経刺激	193, 211
迷走神経性徐脈	412
迷走神経反射	210, 212, 228, 229, 252
迷走性神経性房室伝導障害	412
メイロン	178, 179, 190, 199, 256
メインストリーム	133
メキシチール	421
メキシレチン	421
メチレンブルー	250
メトヘモグロビン血症	418
メパッチクリア	117
メピバカイン	403, 404

も

申し送り	107
網膜症	218, 219
網膜剥離	253
盲目的経鼻挿管	305
目視	285
目標血中濃度	389
モ原病	112
モニター	71, 74, 78, 82, 84, 91, 97, 112, 113, 115, 120, 159, 221, 290, 323, 324
モニター機器	112
もやもや病	238
門歯	284
問診表	35
問題解決能力	213
門脈	221

や

薬剤起因性	194
薬剤血中濃度	66
薬品点検	81
薬品の誤投与	191, 207
薬物動態	30, 392
薬力学	392
ヤコビの線	352
やせ	39
やせの指標	39

ゆ

有害反射	83, 84, 88
有機リン	412
有効血中濃度	392
誘導	126
幽門狭窄	51, 259
輸液	60, 62, 92, 96, 97, 108, 169, 182, 193, 221, 228, 229, 236, 240, 321
輸液管理	24, 30, 84
輸液指示	107, 108
輸液速度	97, 176
輸液の加温	229
輸液の種類	228
輸液の速度	228
輸液負荷	192, 194, 229, 251, 346, 348
輸液不足	209
輸液・輸血管理	23
輸液・輸血準備	262
輸液ライン	320
輸液量	96, 173
輸液ルート	159, 228
輸血	30, 96, 172, 180, 182, 188, 193, 224, 320
輸血後感染症	189
輸血手技	189
輸血セット	76
輸血の指標	186
輸血の種類	184
輸血バッグ	321
輸血反応	198
輸血必要量	182
輸血フィルター	76
輸血副作用	188, 273
輸血不足	273
輸血ポンプ	189
指交差法	285, 286

よ

陽圧換気	235, 255, 285, 303
陽圧呼吸	174, 260, 285, 303
溶血	376
用手的頸椎固定法	261
陽性変時作用	413
翼付き硬膜外針	357
予測血中濃度	101
予定外手術	256
予定時間	56
予定手術の延期	221
予防接種	36, 53
予防接種と全身麻酔	47

ら

ライン	69
ラクテック	177
ラクテックD	177
ラクテックG	177
ラシックス	178
らせん入りチューブ	252
ラテックスアレルギー	39
ラベル	81

色文字：主要説明箇所

ラボナール ………… 76, 81, 390
ラリンジアルマスク
　………… 311, 312, 313, 314
ランジオロール …… 413, 420
ランドマーク法 …… 331, 373

り

離握手 ……………… 101, 102
リアルタイム穿刺 ………… 331
リークテスト …………… 72, 80
リード ………………………… 82
リード線 …………………… 126
リーマス …………………… 65
力道山 ……………………… 43
リキャップ ………………… 321
リザーバー ……………… 278
リザーバー付きマスク
　……………………… 108, 226
リザーバーバッグ ……… 278
リストバンド ……………… 91
リスミー …………………… 63
リズム ……………………… 126
理想体重 ………………… 226
リドカイン … 82, 193, 199, 254,
　　　　403, 404, 414, 421
利尿薬 … 66, 134, 173, 178, 273

リバース ………… 273, 276
リバウンド ………………… 66
離被架 …………………… 229
リフィルアダプタ ………… 77
硫酸アトロピン ………… 402
留置針 …………………… 317
流量計 …………… 71, 80, 98
流量計酸素 ……………… 80
流涙 ……………… 117, 195
良肢位 …………………… 155
緑内障 …………………… 413
リンゲル液 ……………… 177
輪状甲状間膜穿刺 …… 308
輪状甲状靱帯 …… 305, 306
輪状甲状靱帯穿刺 …… 262
臨床使用速度 ………… 420
臨床適応能力 …………… 84
輪状軟骨 ………………… 306
輪状軟骨圧迫 …… 86, 307
輪状軟骨圧迫法 ……… 234

る・れ

るいそう ………………… 212
ルート ……………………… 97
冷汗 ……………… 180, 181, 200

冷却 ……………………… 239
冷却輸液 ………………… 199
レスキュー ……………… 265
レペタン ………… 266, 268, 398
レペタン坐剤 …………… 266
レボブピバカイン …… 403, 405
レミフェンタニル
　………………… 76, 82, 88, 395
レミマゾラム …… 76, 77, 81, 392
レラキシン ……………… 400
連続心拍出量 …………… 137
連続測定 ………………… 121

ろ・わ

労作性 …………………… 215
老人 ……………………… 193
ロクロニウム …… 77, 82, 88, 399
ロコルナール ……………… 64
ロックアウトタイム ……… 268
ロピオン ………………… 266
ロピバカイン …… 88, 403, 405
ワーファリン …………… 64, 215
ワゴスチグミン ……… 216, 402
腕神経叢ブロック ……… 364
腕神経叢麻痺 …………… 157

著者プロフィール

讃岐美智義　Michiyoshi Sanuki
呉医療センター・中国がんセンター麻酔科

1987年	広島大学医学部卒業
1987〜1990年	JA尾道総合病院麻酔科
1994年	広島大学大学院医学研究科修了　医学博士
1994〜1995年	広島大学医学部附属病院手術部助手
1995〜2004年	広島市立安佐市民病院
	麻酔・集中治療科部長／医療情報室長（兼務）
2004〜2007年	県立広島病院　麻酔・集中治療科医長
2007年	広島大学大学院医歯薬学総合研究科麻酔蘇生学　助教
2007年〜2019年	広島大学病院麻酔科　講師
2006年〜現在	東京女子医科大学麻酔科非常勤講師
2019年〜現在	呉医療センター・中国がんセンター
	麻酔科科長／中央手術部長
2019年〜現在	広島大学医学部麻酔蘇生学　客員教授

主な著書：「やさしくわかる！麻酔科研修」（学研メディカル秀潤社），「改訂版 麻酔科薬剤ノート」（羊土社），「周術期モニタリング徹底ガイド」（羊土社），「Dr. 讃岐流気管挿管トレーニング」（学研メディカル秀潤社），
1995年より，http://msanuki.com『麻酔科医の麻酔科医による麻酔科医のためのサイト』を運営．
研究テーマ：周術期とテクノロジー・生体情報解析，研修医・専門医教育

麻酔科研修チェックノート　改訂第7版
書き込み式で研修到達目標が確実に身につく！

2004年　6月25日第1版第1刷発行	
2006年　5月25日第1版第5刷発行	
2007年　4月10日第2版第1刷発行	著　者　　讃岐　美智義
2009年　5月15日第2版第5刷発行	
2010年　3月10日第3版第1刷発行	発行人　　一戸　裕子
2012年　3月　1日第3版第5刷発行	
2013年　3月20日第4版第1刷発行	発行所　　株式会社　羊　土　社
2014年　4月15日第4版第5刷発行	〒101-0052
2015年　3月15日第5版第1刷発行	東京都千代田区神田小川町2-5-1
2017年　2月　1日第5版第4刷発行	TEL　03（5282）1211
2018年　3月第6版第1刷発行	FAX　03（5282）1212
2020年12月25日第6版第5刷発行	E-mail：eigyo@yodosha.co.jp
2022年　3月15日第7版第1刷発行	URL：www.yodosha.co.jp/
2024年　3月15日第7版第3刷発行	
©YODOSHA CO., LTD. 2022	
Printed in Japan	印刷所　　広研印刷株式会社
ISBN978-4-7581-0576-7	

本書に掲載する著作物の複製権，上映権，譲渡権，公衆送信権（送信可能化権を含む）は（株）羊土社が保有します．本書を無断で複製する行為（コピー，スキャン，デジタルデータ化など）は，著作権法上での限られた例外（「私的使用のための複製」など）を除き禁じられています．研究活動，診療を含み業務上使用する目的で上記の行為を行うことは大学，病院，企業などにおける内部的な利用であっても私的使用には該当せず，違法です．また私的使用のためであっても，代行業者等の第三者に依頼して上記の行為を行うことは違法となります．

JCOPY ＜（社）出版者著作権管理機構　委託出版物＞
本書の無断複写は著作権法上での例外を除き禁じられています．複写される場合は，そのつど事前に，（社）出版者著作権管理機構（TEL 03-5244-5088，FAX 03-5244-5089，e-mail：info@jcopy.or.jp）の許諾を得てください．

乱丁，落丁，印刷の不具合はお取り替えいたします．小社までご連絡ください．

羊土社のおすすめ書籍

診断や治療方針決定を助け,予後も予測できるツールを活用する!

レジデントノート増刊 Vol.23 No.17

あらゆる場面のClinical Prediction Ruleを使いこなす

診断・治療方針が決まる、予後を予測できる!

森川大樹,藤谷茂樹,平岡栄治/編
- 定価 5,170円(本体 4,700円+税10%) ■ B5判
- 280頁 ■ ISBN 978-4-7581-1675-6

読んですぐ実践できる整形外科医・麻酔科医に必須な1冊!

迷わず打てる 関節注射・神経ブロック

後藤英之/編
- 定価 7,700円(本体 7,000円+税10%) ■ B5判
- 222頁 ■ ISBN 978-4-7581-1863-7

術後神経合併症を防ぐ術中神経モニタリングのポイントを網羅!

術中神経モニタリングバイブル 改訂版

術後神経合併症を防ぐ、多職種チーム医療の実践法

川口昌彦,中瀬裕之/編
- 定価 6,600円(本体 6,000円+税10%) ■ B6変型判
- 438頁 ■ ISBN 978-4-7581-1122-5

経食道心エコーを習得するならまず本書から!

カラー写真で一目でわかる 経食道心エコー 第3版

撮り方、診かたの基本とコツ

岡本浩嗣,山浦 健/編
- 定価 7,150円(本体 6,500円+税10%) ■ A4判
- 173頁 ■ ISBN 978-4-7581-1121-8

発行 羊土社 YODOSHA

〒101-0052 東京都千代田区神田小川町2-5-1 TEL 03(5282)1211 FAX 03(5282)1212
E-mail : eigyo@yodosha.co.jp
URL : www.yodosha.co.jp/

ご注文は最寄りの書店、または小社営業部まで

羊土社のおすすめ書籍

救急で頻出する研修医の苦手な症候に，症例問題を解いて強くなる！

救急外来ドリル

熱血指導！「ニガテ症候」を解決するエキスパートの思考回路を身につける

坂本　壮／編
- 定価 4,400円（本体 4,000円＋税10%）　■ B5判
- 264頁　■ ISBN 978-4-7581-2376-1

膨大な検査情報の何に注目して、どう解釈するの？が解消する1冊

検査値ドリル

基礎・応用問題から鍛える、診断につながるポイントを見抜く力

神田善伸／編
- 定価 4,730円（本体 4,300円＋税10%）　■ B5判
- 272頁　■ ISBN 978-4-7581-1895-8

抗菌薬・感染症に強くなる，「ちょうどいい難易度」の73問！

抗菌薬ドリル

感染症診療に強くなる問題集

羽田野義郎／編
- 定価 3,960円（本体 3,600円＋税10%）　■ B5判
- 182頁　■ ISBN 978-4-7581-1844-6

「栄養療法」の基礎から実践まで，まるっと学べる100問！

栄養療法ドリル

評価・指示の出し方から病態の考え方までまるっとわかる100問

泉野浩生／編
- 定価 4,400円（本体 4,000円＋税10%）　■ B5判
- 336頁　■ ISBN 978-4-7581-0912-3

発行　羊土社／YODOSHA
〒101-0052 東京都千代田区神田小川町2-5-1　TEL 03(5282)1211　FAX 03(5282)1212
E-mail：eigyo@yodosha.co.jp
URL：www.yodosha.co.jp/

ご注文は最寄りの書店、または小社営業部まで

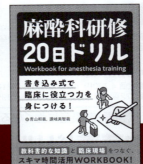

④悪性高熱症（MH）の治療手順

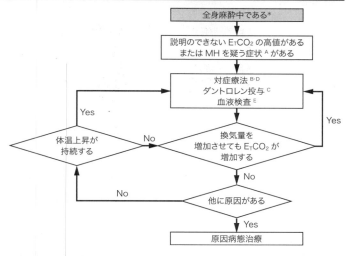

(注1) ＊「安全な麻酔のためのモニター指針」を遵守したうえで、体温とE_TCO_2の連続モニターがなされていること
(注2) 図中の肩文字 A, B, C, D, E は下のチェック項目に対応
(注3) DIC : Disseminated Intravascular Coagulation

A：MHを疑う症状
□ 説明のできないE_TCO_2の高値
□ 原因不明の頻脈
□ 体温上昇速度≧0.5℃/15分
□ 体温≧38.8℃
□ 開口障害
□ 筋強直
□ コーラ色の尿
□ 代謝性アシドーシス（BE≦－8.0）
□ $PaCO_2 < E_TCO_2$

B：対症療法（直ちに実施すべき）
□ 緊急事態宣言
□ 起因薬剤の投与中止・静脈麻酔に変更
□ 人手を集め、手術の早期終了を要請
□ 高流量酸素投与・分時換気量を2倍以上で換気

C：ダントロレン投与（直ちに実施すべき）
□ 専用末梢ラインを確保
□ 1瓶20 mgあたり注射用蒸留水60 mLで溶解

□ 1 mg/kg（できれば2 mg/kg）を15分で投与
□ 症状により適宜増減し、最大投与量は7 mg/kgまで

D：対症療法
□ 動脈圧ラインを確保
□ 冷却生理食塩水（最大50～60 mL/kg）を投与
□ 体表冷却（室温を下げ、室温で送風）
□ 不整脈治療（Ca拮抗薬は投与しない）
□ 他の対症療法：グルコース・インスリン療法、利尿、酸塩基平衡補正など
□ （可能なら）気化器を取り外して麻酔回路を交換

E：推奨する血液検査の種類と実施時期
血液検査：血液ガス分析、血糖、電解質、乳酸、CK、ミオグロビン定性・定量（尿も）、生化学（腎機能、肝機能）、DIC検査のための血液凝固系
実施時期：発作時・30分後・4・12・24・48時間後を推奨

日本麻酔科学会：「悪性高熱症患者の管理に関するガイドライン2016」（http://www.anesth.or.jp/guide/pdf/guideline_akuseikounetsu.pdf）より引用

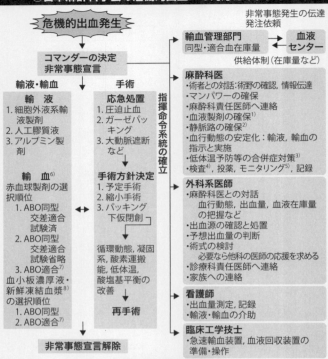